LES HÉRITIERS d'Enkidiev

TOME 6
Nemeroff

DANS LA MÊME COLLECTION

Déjà parus :

Les héritiers d'Enkidiev, tome 1 – Renaissance
Les héritiers d'Enkidiev, tome 2 – Nouveau monde
Les héritiers d'Enkidiev, tome 3 – Les dieux ailés
Les héritiers d'Enkidiev, tome 4 – Le sanctuaire
Les héritiers d'Enkidiev, tome 5 – Abussos

À paraître bientôt :

Les héritiers d'Enkidiev, tome 7 – Le conquérant

* * *

À ce jour, Anne Robillard a publié plus d'une trentaine de romans, dont la saga à succès des *Chevaliers d'Émeraude*, sa suite, *Les héritiers d'Enkidiev*, la série culte *A.N.G.E.*, *Qui est Terra Wilder ?*, *Capitaine Wilder* et *Les Ailes d'Alexanne* ainsi que plusieurs livres compagnons et des BD.

Ses œuvres ont maintenant franchi les frontières du Québec et font la joie de lecteurs partout dans le monde.

Pour obtenir plus de détails sur ces autres parutions, n'hésitez pas à consulter son site officiel et sa boutique en ligne :

www.anne-robillard.com
www.parandar.com

ANNE ROBILLARD

LES HÉRITIERS d'Enkidiev

TOME 6

Nemeroff

WELLAN INC.

Catalogage avant publication de Bibliothèque et Archives nationales du Québec et Bibliothèque et Archives Canada

Robillard, Anne

   Les héritiers d'Enkidiev
   Sommaire : t. 6. Nemeroff.

     ISBN 978-2-923925-55-4 (v. 6)

     I. Titre. II. Titre: Nemeroff.

PS8585.O325H47 2009   C843'.6   C2009-942695-1
PS9585.O325H47 2009

WELLAN INC.
C.P. 57067 – Centre Maxi
Longueuil, QC   J4L 4T6
Courriel : info@anne-robillard.com

Couverture et illustration: Jean-Pierre Lapointe
Mise en pages: Claudia Robillard
Révision: Annie Pronovost

Distribution: Prologue
1650, boul. Lionel-Bertrand
Boisbriand, QC   J7H 1N7
Téléphone : 450 434-0306 / 1 800 363-2864
Télécopieur : 450 434-2627 / 1 800 361-8088

Dépôt légal - Bibliothèque et Archives nationales du Québec, 2012
Dépôt légal - Bibliothèque et Archives Canada, 2012

« Si aider les autres vous paraît trop difficile, essayez au moins de ne pas leur nuire. »

— Le Dalaï Lama

ENKIDIEV

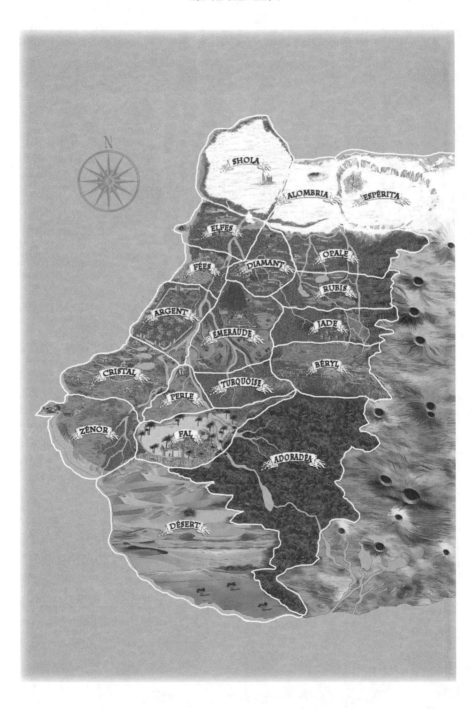

ENLILKISAR

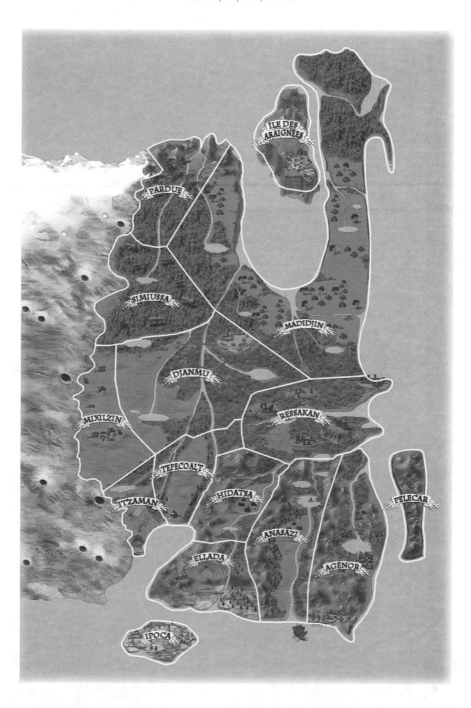

UN TIGRE MAL EN POINT

Le Désert n'était pas l'endroit le plus hospitalier d'Enkidiev. Celui qui s'y attardait trop longtemps risquait d'y périr, surtout s'il avait subi des blessures graves. Même s'il était un demi-dieu et qu'il avait le pouvoir de se métamorphoser, Mahito n'en demeurait pas moins un être de chair et de sang. Le lion qui l'avait attaqué à quelques kilomètres de son repaire lui avait labouré le dos et l'épaule gauche avant qu'il parvienne à le terrasser. À son grand désarroi, Mahito n'avait pas eu le temps de l'achever. Meurtri, il s'était traîné jusqu'à son oasis afin de soigner ses plaies le plus vite possible.

Le tigre ensanglanté s'était roulé dans les roseaux pour nettoyer les profondes griffures qui le faisaient souffrir. Il avait bu longuement, puis s'était dirigé vers l'éperon rocheux qui s'élevait au milieu de la luxuriante végétation. Luttant contre les étourdissements, Mahito avait repris sa forme humaine. Il avait péniblement poussé la pierre qui bloquait l'entrée de la grotte de cristal, l'avait remise en place et avait rampé dans le tunnel jusqu'au deuxième bloc de granit. Se servant de son épaule droite, le jeune homme avait fait rouler celui-ci avec difficulté. L'installer de nouveau devant la cavité de la plus grande des cavernes le draina du peu d'énergie qui lui restait.

Mahito demeura un long moment à plat ventre sur le plancher de quartz, dont la fraîcheur lui fit le plus grand bien. Incapable de bouger, il songea à sa mère, qu'il connaissait à peine, et à son père qui vivait dans les mondes invisibles. La surface réfractaire de l'ancien antre d'Akuretari bloquait les transmissions de pensées. Le dieu-tigre ne pouvait donc pas crier à l'aide. Pire encore, il lui était impossible de faire appel à ses propres pouvoirs d'auto-guérison. Il ferma les yeux, persuadé qu'il n'allait jamais plus les ouvrir.

Dans sa petite cellule, à laquelle elle n'était d'ailleurs plus confinée, Jenifael crut entendre d'étranges sons en provenance de l'immense grotte. Curieuse, elle passa doucement la tête dans l'ouverture. Elle n'entendit d'abord rien, puis perçut une faible lamentation.

– Mahito ?

Il ne répondit pas, mais les plaintes semblèrent s'accentuer. Jenifael se risqua donc dans la vaste pièce et vit les pieds nus de son ravisseur dépassant derrière la pile de coussins qui servait de sofa. Elle s'élança et étouffa un cri de frayeur en apercevant le dos labouré de Mahito et le sang sur le sol autour de lui.

– Mais qu'est-ce qui t'est arrivé ?

Elle s'agenouilla près de ses épaules et passa les mains au-dessus de ses blessures. Dans cet endroit dénué de magie, ses paumes ne s'allumèrent évidemment pas. Elle apporta donc jusqu'au blessé le récipient d'eau potable que le jeune homme ramenait tous les jours de l'extérieur, puis arracha le bas de sa robe de mariée pour tenter de nettoyer les profondes coupures.

Dès que le morceau d'étoffe trempé entra en contact avec la peau de Mahito, celui-ci sursauta.

– Il faut arrêter l'hémorragie… indiqua-t-il dans un souffle.

– Je n'ai plus de pouvoirs !

– Il faut serrer… attacher…

Jenifael continua de déchirer sa robe pour en faire des bandages qu'elle attacha bout à bout, mais pour panser le torse de Mahito, il fallait le relever. Complètement vidé de ses forces, le jeune homme ne pouvait même pas faire l'effort de se redresser sur ses coudes. La femme Chevalier se mit donc à tirer sur son bras valide et parvint à traîner le dieu-tigre jusqu'aux coussins. Elle en plaça plusieurs sur le sol à côté de lui et fit rouler Mahito pour que son dos s'y appuie. L'important, c'était d'exercer une pression sur les entailles, d'une façon ou d'une autre, pour qu'il ne se vide pas de tout son sang.

Assise près de lui, elle épongea d'abord son visage couvert de sueur en étudiant ses traits pour la première fois. Il avait les cheveux noirs de sa mère, mais rien de sa physionomie jadoise, à part ses yeux légèrement bridés et son nez fin. « Il ressemble à Anyaguara, en fin de compte », conclut-elle. Jenifael avait soigné de nombreux soldats pendant la guerre, mais toujours grâce à ses facultés surnaturelles. C'est avec beaucoup de honte qu'elle s'apercevait maintenant qu'elle ne connaissait pas d'autres moyens pour arriver au même résultat.

La captive demeura un long moment au chevet de son ravisseur, rafraîchissant régulièrement son visage et s'assurant qu'il respirait encore. C'est seulement lorsque la pièce s'assombrit et que la voûte se parsema d'étoiles au-dessus de sa tête que Jenifael comprit la précarité de sa situation. Si Mahito mourait, elle périrait avec lui, car elle n'était pas assez forte pour pousser la pierre qui bloquait la sortie de la caverne.

— Je t'en prie, reste en vie… l'implora-t-elle.

Le blessé se mit alors à grelotter jusqu'à en claquer des dents. Jenifael se précipita dans sa petite chambre et s'empara des édredons que le dieu-tigre lui avait offerts. Elle enveloppa ce dernier pour le réchauffer, mais il continua de trembler de tous ses membres. Alors, elle se colla contre lui pour lui transmettre la température de son propre corps.

Jenifael garda l'œil ouvert toute la nuit. Lorsque la luminosité de la grotte passa de l'obscurité à la clarté du jour, elle retourna doucement Mahito sur le ventre. Le sang avait commencé à coaguler dans les plaies, alors elle les laissa à l'air libre.

— Soif… murmura-t-il.

— Pourquoi ne m'as-tu pas demandé cela quand tu étais sur le côté ? se découragea Jenifael.

De peine et de misère, la jeune femme réussit à lui relever suffisamment la tête pour faire couler un peu d'eau dans sa bouche. Elle alla ensuite se chercher à manger dans leurs réserves et prit son repas en surveillant le sommeil fiévreux de la seule personne qui pouvait lui rendre sa liberté.

Mahito ne reprit conscience qu'en début de soirée. Il ouvrit brusquement les yeux et tenta de se redresser.

– Non, ne bouge pas ! l'avertit Jenifael. Tu rouvrirais toutes tes blessures !

Il se recoucha.

– Sont-elles infectées ? demanda-t-il.

– Pas à ce que je sache. Elles semblent guérir, mais je pourrais t'assurer un rétablissement complet et rapide si nous n'étions pas dans cet endroit.

– Dès que je pourrai bouger, nous sortirons d'ici.

Jenifael s'allongea près de lui et le fixa droit dans les yeux.

– Que s'est-il passé ?

– J'ai défendu mon territoire.

– Contre quoi ? Un dragon de l'Empereur Noir ?

– Un homme-lion.

La femme Chevalier n'en connaissait qu'un seul.

– J'imagine que tu n'as pas pris le temps de lui demander son nom ?

Mahito lui décocha un regard agacé.

— Un Pardusse ne se serait pas aventuré dans le Désert, à moins que… poursuivit-elle.

— S'il est venu jusqu'ici pour te délivrer, alors il est mort en vain.

— Tu l'as tué ? s'horrifia Jenifael.

— Je l'ai abandonné à quelques kilomètres de la grotte, en bien plus mauvais état que moi. Le soleil doit l'avoir achevé, et les charognards se sont sûrement régalés de sa carcasse.

— Sauf s'il n'était pas seul.

— Il patrouillait avec des humains avant de se jeter sur moi, mais ces derniers n'auront rien pu faire pour lui.

— Qui l'accompagnait ?

Mahito garda le silence.

— C'était mon mari, n'est-ce pas ? Ne me dis pas que tu es surpris qu'il se soit mis à ma recherche !

— Il ne te mérite pas.

— Mahito, comment crois-tu que cet enlèvement se terminera ?

— Ton cœur l'emportera sur ta raison.

— Arrête de parler comme si je n'avais aucun sentiment.

– Ton cœur déborde d'amour, mais tu ne sais pas comment y accéder. C'est ça que j'essaie de t'enseigner.

– Et mon mari ne pourrait pas faire la même chose ?

– Son cœur appartient toujours à sa première femme et sa fidélité est toute à son honneur. Il ne le donnera jamais à une autre. Que désires-tu ? Une vie d'amour auprès d'un homme qui t'adore ou une vie rangée et aride aux côtés d'un ancien roi qui a déjà eu tout ce qu'il désirait lors de sa vie précédente et qui est blasé de tout ?

– Hadrian a encore beaucoup à offrir au monde.

– Et à toi ?

– Si j'avais su que tu allais continuer de me tourmenter, je t'aurais laissé mourir.

– Pourquoi ne l'as-tu pas fait ?

Jenifael lui tourna le dos.

– Quand tu arriveras à répondre à cette question, j'aurai enfin accompli ma mission, ajouta Mahito.

La jeune femme demeura muette pendant de longues minutes.

– Si je ne t'avais pas soigné, je n'aurais jamais pu sortir d'ici, déclara-t-elle finalement.

– Est-ce parce que tu étais complètement indifférente que tu t'es couchée contre moi ?

Elle se sentit rougir jusqu'aux oreilles.

– Je mérite de savoir la vérité, Jenifael.

– Tu me tiens en ton pouvoir.

– Regarde-moi et dis-moi que tu me détestes.

La déesse lui fit face, une fois de plus.

– Je te…

Les mots s'étranglèrent dans sa gorge. Attentif, Mahito attendait son verdict.

– Tu n'es qu'un…

Dans son esprit, elle voyait le dieu-tigre placer sa tête sur l'échafaud et lui offrir son cou.

– Je ne sais plus ce que je ressens, murmura-t-elle, malheureuse.

– C'est bon signe, affirma-t-il avec un sourire attendri.

Sans chercher à comprendre ce qu'elle faisait, Jenifael se rapprocha de Mahito et effleura ses lèvres d'un baiser.

– Personne n'a jamais défendu son territoire pour moi, avoua-t-elle.

– J'affronterais tous les guerriers de l'univers pour que tu sois mienne.

Elle l'embrassa une deuxième fois en explorant ses nouveaux sentiments pour ce jeune homme qui faisait preuve d'un entêtement insensé. Hadrian aurait-il agi de la même façon si elle avait décidé d'épouser un autre homme ?

– Est-ce que tu me détestes ? répéta Mahito.

– Non… J'ai encore de la difficulté à croire qu'on puisse aimer une autre personne au point de la séquestrer pour toujours, mais je ne sens aucune méchanceté en toi.

– C'est tout ce que je voulais entendre. Dès que j'aurai la force de me lever, je te ferai sortir d'ici et je me plierai à ta volonté.

– Ne crains-tu pas que je m'évade ?

– Non.

Ils s'embrassèrent pendant un long moment, puis Jenifael le fit manger avant de se coller contre lui pour la nuit.

– La première chose que je ferai, quand nous serons dehors, c'est de refermer tes plaies, promit la déesse.

— C'est une belle pensée, mais n'oublie pas que je reprendrai moi aussi mes pouvoirs une fois que nous nous serons éloignés du cristal. Comme tous les dieux félins, je possède la faculté de me guérir par l'intérieur.

— Sage pouvait faire la même chose, lui aussi, se rappela Jenifael.

— Qui est-ce ?

— Un hybride moitié homme, moitié insecte, qui est devenu Chevalier d'Émeraude et qui a épousé la Princesse Kira.

— Je croyais qu'elle était la femme de Lassa...

— Lassa est son deuxième mari. Je pense qu'elle l'aime encore plus qu'elle a aimé Sage.

— Seras-tu capable d'en faire autant ?

— C'est une excellente question, mais pour y répondre, il faudrait que je commence par savoir ce que je ressentais vraiment pour Hadrian.

— Je t'écoute.

— En toute franchise, je pense que c'est son énergie, semblable à celle de mon père, que je recherchais. Mon père est mort pendant la guerre, alors je n'ai jamais réellement eu le temps de profiter de sa sagesse et de ses conseils. Hadrian est un érudit, comme Wellan, et il a été lui aussi le commandant des Chevaliers d'Émeraude. Je me sens en sécurité auprès de lui.

— Mais il n'a pas de sang divin comme toi.

— Il est vrai qu'il ne s'entend pas très bien avec ma mère, mais il faut dire qu'elle n'est pas toujours conciliante.

— Je suis un demi-dieu.

— Tu es un félin et je suis une reptilienne.

— Ce sont des divisions arbitraires, puisqu'en réalité, nous sommes tous des descendants des dieux fondateurs.

— Si c'est vrai, alors pourquoi ne suis-je pas capable de me transformer en animal, comme toi ?

— Pourquoi voudrais-tu te métamorphoser en gavial ?

— C'est seulement une question hypothétique, car je me contente de mon apparence enflammée.

— Alors, laisse-moi t'instruire à ce sujet. Il n'y a que les dieux fondateurs et leurs enfants qui peuvent passer sans effort d'une forme à une autre. Leurs petits-enfants et tous leurs autres descendants ont besoin d'une amulette pour y parvenir.

— Où est la tienne ?

— Dans mon cou.

Elle se tortilla pour tenter de la voir et utilisa même ses mains pour tâter la nuque et la gorge du dieu-tigre.

– Tu ne portes aucun bijou.

– Mon amulette est invisible aux yeux des autres. Il n'y a que moi qui puisse la voir.

– Tu es en train de te moquer de moi, n'est-ce pas ?

– Jamais je ne ferais une chose pareille. Je te dis la vérité.

– Bon, admettons qu'elle existe vraiment, pourrais-tu te changer en autre chose qu'un tigre ?

– Non. Je ne suis pas un métamorphe. Je suis le fils d'une déesse-panthère et de Danalieth, un demi-dieu reptilien.

– Danalieth !

– Eh oui, un des serviteurs de ton panthéon. J'aurais très bien pu finir en alligator, mais la nature a voulu que je sois un félin.

– Si nous avions un enfant, ne risquerait-il pas d'être un gavial, lui aussi ?

– Ou un chat couvert d'écailles, plaisanta Mahito.

– Je ne crois pas que ça me plairait beaucoup…

– Alors, tu considères maintenant aller plus loin qu'un simple baiser avec moi ? la taquina le dieu-tigre. Nous avons parcouru beaucoup de chemin, dis donc.

– Je ne saisis pas très bien ce qui m'arrive et, pour tout te dire, je n'ai pas envie de me casser la tête, cette nuit. Es-tu confortablement installé ?

– Ça pourrait être pire.

– Il est préférable que tu ne te retournes pas sur le dos tant que tes plaies seront fraîches.

– Je sais. Merci de te soucier de moi.

Jenifael se pressa sur le côté droit du jeune homme en humant ses cheveux noirs et sa peau dorée.

– Essaie de dormir, Mahito, chuchota-t-elle à son oreille.

– Ça ne sera pas facile, aussi près de la femme qui fait battre mon cœur...

– Tu dois reprendre des forces.

Si elle avait eu accès à ses pouvoirs, la déesse lui aurait transmis une puissante vague d'apaisement pour le faire sombrer dans le sommeil. Elle se contenta de lui masser doucement la nuque jusqu'à ce qu'il s'assoupisse.

2

TOUJOURS À SA RECHERCHE

Après avoir confié Cherrval aux soins de Santo, le plus puissant de tous les guérisseurs d'Enkidiev, Wellan et Hadrian étaient aussitôt retournés dans le Désert pendant que la piste du tigre était encore fraîche. Les blessures qu'avait subies le Pardusse étaient si graves que les deux hommes s'étaient armés de javelots. Les armes courtes ne leur seraient d'aucun secours, puisque pour s'en servir, il leur faudrait se rapprocher du fauve. Wellan avait aussi l'intention d'utiliser ses pouvoirs magiques, mais s'il avait affaire à un dieu, ceux-ci ne seraient sans doute pas très efficaces. Il n'était pas question de tuer le tigre, mais de l'immobiliser assez longtemps pour libérer Jenifael et tenter de découvrir les motifs de l'enlèvement. Si c'était de l'argent que désirait le ravisseur, Wellan lui en procurerait autant qu'il en demanderait.

Les deux anciens commandants des vaillants Chevaliers d'Émeraude suivirent les empreintes et la traînée de sang sur le sable pâle. Combien de temps le carnassier avait-il marché, même ralenti par ses plaies ? Le soleil de plomb obligeait les chercheurs à boire de plus en plus d'eau. Conscients qu'il faisait aussi très froid la nuit dans le Désert, ils transportaient tout ce qu'il fallait pour se préserver des soudaines baisses de température. Toutefois, cette région inhospitalière était la plus imprévisible de tout Enkidiev. Les chasseurs n'avaient franchi que quelques kilomètres lorsque le simoun se leva.

– Nous devrions nous abriter avant la tempête, indiqua Wellan.

– Ce n'est que du vent.

– Il est annonciateur de tourmentes.

Wellan détacha la toile qu'il transportait sur son dos, enroulée autour de six piquets de bois. Il planta ces derniers dans le sol et y attacha solidement la tente.

– Cela suffira-t-il à nous protéger des éléments ? s'inquiéta Hadrian.

– Non. Nous devrons renforcer notre refuge avec de la magie. Je suggère que nous le fassions à tour de rôle, afin de ne pas tomber d'épuisement.

Un grondement sourd s'éleva de l'immense plaine aride. Les deux hommes se glissèrent sous le petit pavillon. Wellan créa aussitôt une bulle de protection tout autour, juste à temps. Un mur de sable balaya l'endroit où ils se tenaient quelques minutes plus tôt.

– J'ai jadis établi des campements dans le Désert, à la frontière du Royaume de Zénor, déclara l'ancien roi, mais jamais je n'ai assisté à un tel phénomène.

– Moi non plus, jusqu'à ce que je me mette à la recherche de la pierre de Taher. Les tribus nomades m'ont appris que ces perturbations sont plus fréquentes à une certaine période de l'année.

– Durent-elles longtemps ?

– Personne ne peut le prédire.

– Nous allons perdre la trace du tigre.

– C'est peut-être lui qui crée ces tourbillons de sable dans ce but précis.

– Si c'est le cas, il pourrait bien tenter également de nous ensevelir.

– Il peut essayer. À la puissance, nous opposerons la ruse.

Quand Wellan sentit décliner ses forces, Hadrian prit la relève et repoussa l'assaut des éléments. Lorsque le vacarme cessa enfin, son jeune compagnon lui demanda de continuer de les protéger magiquement tandis qu'il évaluait leur situation. Wellan souleva un pan de la toile et montra à l'ancien roi le mur doré qu'il retenait grâce à ses pouvoirs.

– Nous devons l'escalader sans qu'il nous broie tous les os, expliqua-t-il.

Il démonta l'abri, révélant une falaise de sable haute de trois mètres, et attacha l'équipement sur son dos.

— Je monte le premier et, une fois en haut, je te relaierai pour que tu puisses me rejoindre.

Hadrian remercia silencieusement Theandras d'avoir rajeuni ses articulations lorsqu'il observa la périlleuse ascension de Wellan jusqu'au sommet. Dès qu'il sentit la magie de son compagnon envelopper la sienne, l'ancien roi l'imita avec plus de difficulté. En arrivant près de lui, Hadrian remarqua, avec découragement, que des dunes s'étaient formées partout sur la plaine.

— Dans quelle direction nous dirigions-nous ? soupira Hadrian.

— Par-là, je crois.

— Il va falloir trouver une autre façon de pister le dieu-félin.

— S'il se trouve dans une caverne qui ne laisse pas transpirer la magie, j'imagine que nous saurons que nous sommes juste au-dessus lorsque nos rayons nous reviendront.

— Et nous projetteront dans les airs…

— C'est un risque que nous devons courir. Il se peut aussi que cette grotte ait une entrée.

— Mais à cette heure, il est possible qu'elle se trouve sous quelques mètres de sable.

– J'ai déjà déterré toute une cité. Ce ne devrait pas être plus difficile.

Ils avancèrent vers l'est en sondant le sol avec leurs paumes.

– Tes sentiments pour Jenifael sont-ils différents, maintenant que tu as une nouvelle vie?

– Jusqu'à tout récemment, je ne voulais pas me mêler de sa vie, ni de celle de sa mère, d'ailleurs. J'aurais aimé vieillir plus rapidement afin de disparaître dans le nouveau monde avant d'être démasqué. C'est trop tard. Je ne pourrais pas partir en sachant que ma fille n'a pas été retrouvée et que Bridgess la pleurera jusqu'à la fin de ses jours.

– Et moi, là-dedans?

– Je suis certain que tu l'aurais délivrée sans mon aide, mais puisque je suis encore là…

– Pourquoi explorer Enlilkisar quand il y a encore une foule de mystères à percer sur notre propre territoire?

– Parce qu'il n'y a aucune communication possible entre les deux continents.

– Tu veux vraiment t'isoler de ton propre peuple?

– J'ai assez donné à Enkidiev, comme tu le sais déjà. J'ai besoin d'être libre et de poursuivre mon rêve d'être un découvreur et un historien.

– Est-ce ta famille que tu fuis, Wellan ?

– En quelque sorte. Dans ma première vie, j'ai mené les soldats de l'Ordre grâce à mon intelligence et mon expérience du combat. Je n'ai pas eu de parents pour brimer mes ambitions personnelles.

– Alors, c'est à Kira que tu veux échapper ?

Wellan soupira profondément.

– C'est une bonne mère, mais elle est plutôt envahissante. Par amour, elle étouffe ses enfants en leur disant constamment ce qu'ils doivent faire au lieu d'encourager leurs initiatives. J'ai seize ans, maintenant, du moins physiquement. Je veux faire mes propres choix, suivre mon sentier à moi, pas celui que mes nouveaux parents croient être le meilleur.

– Je comprends.

Les deux hommes marchèrent en silence pendant un long moment.

– Pendant des jours, j'ai tenté de deviner pourquoi un dieu avait enlevé Jenifael, fit soudain Hadrian. La seule explication qui me semble logique, c'est que les félins tentent de provoquer les reptiliens.

– C'est possible… car nous n'avons reçu aucune demande de rançon.

Hadrian s'immobilisa.

– Sommes-nous certains que nous allons du bon côté ? s'enquit-il.

– Je me fie à la position du soleil, répondit Wellan. Le tigre se dirigeait vers le sud-est, tout comme le félin noir qui nous suit depuis un moment.

L'ancien roi se retourna vivement.

– Mais je ne vois rien…

Hadrian se servit de ses facultés surnaturelles pour scruter le Désert.

– Il y a bel et bien quelqu'un qui tente de nous masquer sa présence. Comment sens-tu que c'est un animal ?

– Ma vue, que je tiens probablement de Kira, est différente de celle dont je jouissais lorsque j'étais le commandant des Chevaliers d'Émeraude. À l'époque, je devais me fier aux sens plus aiguisés de mes soldats elfes.

– Es-tu capable de dire qui c'est ?

– Même si elle essaie de nous cacher son identité, je crois qu'il s'agit d'Anyaguara.

– Un membre du panthéon félin, comme c'est intéressant… Invitons-la donc à se joindre à nous.

Wellan ferma les yeux pour transmettre son message à la déesse. Il ne reçut aucune réponse télépathique, mais la panthère abaissa le bouclier qui empêchait de la localiser. Les humains burent de l'eau en attendant qu'elle se rapproche d'eux. Malgré son pelage sombre, Anyaguara ne semblait nullement incommodée par les rayons ardents du soleil. Lorsqu'elle ne fut plus qu'à quelques pas des deux hommes, elle se métamorphosa en une belle femme aux longs cheveux noirs et aux traits de jadoise. Elle portait une tenue légère qui rappelait celle d'Aydine, la princesse Madidjin que la Reine Swan avait accepté d'héberger au château.

— Mes hommages, déesse, la salua Wellan en baissant respectueusement la tête.

— Ne sais-tu pas qui tu es, jeune homme ? répliqua-t-elle.

— Je suis Wellan, fils du Prince Lassa de Zénor et de la Princesse Kira d'Émeraude.

— Je fais référence à ta véritable nature.

— Pour l'instant, je n'ai aucune certitude d'être quelqu'un d'autre.

— Tu es le fils de Lazuli, tout comme je suis la fille d'Étanna, ce qui fait de nous des cousins.

— Si tel était le cas, je possèderais comme vous le pouvoir d'adopter une autre forme.

— As-tu reçu une amulette lorsque tu étais enfant ?

— Pas à ma connaissance. Qui me l'aurait donnée ?

– Ton père, ta mère ou tes grands-parents. Ce serait un talisman invisible qui te permettrait d'effectuer la métamorphose avec un peu d'entraînement. Les fils des dieux fondateurs n'en ont pas besoin, mais leurs petits-enfants et leur descendance, oui.

– Personne ne m'a fait un aussi beau présent.

– C'est dommage…

– Que faites-vous au milieu de nulle part, déesse ? s'enquit Hadrian.

– La même chose que vous, apparemment.

– J'imagine que c'est le tigre qui vous intéresse et non sa proie.

Anyaguara ne cacha pas son agacement. Au lieu de répondre à Hadrian, elle leva les yeux vers le ciel. Aussitôt, un chapiteau immaculé se matérialisa et descendit au-dessus de leurs têtes. Ses longs piquets se fichèrent dans le sable pour stabiliser la structure. Non seulement ce nouvel abri leur procura une ombre bienfaisante, mais la déesse-panthère fit aussi apparaître devant elle une fontaine d'origine jadoise.

– Je sais faire la même chose, avoua Wellan avec un sourire espiègle.

– Avec beaucoup de facilité, j'imagine. Rafraîchissez-vous pendant que vous le pouvez.

Les deux hommes plongèrent la tête dans l'eau froide et laissèrent celle-ci dégouliner sur leurs vêtements brûlants.

— Pouvez-vous nous aider à retrouver Jenifael ? demanda alors Wellan.

— La fille de la déesse du feu…

— Le tigre l'a enlevée, ajouta Hadrian.

— Je sais. On m'a demandé de résoudre ce problème avant qu'il ne dégénère en conflit entre les panthéons.

— Pouvons-nous y arriver sans répandre le sang ?

— Sans doute, car Mahito est un garçon pacifique.

— Mahito ? répéta Hadrian, qui n'avait jamais entendu ce nom parmi ceux que Wellan avait relevés dans les traités des Sholiens.

— C'est le fils d'une déesse et d'un Immortel.

— Et il arrive à se transformer en animal ? ronchonna Wellan.

— Il a reçu son amulette à un très jeune âge de la part de son père.

— Pourquoi a-t-il ravi Jenifael ? s'obstina Hadrian.

– Je n'en sais franchement rien, mais je vous assure que ce n'est pas dans un but agressif. Mahito n'a pas un grain de malice.

– On dirait que vous le connaissez bien, fit remarquer Wellan.

– S'il est né de mon amour pour cet Immortel, je n'ai malheureusement pas eu le bonheur de l'élever moi-même.

– C'est votre fils ! Mais qui est son père ?

– Un demi-dieu reptilien...

Wellan attendit qu'elle se livre, mais elle s'éloigna en silence vers un coin de l'abri.

– Est-ce une histoire qui s'est mal terminée ? tenta le jeune homme.

– Il m'a caché l'existence de Mahito.

– Comment un homme peut-il dissimuler à une femme l'existence de l'enfant qu'ils ont conçu ensemble ? s'étonna Wellan.

– En le portant lui-même, évidemment.

– Mais il n'y a que les hommes-Fées qui possèdent cette faculté !

– Les dieux peuvent faire tout ce dont ils ont envie.

— Et pourquoi vous aurait-il privée du droit de voir votre fils ?

— Sans doute pour qu'il n'hérite pas de ma férocité.

Wellan avait du mal à croire que cette femme magnifique aux gestes si gracieux puisse faire preuve de cruauté.

— Son père est un romantique et un incorrigible rêveur, ajouta Anyaguara.

« On dirait le mien », se surprit à penser Wellan. Contrairement à Burge, qui avait été un habile chasseur et un formidable escrimeur, Lassa, qui l'avait élevé durant sa deuxième incarnation, lui avait transmis son amour de la poésie et de la musique.

— C'est Danalieth, n'est-ce pas ? se risqua le jeune homme.

La déesse choisit de ne pas répondre.

— Au lieu de fouiller le sol, vous devriez utiliser votre nez, fit-elle plutôt. Il y a une oasis par-là. Il est certain que l'entrée de sa tanière doit se trouver non loin d'un point d'eau.

La fontaine disparut aussi soudainement qu'elle était apparue et les pieux de l'abri se soulevèrent pour se mettre ensuite à avancer au même rythme qu'Anyaguara.

— Je peux soutenir les rayons du soleil pendant de longues heures, mais pas vous, expliqua-t-elle. Je vous en protégerai.

Wellan et Hadrian marchèrent de chaque côté de la panthère en scrutant les alentours.

– Si je pouvais me métamorphoser, à quel animal je ressemblerais ? demanda alors le petit-fils d'Abussos.

– Ton père est un magnifique phénix rouge et doré, lui apprit la sorcière.

– Comme celui qui figure sur les étendards du Royaume de Jade ?

– Tu es très observateur.

– J'ai surtout une excellente mémoire. Mais dites-moi, comment mon père peut-il avoir perdu la vie il y a des milliers d'années s'il était divin ?

– Les dieux ne meurent pas de la même façon que les humains, mais ils peuvent perdre leur droit d'exister de diverses manières. Ils vont alors dans un endroit qui ressemble beaucoup aux grandes plaines de lumière.

– Alors, je n'ai aucune chance de le connaître un jour ?

– Pas dans cette vie.

– Ma mère a-t-elle aussi un avatar ?

– Kira serait sans doute un théropode.

– Un quoi ?

— Sa propre mère étant un gavial et son père un scarabée de descendance aviaire, elle pourrait ressembler à un alligator élancé recouvert de plumes et se déplaçant agilement sur deux pattes.

— Je n'arrive pas du tout à imaginer à quoi cela pourrait ressembler, avoua Wellan.

Anyaguara s'immobilisa. Elle agita légèrement le bout de ses doigts. Obéissant à son commandement, le sable fin se mit à tourbillonner, puis à adopter la forme d'une bête formidable, deux fois plus grande qu'un humain. Si le museau allongé rappelait sans équivoque celui des Ghariyals, le corps de l'animal s'apparentait davantage à celui d'un oiseau, sauf que le bout de ses deux courtes ailes se terminait par quatre doigts armés de puissantes griffes. Des plumes beiges et blanches partaient de son cou et couraient sur tout son corps. Ses longues pattes semblaient faites pour la course. Elles aussi se terminaient par des serres menaçantes.

— Je ne suis pas certain que Kira aimerait voir ça, murmura Wellan, impressionné.

Le sable retomba sur le sol et Anyaguara poursuivit sa route vers cette oasis que les deux hommes ne pouvaient pas encore apercevoir.

— Est-ce que je me rapprocherais de cette créature ?

— Tes ailes seraient beaucoup plus longues et ton museau plus fin.

– Je serais couvert de plumes, moi aussi ?

– Oui, mais elles seraient certainement écarlates.

« Tandis que Marek est un léopard et Lazuli un gerfaut... » grommela intérieurement l'Émérien. L'idée de ressembler à un monstre ne le réjouissait guère.

– Notre véritable apparence n'est pas importante, Wellan, indiqua Anyaguara, qui lisait dans ses pensées. C'est ce que nous avons choisi de devenir qui l'est.

– Pourquoi tous les dieux tiennent-ils à ressembler à des humains ? demanda alors Hadrian, curieux.

– Parandar a mis des siècles à façonner cette forme parfaite dont les membres peuvent effectuer toutes sortes d'opérations difficiles et dont le cerveau arrive à résoudre les problèmes les plus complexes. Les dieux ont été si impressionnés par sa création qu'ils ont voulu y ressembler.

– Pourtant, contrairement aux hommes, ils possèdent un corps qui ne vieillit pas et qui ne meurt jamais.

– Il n'est pas aussi merveilleux que vous le croyez de vivre pour toujours, sire Hadrian.

Ils poursuivirent lentement leur chemin jusqu'à ce que le soleil décline. Ressentant la fatigue de ses compagnons, Anyaguara fit redescendre le pavillon blanc sur le sable.

– Vous avez besoin de repos, annonça-t-elle.

La fontaine apparut au milieu d'eux en même temps que deux hamacs suspendus dans le vide. Les pans de la toile se refermèrent lentement sur les quatre côtés de la tente, comme si des mains invisibles étaient à l'œuvre.

— Seulement deux lits ? s'étonna Wellan.

— Les êtres divins ne dorment pas. Je vais plutôt aller me délier les pattes.

La déesse se changea en félin et quitta le petit chapiteau.

— Quelle curieuse aventure… commenta Wellan.

— Du moment que Jenifael nous est rendue saine et sauve, je ferais même équipe avec Azcatchi.

— Je n'irais peut-être pas jusque-là.

Wellan s'installa prudemment dans l'un des hamacs, qui commença à le bercer doucement.

— Je sens que nous allons bien dormir, remarqua-t-il.

Pendant que les humains refaisaient leurs forces, Anyaguara se mit à courir en direction de l'oasis afin d'en évaluer la distance. Soudain, une silhouette se dressa entre son but et elle. La panthère noire s'arrêta net pour flairer l'inconnu.

— Danalieth… gronda-t-elle en reprenant sa forme humaine. Disparaissez de ma vue.

– Je suis venu pour m'expliquer.

– Aucune justification n'excusera votre trahison.

– Trahison ? Le mot est un peu fort...

– Comment qualifiez-vous le comportement d'un homme qui cache à une femme l'existence de leur unique enfant ?

– Je me devais de protéger Mahito.

– De qui ? De moi ?

– Je suis véritablement désolé, Anya. Notre histoire n'aurait pas dû se terminer ainsi, mais j'ai fait pour le mieux, dans les circonstances.

– On dirait bien que vous excellez à ravir à vos maîtresses le bonheur qui leur revient. Vous n'êtes qu'un profiteur et un hypocrite, Danalieth.

– Vous avez parfaitement le droit d'être furieuse, tout comme j'ai celui de vous demander pardon.

– Retournez donc vous occuper des autres enfants que vous cachez probablement dans le monde des mortels... ou ailleurs.

– Je n'ai eu que deux filles et un fils avec des femmes merveilleuses que mon devoir m'a empêché de combler comme elles le méritaient.

— Allez-vous-en.

— Promettez-moi au moins qu'un jour votre cœur m'absoudra.

— À votre place, je souhaiterais plutôt que vos petites incartades n'arrivent jamais aux oreilles de votre panthéon. Parandar n'a pas la réputation d'être très indulgent.

Anyaguara reprit son apparence féline et disparut dans la nuit.

— Elle m'aime encore… murmura Danalieth, avec un sourire.

Il se dématérialisa pour regagner l'univers des dieux avant que son absence ne soit remarquée.

3

UN ABRI

Sous une pluie diluvienne, Napashni et sa fille Ayarcoutec avaient quitté la forteresse d'Émeraude la tête haute, mais le cœur meurtri. Elles s'étaient enfoncées dans la forêt à l'ouest de la Montagne de Cristal. La fillette, qui avait grandi sur les chaudes pentes des volcans, où les averses étaient rares et précieuses, se mit rapidement à grelotter. Cependant, Ayarcoutec était une petite guerrière Mixilzin. Elle devait se montrer courageuse, endurante et redoutable. Elle retint donc ses plaintes aussi longtemps qu'elle le put, s'efforçant d'observer le paysage si différent de celui de son pays natal, même s'il était parfois difficile de voir quoi que ce soit avec toute cette eau qui coulait sur son visage.

– Maman, j'ai froid… geignit-elle finalement.

Napashni fit volte-face, comme si on l'attaquait par-derrière. Ses yeux bleus perçants examinèrent rapidement la situation. Ayarcoutec était en effet légèrement vêtue pour la saison. L'adulte aurait pu supporter la pluie glaciale pendant plusieurs jours encore, mais si elle ne trouvait pas bientôt un abri pour son enfant, cette dernière risquait de tomber gravement malade.

Croyant que sa mère allait la gronder, Ayarcoutec éclata en sanglots, une véritable honte pour une princesse de son clan.

— Je veux retourner au château…

— Nous en avons été chassées par la Reine Swan.

— Mais on ne lui a rien fait.

— C'est vrai, mais elle n'a pas pris le temps de nous écouter.

— Alors, rentrons chez nous… Je déteste la pluie…

— Je t'avais prévenue que l'aventure dans laquelle je me lançais serait semée d'embûches, mais tu n'as rien voulu entendre.

— Change-toi en animal ailé et ramène-moi là où il fait chaud.

— Je ne sais pas ce que je fais quand je me transforme, Ayarcoutec. Je pourrais tout aussi bien te dévorer.

— Je veux retourner dans notre maison, dans mon lit et dans mes couvertures…

— Je suis un griffon, pas un escargot ! se fâcha Napashni en frappant durement le sol avec son bâton de marche. Je ne transporte pas ma maison sur mon dos quand je voyage !

Un retentissant coup de tonnerre secoua la forêt, arrachant un cri à Ayarcoutec. Pour ajouter à la frayeur de la petite, les arbres se mirent à tomber de chaque côté des Mixilzins. Napashni abrita aussitôt sa fille dans ses bras et pria Parandar et tout son panthéon de la protéger de la soudaine colère du ciel. Miraculeusement, aucun des gros troncs ne toucha les deux guerrières. Lorsque le fracas cessa enfin, Napashni scruta les alentours, sans relâcher pour autant sa fille. Quelle ne fut pas sa surprise d'apercevoir, à quelques pas à peine, sa maison de pierre recouverte de crépi blanc et coiffée de chaume.

— Qu'est-ce que c'était, maman ?

Napashni ne voulait surtout pas lui dire qu'elles étaient victimes d'une hallucination… ou avaient-elles été tuées sous un arbre ? Il était bien connu que les défunts demeuraient quelque temps sur les lieux de leur mort avant de regagner les grandes plaines de lumière.

— Est-ce qu'on nous attaque ? continua l'enfant.

Ce n'était pas impossible. Aux dire d'Onyx, les Chevaliers d'Émeraude étaient de puissants magiciens qui pouvaient manipuler les éléments. À son avis, le seul d'entre eux qui aurait eu intérêt à faire disparaître les deux Mixilzins était la Reine Swan.

— C'est ce que nous allons découvrir, répondit finalement la mère en libérant sa fille.

— On dirait que je sens des odeurs de chez nous, s'étonna Ayarcoutec en pivotant sur elle-même.

Napashni les captait aussi. «Comment est-ce possible?» se demanda-t-elle. Son logis ne pouvait pas se trouver à deux endroits à la fois!

— Reste derrière moi, ordonna-t-elle.

— Mais maman…

— Obéis-moi, Ayarcoutec.

La Mixilzin sortit son poignard de sa gaine en cuir et s'avança à pas feutrés vers cette demeure qui ressemblait un peu trop à la sienne. Elle n'entendait aucun bruit à l'intérieur, mais demeura alerte. De sa main libre, elle toucha finalement le mur. Ce n'était pas une illusion. Elle repoussa prudemment la toile qui couvrait l'ouverture au centre de la façade et constata que personne ne se cachait ni dans la pièce de droite, ni dans la pièce de gauche.

— Est-ce qu'on peut entrer, maintenant? la pressa sa fille, trempée jusqu'aux os.

— Un bon chasseur ne parle pas quand il étudie son environnement, répliqua la mère.

— Mais nous ne sommes pas à la chasse…

Napashni mit un pied dans la hutte et reconnut tout de suite les objets qu'elle avait elle-même suspendus aux murs. Incapable de rester plus longtemps sous la pluie, Ayarcoutec passa sous son bras.

– Pourquoi notre maison est-elle ici ? s'exclama la petite en se débarrassant de ses vêtements mouillés.

– Je n'en sais rien, mais je suspecte que c'est un piège.

– Est-ce qu'on peut quand même faire un feu ?

L'absence de danger imminent inquiétait beaucoup la mère, mais elle ne pouvait pas non plus laisser mourir de froid sa fille. Elle s'accroupit près du gros coffre, où elle empilait le bois qu'elle allait chercher dans la forêt des Itzamans. Les bûches et les fagots étaient encore là. Elle remplit de branches séchées le cercle de pierre au centre de l'habitation et se mit à frotter une baguette de noisetier sur une planchette de marronnier, jusqu'à ce qu'elle obtienne une braise de sciure qu'elle déposa sur le petit bois. En soufflant de façon continue sur la matière incandescente, elle finit par enflammer le cotret. Une fois le feu bien pris, elle déposa des bûches dans le foyer. Ayarcoutec s'enroula dans sa couverture et vint s'asseoir près de la réconfortante source de chaleur.

– On dirait que c'est de la magie, n'est-ce pas, maman ?

– Je n'arrive pas à m'expliquer ce qui a pu se passer.

– Peut-être que les Mixilzins ont voulu se débarrasser de toutes nos affaires.

– Aucun d'entre eux ne possède le pouvoir de faire voler une maison jusqu'ici.

– Sauf toi.

Napashni se demanda si, comme Onyx, elle pouvait déplacer des objets sur de longues distances en se servant de ses facultés divines. Ce dernier avait commencé à lui en enseigner la maîtrise…

— Avoue que tu l'as fait juste pour moi, la taquina Ayarcoutec.

— Nous n'avons aucune preuve que je sois responsable de ce phénomène.

— C'est arrivé juste après que tu m'as dit que tu ne transportais pas ta maison sur ton dos quand tu voyageais.

— Une simple coïncidence.

— Ou bien quelqu'un a entendu tes paroles et a décidé de t'exaucer.

— Comme qui ?

— Le Roi Onyx, par exemple.

— Il n'est pas là.

— C'est étrange qu'il ne soit pas dans son château, tu ne trouves pas ?

— Arrête de me poser des questions et contente-toi de te réchauffer.

Bavarde comme une pie, Ayarcoutec ne resta pas silencieuse très longtemps.

– Que se passera-t-il si quelqu'un utilise une magie contraire et que la maison retourne chez nous ?

Napashni plissa le front en considérant cette éventualité plutôt troublante.

– Ça ne se produira pas, répondit-elle enfin.

– Comment peux-tu en être sûre ?

– Si tu continues de me harceler, je te laisserai partir toute seule avec la maison.

– Je veux juste savoir ce qui va nous arriver.

– Je n'en sais rien…

– Mais tu devais bien avoir au moins un tout petit plan en quittant le village.

– Je voulais simplement recommencer ma vie ailleurs. Le reste m'importe peu.

– Moi, j'aimerais que tu épouses le Roi Onyx et qu'il nous emmène vivre dans un pays où il ne pleut pas.

– Ce sont des rêves de petite fille, Ayarcoutec. La vie est beaucoup plus compliquée que ça.

– Est-ce que tu l'aimes ?

– Je l'admire.

– Lui, est-ce qu'il t'aime ?

– Comment veux-tu que je le sache ?

Ayarcoutec contempla les flammes pendant un petit moment.

– J'ai faim, laissa-t-elle tomber.

– Si tu me promets de rester sagement ici, je vais aller chasser.

– Tu peux être certaine que je ne retournerai pas dehors par ce temps.

Napashni tressa ses cheveux et décrocha son javelot sur le mur.

– Si on m'attaque, est-ce que je peux me défendre ? demanda Ayarcoutec alors que sa mère allait franchir le seuil.

– Personne ne sait que nous sommes ici. Surtout, ne me suis pas.

La Mixilzin sortit sous la pluie qui ne semblait pas près de cesser. Il serait donc impossible de pister quelque proie que ce soit. Même les oiseaux s'étaient réfugiés dans les arbres pour se protéger des éléments. Au bout d'une heure, Napashni abandonna l'idée de prendre du gibier et se mit à chercher des fruits ou des légumes. C'est alors qu'elle sentit une présence dans la forêt. Elle huma l'air et découvrit qu'il ne s'agissait pas d'un animal. Un autre chasseur, sans doute. Elle n'eut pas à se mettre à sa recherche, car l'homme l'avait déjà trouvée. Il portait une houppelande noire et un large capuchon, mais il n'était pas armé.

— Puis-je vous aider ? demanda-t-il sur un ton amical.

— Je n'ai pas besoin d'aide.

— Je vois bien que vous chassez et que vous avez les mains vides.

— Il est difficile de pister sur un sol couvert de flaques d'eau.

— Je vous l'accorde.

Il s'approcha davantage de la Mixilzin, qui releva instinctivement son javelot.

— J'ai voyagé sur tout le continent et jamais je n'ai vu de peuple qui se vêtait comme vous, avoua l'étranger.

— Je suis d'ailleurs.

— C'est un peu vague…

— Dites-moi d'abord qui vous êtes et je me dévoilerai davantage.

— Soit. Je m'appelle Dempsey et vous êtes sur mes terres.

— N'appartiennent-elles pas toutes au roi ?

— Dans sa grande bonté, le Roi Onyx a offert une parcelle de son royaume à tous les Chevaliers d'Émeraude qui se sont mariés. La plupart de mes compagnons d'armes ont choisi de s'établir au sud de la forteresse. J'ai plutôt choisi le nord.

— Où puis-je chasser sans offenser qui que ce soit ?

— Je ne vous empêcherai pas de le faire ici. Je veux seulement savoir qui vous êtes.

— Je m'appelle Napashni et je suis née de l'autre côté des volcans, chez les Mixilzins.

— Vous êtes bien loin de chez vous, madame.

— Je suis à la recherche du Roi Onyx.

— Il vit normalement dans son château, expliqua Dempsey en pointant le sud-est.

— J'en reviens et personne ne sait où il s'en est allé.

— Ce qui ne m'étonne pas du tout. En attendant son retour, ainsi que celui des jours chauds, puis-je vous offrir ces lièvres que j'ai pris dans mes collets ?

Le Chevalier sortit les deux petites bêtes des sacoches qu'il avait attachées à sa ceinture. Normalement, Napashni aurait refusé, car elle se savait capable de se débrouiller toute seule, mais sa fille avait besoin de manger.

— Merci... bredouilla-t-elle.

— Si vous avez besoin de quoi que ce soit, j'habite à une heure de marche par-là.

Elle le salua vivement d'un mouvement de la tête, prit les lièvres qu'il lui tendait et fit marche arrière. Cette rencontre ino- pinée venait de lui apprendre que tous les habitants d'Émeraude n'étaient pas aussi odieux que la Reine Swan.

Napashni retourna sur ses pas jusqu'à sa maison. «Pourquoi sommes-nous arrivés à nous comprendre?» songea-t-elle. Au bout d'un moment, elle arrêta d'y penser, puis dépeça le gibier avant de le suspendre au-dessus des flammes, au grand bonheur de sa fille.

— Tu es la plus grande chasseuse au monde! s'exclama Ayarcoutec.

— Je ne prends pas le mérite qui ne me revient pas. On m'a fait cadeau de ces lièvres.

— Est-ce l'homme qui joue de la flûte qui te les a donnés?

— Non. C'est un Chevalier d'Émeraude qui vit non loin d'ici. Nous avons maintenant une dette envers lui.

— Pourquoi?

– Quand une personne nous sort d'une situation embarrassante, nous avons l'obligation de lui venir en aide lorsque cette dernière se retrouve dans un mauvais pas.

– Mais comment apprendrons-nous qu'il a besoin de nous ?

– La vie nous l'indiquera.

– Elle sait beaucoup de choses, la vie.

– Il faut seulement savoir l'écouter.

Avec beaucoup de plaisir, Ayarcoutec dévora tout un lièvre à elle seule.

– C'était bon ? la taquina Napashni.

– Oui, mais avec du maïs, ça aurait été meilleur.

– Je ne suis pas certaine qu'il en pousse ici, mon petit rayon de soleil.

– Pourquoi ?

– J'imagine que les conditions différentes entre les mondes produisent des espèces uniques.

– Un peu comme nous et les gens du château ?

– Je faisais référence aux produits de la terre.

Ayarcoutec sautilla jusqu'à sa couche et poussa un soupir de satisfaction en retrouvant le confort auquel elle était habituée. Tandis que sa fille sombrait doucement dans le sommeil, Napashni resta assise devant le feu. «J'aurais dû demander à Dempsey si la saison des pluies allait bientôt prendre fin», regretta-t-elle. Onyx arrivait à communiquer avec ses amis grâce à ses pensées. «Pourrais-je en faire autant? J'ai réussi à me métamorphoser, alors je possède sûrement d'autres pouvoirs cachés.»

La Mixilzin ferma les yeux et appela mentalement le seul homme qui comprendrait ce qu'elle ressentait. Sans s'en rendre compte, elle se brancha aux vibrations les plus subtiles de l'univers, comme elle le faisait de temps à autre lorsqu'elle habitait sur le volcan. Elle entendit d'abord des murmures, puis les paroles de gens affolés. Au milieu d'incalculables battements d'ailes, ils parlaient de crimes impardonnables et de fin du monde. Napashni percevait un si grand nombre de voix qu'il lui était difficile de comprendre ce qui se passait.

Se concentrant encore plus profondément, elle chercha Onyx, puis, au bout de longues minutes, finit par le trouver. Il était recroquevillé dans un endroit sombre, apparemment rocailleux. «Une caverne?» se demanda Napashni, inquiète. Il ne semblait pas être prisonnier, mais ses pensées frôlaient le désespoir. Ce n'était pas du tout l'homme qu'elle avait connu. «Que lui est-il arrivé?»

La prêtresse l'appela, mais ne parvint pas à interrompre le cours de sa réflexion. Des scènes de guerre se mêlaient à des moments de grande tendresse. Elle le vit donner à boire à un bébé, puis sursauta lorsqu'il décapita un grand dragon ailé. Des sentiments de claustration dans un milieu froid et inhospitalier étaient immédiatement suivis d'une euphorique sensation de libération et de liberté. Toutefois, ce qui revenait le plus souvent dans l'âme du Roi d'Émeraude, c'était l'insoutenable angoisse de ne pas être compris par les autres. Son besoin de conquérir le monde n'émanait pas de son incommensurable ambition, mais de son désir d'instaurer une paix durable dans le monde des mortels. La haine qu'Onyx entretenait envers les dieux et leurs serviteurs immatériels avait été récemment attisée par les agissements brutaux de ces derniers.

« Onyx, j'ai besoin de toi », lui souffla Napashni. Dans un épais brouillard se dessina la silhouette du renégat, qui faisait tourner son épée double au-dessus de sa tête à la manière des ailes d'un moulin. La Mixilzin sentit la rage qui bouillonnait dans le cœur du puissant sorcier. « Il ne me reconnaît pas ! » s'alarma-t-elle. Même la plus petite blessure infligée dans un état de transe pourrait s'avérer mortelle. La prêtresse chercha immédiatement à mettre fin à sa méditation. Les lames de l'épée frôlèrent son visage. Serrant les poings de toutes ses forces, Napashni parvint à se détacher du monde des ombres et tomba à la renverse.

Haletante, elle constata qu'elle était de retour dans sa maison. Pendant un long moment, elle observa les ombres projetées sur le plafond par les flammes en étudiant ce qu'elle venait de voir et d'entendre. Onyx avait quitté Émeraude parce qu'il souffrait jusqu'au fond de son âme…

Napashni se redressa et vit que les dernières bûches étaient en train de se consumer. Elle en jeta d'autres sur le feu, avant de se traîner jusqu'à son lit. Rien de ce qu'elle avait vu autour d'Onyx ne lui permettait de reconnaître le lieu où il se trouvait. Il avait besoin d'aide et elle ne pouvait rien faire pour lui.

4

LE COUPABLE

La nouvelle de l'enlèvement de son premier petit-fils avait jeté la Reine Swan dans une profonde tristesse. Elle avait tout de suite pensé que son mari avait enlevé l'enfant, car il s'était opposé au mariage d'Atlance avec une paysanne, mais Onyx lui avait juré qu'il n'avait rien à voir dans cette affaire. Celui-ci avait bien des défauts, mais le mensonge n'en faisait pas partie.

Malgré sa grossesse qui exacerbait ses émotions, la souveraine se ressaisit rapidement et décida de venir en aide à son fils aîné. Le ravisseur avait certainement laissé des traces de son passage, mais à en juger par les derniers messages télépathiques que Swan avait reçus, ni Atlance, ni Katil n'étaient en état de les relever. Puisqu'elle ne possédait pas la faculté de se déplacer magiquement, la reine appela d'abord son mari par la pensée, mais tout comme elle s'y attendait, il ne répondit pas. Onyx avait la fâcheuse habitude de bouder dans son coin lorsqu'il était contrarié. Swan s'adressa donc à Lassa, qui vivait lui aussi à l'étage royal du palais avec Kira et leurs enfants. Ce fut Marek qui lui ouvrit la porte.

– Tous mes hommages, Majesté ! s'exclama le gamin de sept ans.

– Depuis quand es-tu aussi cérémonieux, jeune homme ?

– Papa et maman veulent que je devienne plus poli. Je vous en prie, entrez, gente dame !

Swan s'avança dans le vaste salon.

– Si vous voulez bien vous asseoir, je vais prévenir ma famille de votre arrivée.

La reine s'installa dans la berceuse, près de l'âtre où brûlait un bon feu, pendant que le garçon s'élançait dans le couloir. Aucun de ses fils n'avait eu l'énergie de Marek au même âge, même le turbulent Fabian. En fait, ses enfants avaient surtout passé leur vie à tenter d'impressionner leur père. Quelques minutes plus tard, Kira et Lassa arrivèrent dans la pièce, tenant chacun un des jumeaux dans leurs bras.

– Bonjour, Swan, la salua la Sholienne. Tu es bien matinale.

– Je ne dors pas beaucoup, en ce moment.

Le couple s'assit sur le sofa, non loin de la souveraine.

– Je suis venue vous demander une faveur, avoua Swan.

– Nous serons ravis de te rendre service, affirma Lassa.

– Je veux me rendre à Zénor.

– Pendant la saison des pluies ? s'étonna Kira.

– C'est parce que les routes sont impraticables et que j'ai besoin de m'y rendre tout de suite que je m'adresse à vous.

– Mon vortex… comprit Lassa.

– C'est exact.

Il était évidemment trop risqué d'utiliser celui de Kira, car cette dernière n'arrivait pas toujours à l'endroit désiré.

– Je dois résoudre le mystère de l'enlèvement de mon petit-fils avant qu'Atlance ne perde complètement la raison, expliqua Swan.

– J'en ferais autant, l'appuya Kira en serrant sa fille contre elle.

– Quand aimerais-tu partir ? demanda Lassa.

– Dès que possible, aujourd'hui si nous le pouvons. J'emmènerai aussi mes fils Fabian et Maximilien, ainsi que leur ami Shvara. Es-tu capable de transporter autant de personnes dans ton vortex ?

– Sans aucun problème, mais j'ignore où se situe la maison d'Atlance.

– Elle est au nord de la cité que les Zénorois ont rebâtie au pied de la falaise.

– Tant mieux, car j'y suis déjà allé.

– Merci, Lassa. Je te revaudrai ça.

– Ce n'est pas nécessaire, voyons. Même en temps de paix, nous sommes toujours des compagnons d'armes et, en tant que tels, il est de notre devoir de nous soutenir dans toutes nos épreuves.

Swan s'inclina devant ses amis et retourna dans ses appartements, afin de préparer son départ. Lassa attendit qu'elle soit sortie avant de se tourner vers sa femme.

– Je ne serai parti que quelques heures tout au plus, assura-t-il.

– J'étais justement en train de me dire que tu devrais rester là-bas avec Swan aussi longtemps que nécessaire.

– Ah bon.

– Cette tragédie a déjà mis tous les membres de sa famille en colère. Je doute que ça les rende très efficaces dans leurs recherches. Ils auront besoin de quelqu'un qui soit capable de garder son sang-froid.

– Moi?

– Évidemment, toi. Tu es presque toujours calme. Tu es également assez puissant pour détecter une piste avec ta magie et suffisamment patient pour la suivre jusqu'au bout, malgré les cris et les grincements de dents de ceux qui t'entourent.

– C'est flatteur.

– Et surtout vrai. Nous ne pouvons pas laisser tomber Swan durant cette période de crise.

– Tu as raison, ma chérie. Mais seras-tu capable de t'occuper des jumeaux et de Marek en même temps ?

– Elle n'aura pas besoin de me surveiller si j'y vais avec toi ! s'exclama Marek en faisant irruption dans la pièce.

Lassa jeta un regard découragé à son épouse.

– On dit que les voyages forment la jeunesse, répondit-elle à sa question silencieuse.

– Je vous promets d'être sage ! insista Marek avant que son père puisse ouvrir la bouche. Et je serai poli !

– Il n'a jamais vu le pays de ses ancêtres, ajouta Kira.

– Nous ne nous rendons pas à Zénor pour faire du tourisme et rappelons-nous que c'est le déluge là-bas aussi.

– S'il reste à tes côtés et qu'il se comporte bien, je ne m'oppose pas à ce que tu l'emmènes.

– Je suivrai papa comme son ombre !

– C'est bien ce qui m'inquiète… soupira Lassa.

– Dis oui !

– D'accord, mais à la moindre incartade, je te ramènerai à ta mère.

– Merci !

Marek fit un pas vers le corridor, puis se retourna.

– Puis-je emmener mes dragons ? demanda-t-il.

– Non, répondirent les parents en même temps.

– Ils ont l'odorat très fin. Ils peuvent suivre n'importe quelle piste.

– Nous reviendrons les chercher si c'est nécessaire, trancha Lassa.

– Ça vous fera du bien de passer du temps ensemble, ajouta Kira.

Elle se pencha pour déposer un baiser sur les lèvres de son mari.

– Vous n'allez pas recommencer à vous embrasser ! grimaça Marek.

– Tu n'es pas obligé de regarder, lui fit remarquer la mère.

– Pourquoi ai-je l'impression que ce ne sera pas du tout reposant ? grommela Lassa.

– Tout se passera très bien, mon amour.

✳ ✳ ✳

De retour dans ses appartements, Swan ordonna à ses servantes de lui préparer quelques vêtements de rechange pour son séjour. Voyant que ses fils n'étaient pas dans leur chambre, elle descendit dans le hall où ils bavardaient en mangeant le premier repas de la journée avec Shvara.

— Les femmes enceintes ne sont-elles pas censées dormir tard ? s'étonna Fabian.

— C'est un mythe, répliqua Swan. Elles ne dorment pas du tout.

Elle prit place au milieu des garçons et choisit une tranche de pain chaud qu'elle trempa dans du miel.

— Je pars tout à l'heure pour Zénor et j'aimerais que vous m'y accompagniez, laissa-t-elle alors tomber.

— Pour tenter de découvrir ce qui est arrivé au fils d'Atlance ? s'enquit Maximilien.

— Si c'est père qui l'a pris, nous ne le retrouverons jamais, fit remarquer Fabian.

— Je ne crois pas que ce soit lui, s'opposa Swan. Onyx n'enlèverait pas un enfant à ses parents.

— Il a pourtant arraché Jaspe aux siens.

— Pas tout à fait, Fabian. Il est allé le chercher pour que son meurtrier de père ne mette pas le pays des Itzamans à sac. Il avait l'intention de le confier aux Sholiens, mais ceux-ci n'ont pas voulu du petit dieu. La preuve qu'Onyx ne veut pas s'embarrasser d'un poupon en ce moment, c'est qu'il a demandé à Armène de s'occuper de Jaspe.

– Le petit Lucca est peut-être avec elle en ce moment même ! s'exclama Maximilien.

Fabian se transforma en milan royal et s'envola vers la porte sous le regard surpris de Shvara, qui n'avait rien compris de ce qui se passait. Pendant que son fils oiseau se rendait à la tour d'Armène pour vérifier cette hypothèse, Swan demanda aux autres de se préparer à partir.

– Même moi ? s'étonna le busard.

– Tu fais bonne équipe avec Fabian, et j'ai besoin de tous vos talents. Puisque nous débarquerons à Zénor sous la pluie, je vous conseille de porter une cape.

– Moi, tant que ce ne sont pas les dieux rapaces qui nous transportent dans des chaises volantes, je suis partant, acquiesça Maximilien.

– C'est un moyen de transport tout à fait acceptable ! protesta Shvara.

– Sans doute pour vos proies, parce qu'elles sont mortes.

– Nous utiliserons un vortex, trancha Swan. Soyez prêts dans une heure et ne me faites pas attendre.

La souveraine remonta à ses appartements en pensant à ce qu'elle dirait à Atlance pour l'apaiser. Un sourire se dessina sur ses lèvres lorsqu'elle aperçut Anoki assis sur son lit, en train d'amuser le petit Jaspe.

– Bonjour, maman reine !

– Bonjour, Anoki. Je suis heureuse que tu joues ainsi avec ton frère.

– Lui est gentil. A dit « Anoki » !

– Vraiment ?

Le fils d'Azcatchi n'était plus le bébé effrayé que Swan avait recueilli dans le logis de la gouvernante. Jaspe souriait et essayait de prononcer tous les mots qu'il entendait. Il était particulièrement curieux et surtout très aimable, ce qui surprenait tout le monde, puisque son père était un assassin.

– Elle, c'est qui ? demanda Anoki au petit dieu.

– Mama ! s'exclama Jaspe.

Swan souleva l'enfant dans ses bras et parsema son cou de baisers bruyants, ce qui le fit éclater de rire.

– Je vais vous confier tous les deux à Armène pendant que je rendrai visite à Atlance, déclara-t-elle.

– Moi veux y aller aussi, fit Anoki en gonflant le torse.

– Ta mission sera plutôt de veiller sur ton petit frère. Tu sais aussi bien que moi que son père risque de le reprendre à tout moment.

– Moi combattre Azcatchi ? s'effraya le garçon.

– Si ce n'est pas pour nous défendre, alors pourquoi apprends-tu à manier l'épée double ?

– Azcatchi a beaucoup de magie ! Anoki, non.

– Il te suffira de le faire reculer tandis que mes compagnons d'armes, qui habitent ce château, voleront à votre secours. Tu es la première ligne de défense de Jaspe.

– Moi, n'ai jamais pensé à ça.

– La première obligation des Chevaliers d'Émeraude est de se protéger les uns les autres.

Swan habilla chaudement le bébé et l'emmena à la tour d'Armène en tenant Anoki par la main. Fabian n'y était plus. Sans doute était-il retourné dans le hall après s'être assuré que Lucca ne se trouvait pas sous les soins d'Armène. Après avoir informé la gouvernante qu'elle serait partie quelques jours, la reine alla se préparer elle-même à partir.

Ses compagnons de voyage se présentèrent à l'entrée des appartements royaux en même temps que Lassa et Marek.

– Tu es venu nous dire au revoir ? dit Maximilien au gamin.

– Certainement pas ! s'exclama l'enfant.

Un coup d'œil de la part de son père rappela à Marek ses promesses.

– Je vous accompagne, Altesse, se reprit-il, avec un petit air guindé.

– Quoi ? s'étonna Fabian.

– Kira m'a permis de l'emmener, expliqua Lassa. Si vous êtes d'accord, évidemment.

– Tant qu'il ne gêne pas notre enquête, je n'ai pas d'objection, accepta Swan.

– J'y verrai, promit le père.

Lassa leur demanda de se prendre la main et les transporta instantanément sur la plage de Zénor, devant la nouvelle citadelle, construite sur les ruines de l'ancienne. La pluie fouetta aussitôt le visage des visiteurs qui remontèrent tous leur capuchon, sauf Shvara.

– C'est par là, annonça Fabian.

Il prit les devants et guida les autres vers la dernière habitation de la ville. Ayant plus de mal que les adultes à combattre les vents violents, Marek s'était accroché à la main de Lassa.

– Tiens bon, l'encouragea ce dernier. Nous y sommes presque.

Ils remontèrent l'allée qui menait à la maison. De la lumière filtrait entre les planches des volets. Maximilien frappa trois coups à l'entrée. Ils entendirent glisser la barre, puis une rafale poussa brusquement la porte vers l'intérieur et faillit bien assommer Atlance.

– Maximilien ? s'étonna le jeune propriétaire. Maman ?

Il recula pour laisser entrer les voyageurs.

– Avez-vous appris quelque chose ?

– Malheureusement, non, répondit Swan. Toutefois, nous sommes venus mener notre propre investigation.

– Je suis certain que c'est père qui a enlevé notre fils.

Le visage habituellement très pâle d'Atlance était rouge de colère.

– Votre mère n'est pas du même avis, intervint Shvara pour se rendre utile.

– Je sais que c'est lui !

– Atlance, je t'en prie, calme-toi, l'implora Katil, assise dans la berceuse près du feu.

Swan se débarrassa de sa cape et s'approcha de sa belle-fille. Elle s'accroupit devant la maman éplorée et prit ses mains.

— Je n'ai pas besoin d'une vague d'apaisement, Majesté, hoqueta Katil. Je veux seulement qu'on me rende mon bébé.

— Nous ferons tout ce que nous pourrons, mais nous avons besoin que vous nous racontiez calmement ce qui s'est passé.

— Ce n'est pourtant pas compliqué! explosa Atlance. Lucca était dans son lit quand nous nous sommes couchés et il n'y était plus à notre réveil!

— Votre mère a dit: calmement, lui rappela Shvara.

Le nouveau papa se mit à arpenter le salon.

— Où est mon père? tonna-t-il.

— Personne ne le sait, affirma Swan.

— S'il était innocent, il n'éprouverait pas le besoin de se cacher!

— Il ne se cache pas, affirma Marek.

Lassa fit signe à son fils de se taire.

— Tu sais donc où il est, s'impatienta Atlance en marchant vers le garçon.

— Marek fait des rêves prémonitoires, expliqua Lassa.

– Il ne nous sert à rien de savoir où se trouvera père dans l'avenir, fit remarquer Maximilien.

– De toute façon, ce n'est pas lui que nous cherchons, leur rappela Fabian. Concentrons-nous sur l'enfant, si vous le voulez bien.

En pleurant, Katil leur relata la naissance et la disparition de Lucca. Pendant que les grands écoutaient son récit, Marek se promena dans la pièce. Il s'arrêta finalement devant le beau berceau du petit prince manquant. Imitant sa mère, le garçon passa la main au-dessus des couvertures.

– Vous avez un dragon ? se réjouit-il.

Le silence des adultes fit comprendre à Marek qu'il n'avait peut-être pas posé la bonne question.

– Non ! s'étonna Katil.

Lassa connaissait trop bien son fils : Marek possédait une puissante magie, mais il ne la maîtrisait pas souvent. Alors, le père s'avança vers le petit lit en s'efforçant de dissimuler son inquiétude.

– Si je te parle par télépathie, est-ce que les autres m'entendront ? chuchota Marek.

– C'est certain, affirma Lassa.

Il vérifia lui-même l'énergie du meuble en bois. Son garçon avait raison : un dragon semblable à Urulocé et à Ramalocé l'avait occupé pendant plusieurs heures ! La bête s'était-elle manifestée au milieu de la nuit, tandis que les parents dormaient ? Avait-elle emporté l'enfant ? Lassa ratissa le reste de la maison et ressentit une seconde fois la présence du dragon dans la berceuse ! Si Atlance et Katil n'avaient pas eu connaissance du passage de l'animal dans leur demeure, était-ce parce qu'on les avait drogués ou avaient-ils subi un enchantement ? Lassa ne parla pas tout de suite de ses trouvailles. Il attendit que ses compagnons fassent leur propre enquête pour voir s'ils arriveraient aux mêmes conclusions que lui.

Ne possédant aucune faculté surnaturelle, Maximilien se contenta de scruter les lieux avec ses yeux, cherchant une empreinte, une plume ou un poil. Lassa saisit son fils par les épaules et le ramena contre sa poitrine pour qu'il ne gêne pas le travail de la famille royale. Fabian et Swan procédèrent aussi à leur propre examen des lieux, pendant que Shvara se contentait de les observer, en penchant la tête à droite, puis à gauche.

— Le petit a raison, déclara le dieu-milan. Un animal ensorcelé s'est bel et bien infiltré ici.

Swan s'empressa de vérifier les dires de son fils en inspectant le berceau.

— Il dit vrai ! s'étonna-t-elle.

— Je suis arrivé à la même conclusion, ajouta Lassa.

— Si un dragon était entré chez nous, nous l'aurions vu ! protesta Katil, incrédule.

Ils se tournèrent vers Atlance, qui s'était immobilisé, les yeux écarquillés.

— Tu l'as vu ? s'alarma sa femme.

— Oui, mais seulement l'espace d'un instant…

— Dans le berceau de Lucca ?

Atlance hocha lentement la tête en se rappelant l'horrible vision.

— Pourquoi ne m'en as-tu rien dit ? lui reprocha sa femme.

— Parce que…

Les mots restèrent bloqués dans la gorge d'Atlance. Fabian s'approcha de son frère et posa une main affectueuse sur son bras pour l'inciter à révéler ce qu'il savait. L'image d'un minuscule dragon bleu ciel se forma dans son esprit.

— As-tu vu par où il est entré ? demanda le dieu-oiseau.

— Il était déjà là… balbutia Atlance. C'était Lucca…

Cette révélation les laissa tous pantois.

— C'est impossible ! se fâcha la jeune mère.

— Pas si on considère que votre mari est le fils de Nashoba, annonça Shvara pour les éclairer.

– On ne sait même pas si c'est la vérité, le reprit Fabian.

– Wellan l'a lu dans un livre.

– Nous ignorons si ce qu'il contient est véridique.

– Mais de quoi parlez-vous ? s'inquiéta Katil.

Swan résuma en quelques phrases ce que le jeune érudit avait découvert dans un vieux traité sholien au sujet des dieux fondateurs et de leurs héritiers.

– Mère, si c'était vrai, je me serais aussi changé en animal à un moment donné de ma vie, plaida Atlance. Or ce n'est jamais arrivé.

– Votre frère Albalys se métamorphose pourtant en rapace, lui fit remarquer Shvara.

– Il est le fils de Lycaon, leur rappela Swan.

– Et Lycaon est le neveu de Nashoba, votre mari, ce qui met vos autres enfants sur un pied d'égalité avec les chefs des panthéons.

– Je n'y comprends rien… avoua Katil, au bord de la crise nerveuse.

La porte de l'entrée claqua, les faisant tous sursauter.

– C'est pourtant très simple, répondit l'homme qui venait d'entrer.

Ils reconnurent tous Zach, le Prince de Zénor. Marek se cacha derrière les jambes de Lassa, de crainte d'être obligé de choisir entre ses deux pères.

— Vous étiez là, lorsque Lucca est né, se rappela Katil.

— Je n'ai compris pourquoi Atlance s'est fait griffer par votre nouveau-né que lorsque j'ai vu ce dernier se transformer en dragon.

— Je refuse de le croire...

— Tient-il cette faculté de mon père, comme le prétend ma mère ? demanda Atlance, ébranlé.

— Pas du tout. Cet enfant n'est ni votre fils, ni le petit-fils d'Onyx d'Émeraude.

— M'accusez-vous d'adultère ? s'offensa Katil.

— Non, madame. Habituellement, c'est la foudre produite par Abussos et Lessien Idril qui dépose leurs enfants dans le ventre d'une mère porteuse. Cette fois, semble-t-il, les choses se sont passées autrement. Un mortel a forcé les portes du hall des disparus.

— C'est impossible ! s'exclama Shvara, étonné. Aucun dieu n'y a accès avant le jour de sa disparition et encore moins un mortel !

— Je ne peux pas vous expliquer comment c'est arrivé, s'excusa Zach. Je peux seulement vous annoncer que deux entités divines se sont échappées du monde des morts et que l'une d'elles est entrée dans le corps de votre bébé.

Katil poussa un terrible cri d'angoisse. Son mari la tira de la berceuse et la serra de toutes ses forces contre lui.

– Que faisaient-elles sur les grandes plaines de lumière ? s'étonna Lassa.

– Les dieux qui perdent leur pérennité sont exilés dans un endroit différent qui porte le nom de hall des disparus.

– Que pouvez-vous nous dire sur celui qui s'est emparé de mon petit-fils ? s'enquit Swan, qui s'efforçait de demeurer stoïque.

– C'est le deuxième enfant des dieux fondateurs.

– Comment s'appelle-t-il ? osa demander Lassa, qui s'en doutait.

– Nayati.

– Où est-il ? demanda Fabian.

– C'est Abussos lui-même qui l'a repris.

L'aveu de Zach les surprit au point où aucun d'entre eux ne sut comment réagir. Seul le petit Marek ne comprit pas ce qui se passait.

– Pourquoi ? demanda-t-il naïvement.

Zach baissa les yeux sur son fils félin, mais se garda de montrer l'affection qu'il éprouvait pour lui en présence de Lassa qui l'avait élevé depuis sa naissance.

— Nayati est trop dangereux, répondit le Prince de Zénor. Les dieux fondateurs ne peuvent pas lui permettre de grandir parmi vous.

— Je ne le verrai donc plus jamais ? hoqueta Katil.

— C'est fort probable, madame. Il semble qu'Abussos a l'intention de le reconduire dans le hall des disparus et de s'assurer qu'il n'en sortira plus.

Katil s'évanouit contre la poitrine d'Atlance. Ce dernier la souleva dans ses bras et alla la déposer sur leur lit.

— Vous voyez bien que votre mère avait raison, intervint le dieu-busard. Votre père n'a rien à voir avec l'enlèvement de ce bébé.

— Nous l'avions compris, Shvara, grommela Fabian.

— De quelle façon pourrions-nous en appeler à la clémence d'Abussos ? voulut savoir Swan.

— Il a déjà pris sa décision, Majesté, affirma Zach.

— Les Sholiens et les Bérylois vénèrent le dieu fondateur, indiqua Maximilien.

— Les Ipocans aussi, ajouta Shvara.

– Ils ne s'opposeront pas à la décision d'Abussos, insista Zach.

Ce fut au tour de Swan de vaciller sur ses jambes. Maximilien et Fabian l'emmenèrent jusqu'à une chaise, où ils la firent asseoir.

– Je suis vraiment désolé d'être le porteur d'aussi tristes nouvelles, s'excusa le Prince de Zénor.

Il recula de quelques pas et quitta la maison. Lassa s'élança à sa suite, sous la pluie.

– Zach, attends !

Le dieu-jaguar se retourna lentement.

– Tu as parlé de deux entités, continua Lassa. Qui est l'autre ?

– Les dieux fondateurs conçoivent toujours des jumeaux, même s'ils ne naissent pas nécessairement au même moment. La contrepartie de Nayati est Lazuli.

– Est-il né, lui aussi ? Abussos l'a-t-il repris ?

– Je n'en sais rien.

Zach s'approcha de son jeune frère et posa les mains sur ses épaules. Ils se retrouvèrent instantanément dans le hall du Château de Zénor.

– Mais… s'étonna Lassa.

— Je n'aime pas la pluie. Ne t'inquiète pas, je te ramènerai chez Atlance dès que j'aurai satisfait ta curiosité. D'ailleurs, si tu acceptais ta véritable nature, tu n'aurais pas besoin de me questionner sur ce qui se passe dans les mondes invisibles, Nahélé.

— Si j'étais ce dieu, je me sentirais différent des autres hommes.

— Tu es Nahélé, Lassa. C'est pour cette raison que les dieux ont fait de toi le porteur de lumière. Tu es descendu du ciel dans une époustouflante pluie d'étoiles filantes et tu as pénétré dans le ventre de la Reine de Zénor.

— Et toi ?

— Puisque je ne suis que l'arrière-petit-fils d'Abussos, il a fallu que je m'y prenne autrement pour pouvoir vivre dans le monde des mortels. Je me suis emparé du corps du fils aîné de la reine après qu'il a eu pris son premier souffle. Je l'ai évidemment fait à l'insu de mon panthéon et, lorsque ma vénérable mère l'a appris, elle m'a bannie de son monde.

— Mais elle ne t'a pas enlevé tes pouvoirs, n'est-ce pas ? C'est pour cette raison que tu as accès aux nouvelles de l'au-delà ?

— C'est exact. Et tu pourrais en faire autant. N'aie pas peur de ta véritable identité, mon frère. Elle ne te fera rien perdre de ce que tu as acquis depuis que tu vis parmi les mortels.

– Si tu te transformes en félin et que Nayati se change en dragon…

– Tu es un magnifique dauphin ailé, Nahélé. Lorsque tu reviendras enfin vivre près de la mer, tu pourras te métamorphoser, toi aussi.

– Tous les dieux ont-ils une seconde forme ?

– En réalité, c'est la première. Leur apparence humaine est accessoire. Les enfants des dieux fondateurs ont tous des aspects différents, sauf Aufaniae et Aiapaec, qui sont des dragons dorés identiques. Leurs petits-enfants ont par contre les mêmes caractéristiques que leur panthéon. Les descendants d'Étanna sont des félins, alors que ceux de Lycaon sont des oiseaux et ceux de Parandar, Theandras et Akuretari sont des reptiliens.

– Mes descendants seront-ils tous des mammifères marins ?

– Dans ton cas, c'est plus compliqué.

– Parce que je ne suis pas le père de mes enfants ?

– Ton fils Wellan est le fils du dieu Lazuli, tandis que ton fils Lazuli est le fils de Lycaon.

– Et Kaliska ?

– C'est la fille d'Abussos. Comme tu le sais maintenant, je suis le père de Marek.

— Ça m'a profondément affligé d'apprendre que ma femme m'avait trompé avec toi, avoua Lassa, les joues rouges de colère. J'ai eu beaucoup de mal à te le pardonner.

— Que ton cœur soit désormais en paix, mon frère. Nous avons tous les deux été victimes de la magie d'une pierre de souhaits. Tandis que Kira cherchait un endroit afin de la cacher, elle s'est demandé ce qui lui serait arrivé si elle avait épousé le plus âgé des fils du Roi Vail au lieu du plus jeune. À mon avis, nous ne sommes pas du tout faits l'un pour l'autre.

— Et les jumeaux ? demanda Lassa pour changer de sujet.

— Ils sont tiens, mais puisque leur mère est à moitié gavial et à moitié insecte, il est bien difficile de deviner à quoi ils ressembleront. Tout ce que je sais, c'est que Wellan est un curieux oiseau reptilien et que Kaliska est une licorne.

— Lazuli est un gerfaut…

— Et Marek, un jeune léopard des neiges.

— Les dieux sont-ils obligés d'adopter leur véritable forme ?

— Dans le monde des mortels, il est préférable de demeurer humain. Dans les sphères célestes, tout dépend du chef du panthéon. Parandar ne s'est pas transformé en Ghariyal depuis des milliers d'années, alors qu'Étanna aime bien chasser sous sa forme féline. Personnellement, je trouve très agréable d'avoir ce choix. Je ressens l'angoisse de Marek qui te cherche. As-tu d'autres questions ?

– Une seule. Nayati a-t-il déjà vécu dans le monde des hommes ?

– Quelques années seulement. Il s'appelait Nemeroff.

Lassa ouvrit la bouche pour lui demander si Onyx avait quelque chose à voir avec son évasion du hall des disparus, mais il sentit la pluie lui cingler le visage.

– Papa ! cria Marek en lui sautant dans les bras.

Afin d'éviter qu'ils soient trempés jusqu'aux os, Lassa ramena l'enfant dans la maison d'Atlance.

– As-tu appris quelque chose, Lassa ? lui demanda Swan.

– Oui, mais ça risque de ne pas vous plaire.

– Parle, ordonna Fabian.

Lassa lui pardonna son ton incisif, car il comprenait que toute la famille royale était ébranlée par cette tragédie.

– Nayati est le véritable nom de Nemeroff, déclara-t-il.

Le silence qui s'abattit dans la pièce fit comprendre à Lassa qu'ils étaient tous en train de réunir les morceaux du casse-tête.

– C'est donc Onyx qui a forcé le portail du hall des disparus, laissa tomber Fabian.

– Finalement, tout ceci est arrivé à cause de lui, ajouta Maximilien.

Swan ferma les yeux pour contenir sa colère.

5

CŒUR DE SIRÈNE

Après avoir laissé Napashni, Ayarcoutec et Cherrval sur la plage, là où la rivière Mardall séparait Zénor du Désert, Shapal annonça aux guerriers Ipocans qu'elle allait visiter un ami non loin et qu'elle rentrerait par elle-même. Riga commença par s'opposer, mais la femme-poisson lui rappela que ce n'était pas la première fois qu'elle parcourait une aussi grande distance.

— Je ne m'aventure jamais en haute mer toute seule, ajouta Shapal. Je nage près du rivage et je surveille constamment les alentours.

— Tes parents ne seront pas contents d'apprendre que tu as poursuivi ta route sans nous.

— Ils me font confiance.

Riga tourna autour de la petite sur son hippocampe géant, incapable de se décider.

— Si cela vous rassure, vous pouvez m'accompagner jusqu'au château, offrit Shapal.

— Comment rentreras-tu chez toi ?

— Mes amis de Zénor sont magiques. Je serai de retour en un rien de temps.

Cette affirmation apaisa le guerrier Ipocan. Il fit grimper la jeune demoiselle derrière lui et fonça vers le nord, abandonnant sur la plage l'embarcation qui avait servi à transporter le Pardusse et les deux Mixilzins.

Lorsque Shapal aperçut au loin les contours de la forteresse du Roi Vail, son cœur se mit à battre plus fort dans sa poitrine. Plusieurs de ses amies avaient commencé à regarder les garçons Ipocans avec des yeux différents, mais Shapal ne leur trouvait rien de particulier. C'était le doux visage de Kirsan qui apparaissait constamment dans ses rêves. Elle savait bien que leurs constitutions étaient diamétralement opposées, mais elle ne pouvait pas maîtriser son attirance pour cet humain qui la comprenait mieux que quiconque.

— Vous pouvez me laisser descendre ici, Riga, lui dit la sirène.

Elle remercia toute l'escouade et plongea sous l'eau pour filer vers la berge. L'océan d'Enkidiev était fort différent de celui d'Ipoca. L'eau y était plus froide que chez elle. Heureusement, les écailles qui couvraient le corps de Shapal la protégeaient des variations de température.

La femme-poisson constata, après avoir nagé pendant quelques kilomètres, qu'une tempête faisait rage sur la côte, mais elle ne voulait pour rien au monde être forcée de s'abriter au fond de la mer en attendant qu'elle passe. Plus elle se rapprochait du château, plus elle avait envie de voir Kirsan. Elle affronta donc bravement les hautes vagues coiffées d'écume en contournant la pointe où s'élevait la forteresse. Comme un dauphin, elle sautait hors de l'eau et plongeait dans les flots pour se rapprocher de la terre, ignorant que l'élu de son cœur était assis sur l'un des balcons et observait la mer.

— Shapal ? se réjouit Kirsan en plissant les yeux pour mieux distinguer la créature qui s'amusait dans les rouleaux.

Aucun poisson n'avait des écailles aux couleurs aussi vives dans la région. Kirsan sauta de la balustrade en pierre, où il était assis depuis le matin, et dévala les escaliers jusqu'à la grande cour. Depuis qu'on avait réparé toutes les brèches percées par les sorciers lors de la première invasion, il fallait maintenant utiliser la porte principale pour quitter l'enceinte. Kirsan courut sous la pluie et contourna les hautes murailles du château de ses ancêtres. Enfin, il arriva sur le bord de l'eau.

— Shapal ! hurla-t-il dans la tourmente.

L'ouïe de l'Ipocane étant très fine, elle entendit la voix du Zénorois et fonça vers la plage de galets. De son côté, Kirsan entra dans l'eau jusqu'aux genoux, même si elle était glaciale. Shapal jaillit de l'onde et se jeta dans les bras du prince. Les deux amis s'étreignirent un long moment dans les lames qui déferlaient sur les rochers.

— Mais que viens-tu faire ici par un temps aussi maussade ? s'étonna Kirsan.

— Faut-il attendre le moment idéal pour rendre visite à la personne qui nous est la plus chère ? répliqua Shapal avec un large sourire.

Le déluge plaquait les cheveux blonds du jeune homme sur sa tête et l'obligeait à chasser sans cesse l'eau de ses yeux.

— J'avais envie de te voir, ajouta la sirène.

Après la conversation qu'il avait eue avec son père, Kirsan ne voulait surtout pas faire entrer Shapal dans le château, car Zach n'avait aucune sensibilité morale dans ses relations avec autrui.

— Te souviens-tu de la crique où nous avons déjà bavardé ?

— Oui, affirma la visiteuse. Elle n'est pas très loin d'ici.

— Peux-tu m'y emmener ?

— Accroche-toi.

Shapal se retourna pour qu'il passe ses bras autour de sa taille, puis nagea en direction de l'une des deux baies au nord du château, tout en faisant bien attention de maintenir la tête de Kirsan au-dessus des flots. Dès que ses pieds touchèrent le fond, dans un élan d'amour, le prince prit son amie dans ses bras et la porta jusqu'au fond de la calanque où l'érosion avait creusé plusieurs petites grottes, des milliers d'années auparavant. La marée n'atteignait plus cet endroit. Ils y seraient donc au sec et en sûreté.

Trempé comme une soupe, Kirsan déposa Shapal sur le sol et se mit à grelotter. Il alluma donc un feu magique et, ne conservant que ses braies, il ôta ses vêtements et les étala sur les rochers autour de lui.

— L'avantage d'avoir des écailles, c'est qu'on n'est jamais obligé de les enlever, le taquina la femme-poisson.

— Ce doit aussi être merveilleux de se mouvoir librement dans un milieu sans pesanteur.

— En comparaison avec les déplacements dans ton monde à toi, oui, c'est beaucoup plus facile, mais on ne peut pas aller là où il n'y a pas de cours d'eau salée.

Shapal remarqua alors le changement d'attitude de son ami.

— Pourquoi es-tu triste, tout à coup ? s'effraya-t-elle.

— J'avais oublié que tu possédais la faculté de percevoir la moindre de mes émotions…

— Dis-moi ce qui ne va pas, Kirsan.

— La dernière chose que je veux, c'est te briser le cœur, mais tu dois savoir qui je suis vraiment.

La sirène se croisa les bras sur la poitrine, comme si elle s'apprêtait à recevoir un grand coup.

— Cela pourrait-il tout changer entre nous ? balbutia-t-elle.

— Je le crains…

— À moins que tu sois un monstre, mes sentiments pour toi resteront les mêmes.

Kirsan prit une profonde inspiration avant de livrer son secret.

— Je suis le petit-fils d'Étanna, laissa-t-il tomber.

— Tu es un dieu?

— Un demi-dieu, puisque ma mère est humaine.

— C'est plutôt une bonne nouvelle, non?

— Tu es un poisson et je suis un chat, Shapal.

— Un demi-chat, précisa-t-elle.

— Une relation entre un homme terrestre et une femme marine était difficilement envisageable, alors imagine ce que ce serait entre un dieu félin et une Ipocane.

Shapal demeura silencieuse un long moment, à étudier la situation sous tous ses angles.

— Je tiens trop à toi, déclara-t-elle finalement. Il y a une solution pour chaque problème. Peut-être ne regardons-nous pas dans la bonne direction.

— Ça fait des semaines que je me creuse l'esprit.

— Alors, cherchons encore plus loin. Quels sont nos choix ?

— Accepter notre incompatibilité et demeurer uniquement des amis.

— Ou ?

— Ne plus jamais nous revoir.

— C'est inacceptable, Kirsan. Que pourrions-nous faire pour surmonter nos incompatibilités ?

— Il faudrait que tu sois une déesse…

— Ou que tu deviennes un homme-poisson.

— Comme si c'était concevable…

— Contrairement à tous les autres peuples, les Ipocans s'adressent directement à Abussos, le plus puissant de tous les dieux. Rien ne lui est impossible.

— Je peux seulement me transformer en chat, Shapal.

— S'il existait une façon pour moi de devenir terrestre ou pour toi de devenir marin, ne serait-ce pas merveilleux ?
Si c'était possible, accepterais-tu d'essayer ?

Un large sourire illumina le visage du jeune prince.

— Le seul qui puisse nous éclairer à ce sujet, c'est le Roi Sannpeh. M'appuieras-tu dans cette démarche ?

– En fait, j'aimerais être à tes côtés lorsque tu t'adresseras à lui.

– Je crois bien que ça peut s'arranger. Attends-moi ici.

Shapal déposa un doux baiser sur les lèvres de Kirsan.

– Où vas-tu ?

– Je vais aller chercher la barque que j'ai laissée dans le Désert.

– Pourquoi ne pas nager jusque chez toi ?

– L'eau est trop froide. Tu risquerais de mourir.

– Dans combien de temps reviendras-tu ?

– Une journée, tout au plus.

Kirsan annonça donc à son amie qu'il en profiterait pour retourner au château rassembler ses affaires et, surtout, se munir d'une cape imperméable.

– Retrouvons-nous ici demain, décida-t-il.

Folle de joie, la femme-poisson plongea dans l'eau de la crique et disparut sous les vagues. De son côté, Kirsan enfila ses vêtements qui n'avaient pas eu le temps de sécher et rentra à pied au château en suivant la côte.

Il n'avait pas fait deux pas dans le corridor principal qu'il arriva face à face avec Zach.

— Mais que faisais-tu dehors par un temps pareil ? s'étonna le père.

— J'avais besoin de réfléchir.

— Pourquoi me mens-tu ?

Kirsan serra les poings et passa à côté de Zach sans répondre.

— Je t'ai posé une question, jeune homme !

— Et je n'ai pas envie d'y répondre.

Le fils se mit à gravir l'escalier qui menait à l'étage des chambres royales. Zach le poursuivit et lui barra même la route.

— Laissez-moi passer.

— Je n'aime pas la provocation que je vois dans tes yeux.

Kirsan baissa aussitôt le regard.

— Je suis transi et fatigué, déclara-t-il sur un ton implorant.

Puisque son père était un dieu qui savait certainement comment fouiller son esprit, Kirsan s'employa à ne penser à rien du tout.

– Alors, va te reposer. Nous poursuivrons cette conversation pendant le repas du soir.

Le jeune homme ne répliqua pas. Il se rendit à ses appartements, se changea et s'empressa de placer dans une besace un minimum de vêtements et une couverture. Il sortit sa cape du grand placard, la plia et la déposa près du sac. Puis, il alla s'agenouiller devant la statue du dieu-hippocampe qu'il avait reçue en cadeau de Hawke.

– Je ne sais même pas quoi vous demander, vénérable Abussos, car je ne vois pas comment vous pourriez réconcilier ma nature et celle de Shapal, mais je ne peux pas nier mon amour pour elle. Je vous en conjure, faites en sorte que nous puissions vivre un grand bonheur ensemble ou partir chacun de notre côté sans souffrir.

Un serviteur se présenta alors à la porte pour lui annoncer que sa famille requérait sa présence dans le hall.

Docile, Kirsan descendit au rez-de-chaussée. Ses grands-parents, le Roi Vail et la Reine Jana, ainsi que ses parents, le Prince Zach et la Princesse Alassia, l'y attendaient. Il prit place parmi eux en silence, en s'appliquant à ne regarder personne.

– Ton père nous a dit que tu avais passé la journée dehors, sous la pluie, l'aborda alors Jana.

– J'avais besoin de prendre l'air, mamie, répondit le petit-fils.

— J'ai connu des hommes beaucoup plus forts que toi qui sont tombés malades durant la saison des pluies et qui sont morts.

— Ce n'était pas prudent, je m'en excuse.

— Tu vois bien qu'il peut être raisonnable, Zach, lui fit remarquer sa mère.

— Sauf en amour, grommela le prince.

— S'il y a un domaine où même un roi n'exerce aucune domination, c'est bien celui-là, leur fit remarquer Vail avec un sourire évocateur.

— Mais vous êtes tombés dans les filets d'une belle dame de votre race, répliqua Zach.

— Tu es amoureux d'une Elfe, Kirsan? le questionna Alassia.

— Non…

— D'une Fée? fit sa grand-mère.

— Non plus…

— Il aime une Ipocane, lâcha Zach, mécontent.

— Cette enfant-poisson qui est venue passer du temps avec lui, il y a quelques mois? s'étonna Vail.

– Chez son peuple, elle est presque femme, la défendit Kirsan.

– Mais elle est recouverte d'écailles et elle vit dans l'eau, se rappela Alassia.

– Votre fils Lassa s'est bien épris d'une femme mauve qui a des griffes et des dents pointues ! se fâcha le jeune homme. Et il est parfaitement heureux !

– Elle n'habitait pas les mondes sous-marins, précisa Jana.

– Vous avez raison. Elle est à moitié insecte et son peuple se nourrissait de pierres rouges et vivait sous terre. C'est bien différent.

– Kirsan, sois poli avec tes grands-parents, ordonna le père.

– Vous qui avez aimé et qui avez eu le bonheur de passer votre vie auprès de la personne qui faisait battre votre cœur, pourquoi êtes-vous incapables de comprendre que l'apparence et les origines de Shapal n'ont aucune importance pour moi ? C'est la joie qu'elle m'apporte quand elle est devant moi qui me donne envie de vivre. Son sourire, ses étranges yeux, ses petites branchies à la base de son cou, ses cheveux qui miroitent comme des algues… tout en elle me séduit.

– Le petit a perdu la raison, s'inquiéta Jana.

– Il serait égoïste de ta part de lui faire passer le reste de sa vie dans un bocal à poissons à Zénor, lâcha Vail.

— Et s'il y avait une autre solution ? s'entêta Kirsan.

— Laquelle ? se désespéra Alassia.

— Si Abussos pouvait la transformer en humaine ?

— Tu n'es plus un enfant, Kirsan, continua la mère avant que Zach puisse le sermonner. Il n'y a que les contes et les légendes qui se terminent ainsi.

— N'avez-vous pas la foi ?

— Les seuls qui soient capables de t'accorder ce souhait sont les dieux fondateurs, expliqua Zach, mais ils ne se mêlent jamais de la vie des créatures qui ne sont pas leurs enfants. Ils se moquent même de ce que deviennent leurs petits-enfants et leurs arrière-petits-enfants.

— Qu'en savez-vous vraiment ?

— Plus que toi, apparemment.

— Si vous voulez bien m'excuser, ce soir, je n'ai aucun appétit…

— Laisse-le aller dormir, Zach, insista la grand-mère. Il a besoin de refaire ses forces.

Kirsan n'attendit pas que son père lui donne cette permission et quitta la table. Il s'arrêta à la cuisine, prit un pain chaud, une gourde de vin et une petite meule de fromage, puis monta à sa chambre. Il mit le tout dans sa besace, enfila sa cape et prit la fuite par un escalier qui n'était emprunté que par les serviteurs.

Un orage venait d'éclater sur la côte, mais cela ne l'arrêta pas. Puisqu'il s'efforçait de voir le beau côté des choses, Kirsan remercia le ciel d'éclairer ainsi sa route jusqu'à la crique. Une fois dans la grotte, il alluma un feu, fit sécher sa cape et mangea dans la tranquillité. Certes, son père possédait les facultés requises pour le retrouver s'il se transformait en jaguar, mais il n'arriverait pas à le ramener à Zénor.

— Ma vie n'est plus ici... murmura tristement le jeune augure.

Il s'enroula dans sa couverture et dormit près du feu. Cette nuit-là, il rêva d'une caverne sous la mer, où vivaient des centaines d'Ipocans aux couleurs les plus variées. Ce fut la douce main de sa belle qui le réveilla, au matin. L'orage était passé, mais il pleuvait toujours.

— Je ne croyais pas te trouver endormi ici, avoua la sirène.

— Je voulais seulement être sûr de ne pas manquer notre rendez-vous.

— J'ai tellement hâte que tu rencontres mon roi.

— J'espère qu'il est différent du mien, soupira Kirsan.

— Personne ne lui ressemble. Il nous écoutera et il nous donnera de sages conseils.

Le visage triste du jeune homme inquiéta Shapal.

— Qu'y a-t-il?

— Peu importe la décision de Sannpeh, je ne reviendrai pas à Zénor.

— Je ne comprends pas…

— S'il ne trouve pas une façon de nous permettre de vivre ensemble, alors j'irai habiter chez les Itzamans et nous pourrons continuer à nous voir sur la plage.

— Tu ferais ça pour moi?

— Je donnerais ma vie pour toi, Shapal.

Il l'embrassa tendrement.

— Est-ce ainsi qu'un homme témoigne son affection à une femme chez les tiens?

— Pas du tout, affirma la sirène en souriant, mais je ne peux pas te le montrer, puisque tu ne possèdes pas notre constitution. Toutefois, j'aime bien cette façon aussi.

À son tour, elle déposa un baiser sur les lèvres du prince.

— Partons tandis que la mer est encore calme, le pressa-t-elle.

Il ramassa ses affaires, éteignit le feu, mit sa cape et la suivit dehors. Shapal avait pris soin de vider la barque, mais il lui faudrait le refaire encore plusieurs fois avant qu'ils atteignent le climat plus clément du Désert.

— Es-tu sûre de vouloir traîner cette embarcation sur une aussi longue distance ?

— Je donnerais ma vie pour toi, Kirsan.

Tandis qu'il grimpait dans la barque, Shapal plongea dans l'eau et s'empara de la corde qui y était attachée.

6

TRAHISON

Après avoir marché une journée entière à l'ombre du chapiteau magique d'Anyaguara, Wellan et Hadrian aperçurent enfin une oasis à l'horizon. Il n'existait pas beaucoup de points d'eau dans cette région sauvage et les tribus qui s'y installaient les gardaient férocement. Or, au pied de la centaine de palmiers, il n'y avait ni tentes, ni bétail. Hadrian le fit aussitôt remarquer à ses compagnons.

— L'eau n'y est peut-être pas potable, dit Wellan.

— Ou c'est la présence d'un tigre qui décourage les habitants du Désert, suggéra plutôt Anyaguara.

— Et celle d'Akuretari avant lui.

— Nous allons bientôt savoir pourquoi personne n'y vit, conclut Hadrian.

Lorsqu'ils arrivèrent enfin au milieu des arbres, sur le bord d'un étang aux eaux limpides, la tente volante se posa en douceur. Wellan alla humer l'eau, puis y goûta du bout d'un doigt.

— Elle me semble très bonne, déclara-t-il, alors la théorie du fauve est plus que plausible.

De son côté, Hadrian était à la recherche d'indices différents. Tout en marchant le long du bassin, il scrutait le sol. Il aperçut enfin ce qu'il cherchait : les empreintes indiscutables d'un tigre.

— L'entrée de la grotte n'est sûrement pas loin d'ici, se réjouit-il.

Il explora ensuite les plantes qui devenaient de plus en plus denses de l'autre côté de l'étang et trouva des traces de sang.

— Il est passé par ici, annonça Hadrian.

Wellan le rejoignit aussitôt. Anyaguara suivit plutôt une autre piste, plus subtile celle-là. En quelques minutes, ils arrivèrent tous les trois au même endroit, soit un talus escarpé qui menait à un repli pierreux partiellement dissimulé dans le sable. Au milieu de sa façade, une pierre ronde semblait bloquer une entrée. Les deux hommes glissèrent prudemment dans la ravine. Ils virent aussitôt les traces de sang sur la dalle de granit.

— Ce sont des mains, pas des pattes, fit remarquer Wellan.

— Il s'est donc changé en humain en arrivant ici.

Hadrian tenta de faire rouler la pierre, mais elle ne bougea pas d'un poil. Wellan joignit ses efforts aux siens, mais ils ne parvinrent qu'à la faire avancer de quelques centimètres.

— Il doit être particulièrement robuste ! s'exclama le plus jeune.

— Mahito a hérité de la vigueur de deux panthéons, leur rappela Anyaguara.

— S'il peut déplacer ce bloc sans aide, il doit être un formidable ennemi.

— C'est pour cette raison que je vous ai accompagnés dans votre quête. Nous ne viendrons pas à bout de lui par la force. Je suis la seule à pouvoir le raisonner.

— Essayons la magie, suggéra Wellan, qui n'aimait pas s'avouer vaincu.

La déesse-panthère alla s'asseoir au pied d'un dattier pour observer les tentatives inutiles du fils de Lazuli. Celui-ci essaya tous les types de rayons qu'il maîtrisait, sans succès.

— Au lieu de faire rouler la pierre, nous pourrions la faire exploser, suggéra Wellan.

Cette nouvelle expérience s'avéra aussi vaine que les autres.

— Vous êtes une déesse, alors vous pouvez certainement la fracasser sans difficulté, dit Hadrian à Anyaguara.

— Vous voulez vraiment risquer de tuer les occupants de la grotte ? se contenta-t-elle de répondre.

— Que fait-on, dans ce cas ?

– Nous attendons patiemment que la souris veuille bien sortir de son trou.

– Mais cela pourrait prendre des jours, voire même des semaines ! s'exclama Wellan.

– Et alors ? Vous avez de l'eau, de la nourriture et un abri. S'il vous manque quelque chose pour passer le temps, il faut seulement me le dire.

Anyaguara se transforma en panthère et alla s'allonger plus loin, au milieu de la palmeraie.

– Jenifael est sous nos pieds et je ne peux rien faire, ragea Hadrian.

– Si mes souvenirs sont bons, cette grotte est tapissée de quartz. Elle est à l'épreuve de la magie. Nous n'avons pas le choix.

Wellan s'aspergea le visage d'eau fraîche et alla s'étendre dans un des hamacs qui avaient mystérieusement réapparu. Hadrian resta planté devant l'entrée de l'antre d'Akuretari pendant de longues minutes, comme s'il s'attendait à voir sortir le tigre. La chaleur devenant de plus en plus insoutenable, il se décida finalement à rejoindre son jeune compagnon sous l'abri.

✳ ✳ ✳

Dans la grotte souterraine, la situation était maintenant critique. Ne possédant rien pour soigner les plaies de Mahito, sauf de l'eau, Jenifael le voyait perdre des forces à petit feu.

Au bout de quelques heures, la fièvre s'était manifestée et la température du corps du dieu-tigre ne cessait de grimper. «S'il meurt, je ne sortirai jamais d'ici!» se répétait la femme Chevalier, au désespoir.

— Mahito, tiens bon, le supplia Jenifael.

Il ouvrit à peine les paupières et, même à l'agonie, ses yeux brillaient d'amour pour elle.

— Je ne t'entraînerai pas dans la mort avec moi... murmura-t-il.

— Mais tu dépéris de minute en minute.

Le dieu-tigre poussa un rugissement qui fit reculer Jenifael. Dans un effort surhumain, il se retourna sur le ventre et se mit à quatre pattes en tremblant.

— Qu'est-ce que tu fais?

— Je vais te libérer...

— Tes plaies ne sont pas refermées! protesta la jeune femme.

Il avança à pas de tortue jusqu'à la pierre qui obstruait la sortie de la grande caverne, s'accrocha à sa surface rugueuse et parvint à se mettre debout. Les muscles de ses bras se contractèrent et il poussa sur le bloc massif. Celui-ci roula plus loin, pendant que Mahito tombait face la première sur le sol. Jenifael s'élança pour lui venir en aide. Elle constata avec horreur que toutes les lacérations sur l'épaule et dans le dos de son ravisseur avaient recommencé à saigner.

— Assez ! s'écria-t-elle, les larmes aux yeux.

— Il y a une autre dalle au bout du tunnel... haleta le jeune homme.

— Tu es en train de dépenser le peu de force vitale qu'il te reste.

— Pour toi...

Il se redressa sur ses coudes et sur ses genoux et entreprit de gravir le couloir arrondi qui menait à la surface. Jenifael tenta encore une fois d'utiliser ses pouvoirs magiques, mais rien ne fonctionna. Elle suivit le dieu-tigre, regrettant amèrement son impuissance. Mahito s'arrêtait régulièrement pour reprendre son souffle. Il souffrait terriblement, mais il s'obstinait à atteindre son but. Jamais la femme Chevalier n'avait vu autant de détermination dans le cœur d'un homme.

Lorsqu'ils arrivèrent enfin au bout du tunnel, Mahito s'appuya le dos contre le mur, à côté de la dalle qu'il lui faudrait déplacer. Seules quelques pierres lumineuses éclairaient le passage, mais même dans cette obscurité partielle, Jenifael pouvait voir sur le visage du jeune homme le sacrifice qu'il était prêt à faire pour elle.

— Tu es fou ! se fâcha-t-elle.

Un faible sourire apparut sur les lèvres de Mahito.

– N'oublie pas ce que je t'ai appris… murmura-t-il. Les réponses que tu cherches ne se trouvent pas ailleurs qu'en toi…

– Tais-toi et refais tes forces.

Au lieu de lui obéir, le dieu-tigre se mit à genoux devant l'obstacle qui rendrait à la jeune fille sa liberté et poussa avec la dernière énergie. La pierre tomba dans le sable et l'air frais du soir envahit le tunnel.

– Tu es libre, maintenant…

De nouveau maîtresse de ses facultés surnaturelles, Jenifael fit léviter le corps meurtri de son ravisseur et le sortit de terre. Le ciel était couvert. Il faisait très noir dans l'oasis. Néanmoins, la jeune femme emmena le corps de Mahito jusque sur le bord de l'eau dont elle captait l'odeur. Elle y entra et y fit descendre le dieu-tigre, afin de nettoyer ses plaies. Le choc lui fit reprendre conscience. Ne comprenant pas comment il s'était retrouvé dans l'étang, il se débattit, puis sentit les bras de Jenifael qui le maîtrisèrent sans aucune difficulté.

– Ne bouge pas, ordonna-t-elle.

Elle alluma ses paumes pour localiser ses plaies et se mit aussitôt à les refermer une à une.

– Jeni? l'interpella alors une voix familière.

La déesse n'eut pas le temps d'avertir Hadrian de ne pas s'approcher. Mahito se changea en tigre.

— Non ! s'affola-t-elle.

Wellan tomba de son hamac et émergea de la tente blanche en allumant ses deux mains. Tout ce qu'il vit fut la gueule ouverte du fauve qui s'élançait sur l'ancien Roi d'Argent. Wellan projeta immédiatement des rayons mortels sur l'animal, mais ils se heurtèrent au puissant mur invisible qu'Anyaguara venait de lui opposer.

— Mais qu'est-ce que vous faites ? s'affola l'ancien soldat. Le tigre va le mettrc en pièces !

Il n'avait pas fini sa phrase que le corps d'Hadrian fit un vol plané par-dessus le bouclier magique de la sorcière et la tête de Wellan pour s'écraser durement dans le sable. Dans l'obscurité, le jeune homme entendit des rugissements, mais ne vit pas le tigre. Soudain, un cercle de feu s'alluma autour des protagonistes, créé par Jenifael qui ne pouvait pas intervenir dans la noirceur totale. Wellan trouva le fauve juste devant lui, ses crocs étincelants se rapprochant à une vitesse fulgurante. Il pria Theandras que le mur d'Anyaguara stoppe son attaque, mais l'animal le traversa sans la moindre difficulté. Il frappa Wellan de sa puissante patte, l'envoyant choir dans les palmiers.

Mahito allait de nouveau s'en prendre à Hadrian, cloué sur le dos par une cuisante douleur à la poitrine, lorsque la panthère bondit et planta ses dents pointues dans la gorge de son fils, à quelques centimètres seulement du visage de l'ancien roi. Ayant souvent chassé, celui-ci constata avec horreur que cette morsure n'était pas mortelle et que le tigre arriverait sans difficulté à se débarrasser de la créature deux fois plus petite que lui. À sa grande surprise, le félin à la robe maculée de sang s'écrasa sous le poids d'Anyaguara.

– Mahito ! l'appela Jenifael en accourant.

La panthère relâcha son emprise destinée à engourdir sa proie et recula de quelques pas. Le tigre se mit à rugir en essayant de se relever. Voyant sa femme arriver près du dangereux animal, Hadrian tendit la main vers son javelot. L'arme n'était qu'à quelques centimètres de sa main. Avec un effort surnaturel, il s'en empara et la projeta à toute vitesse vers le fauve. La lance s'enfonça dans l'épaule gauche de Mahito, en direction de son cœur.

– Non ! hurla Jenifael en se jetant à genoux près du tigre qui luttait pour rester sur ses pattes.

Sous les yeux d'Hadrian, il se changea en un homme qui ne devait pas avoir plus de vingt ans. Son visage était ravagé par la souffrance. Rivant son regard dans celui de son rival, Mahito serra les dents et arracha la lance qui s'était plantée dans sa chair, pour la rejeter plus loin. Au lieu de se ruer sur son assaillant, le jeune dieu reprit sa forme animale et se retourna. Il bondit à travers les flammes produites par Jenifael et disparut dans la nuit.

– Mahito ! le rappela en vain la femme Chevalier.

– Jeni… murmura Hadrian, qui allait bientôt perdre connaissance.

Le regard furieux, sa femme le scruta pendant quelques secondes, puis elle tourna les talons pour poursuivre le tigre. Le mur de feu disparut, jetant les survivants de l'attaque dans le noir.

– Les humains ne sont que des abrutis! se hérissa Anyaguara en redevenant humaine pour faire apparaître une sphère brillante au-dessus de l'oasis.

Même si l'ancien roi avait tenté de tuer son fils, la sorcière vint vers lui.

– Vous survivrez, gronda-t-elle, mais j'espère que vous garderez de profondes cicatrices.

Elle se dirigea ensuite vers les palmiers d'où le fils de Kira n'avait pas encore émergé. Il avançait lentement sur ses genoux, en direction de l'étang, tenant son bras gauche replié contre sa poitrine. Anyaguara l'examina rapidement et jugea qu'il n'était pas en danger de mort.

– Si vous continuez de vous acharner sur mon enfant, je vous tuerai tous les deux ! tonna-t-elle.

– Nous ne voulions pas lui faire de mal… s'affligea Wellan.

– Comment pensiez-vous que cette chasse allait se terminer ?

Wellan conserva un silence coupable. Pendant qu'il se faisait sermonner par la déesse-panthère, Hadrian faisait de gros efforts pour ralentir sa respiration. Il pressait de toutes ses forces sur sa blessure pour arrêter le sang qui jaillissait de sa poitrine. Il vit alors s'approcher un homme complètement vêtu de noir, le visage caché sous un large capuchon.

— Je vous en conjure, aidez-moi, hoqueta l'ancien roi.

L'inconnu se pencha sur lui, mais au lieu d'examiner ses blessures, il fouilla dans son col, à l'intérieur de sa tunique, et en ressortit l'hippocampe argenté dont Hadrian ne se séparait jamais.

— Qu'est-ce que tu fais, mon ami ? balbutia Hadrian en reconnaissant Onyx.

L'ancien lieutenant sortit un poignard de sa ceinture et coupa la languette de cuir qui retenait la breloque elfique.

— Tu n'as pas le droit... protesta faiblement Hadrian, au bord de l'inconscience.

Le voleur referma la main sur l'hippocampe, puis se dématérialisa sous ses yeux. L'ancien roi rassembla tout son courage et parvint à se retourner sur le ventre, puis à s'agenouiller. Il vit alors Wellan claudiquer vers lui.

— Es-tu gravement blessé ? lui demanda le jeune homme.

— Ça semble sérieux, en effet... et je n'arrive pas à faire agir ma faculté de me guérir moi-même.

— C'est la même chose pour moi, soupira Wellan. Je crains que nous ayons été victimes d'une attaque magique. Nous devons tout de suite rentrer à Émeraude, sinon nous périrons ici.

— Il me reste très peu d'énergie…

— Fais-moi confiance, Hadrian.

Wellan s'accroupit devant lui et lui agrippa solidement les épaules. Ils s'évanouirent aussitôt et réapparurent au milieu du hall des Chevaliers, le seul endroit auquel le jeune homme avait été capable de penser. Les serviteurs, qui rangeaient les tables, poussèrent des cris d'effroi.

— Allez chercher Santo ! ordonna Wellan.

Ils décampèrent comme des lapins vers la sortie. La pièce fut alors complètement illuminée en rouge, tandis que Theandras descendait du ciel pour venir à leur aide. Elle se pencha d'abord sur Hadrian, dont le visage était livide, et posa la main sur sa poitrine. Ce n'était pas la première fois que la déesse de Rubis intervenait dans le monde des humains, mais habituellement, c'était pour sauver Wellan.

— Il ne vous reste qu'à vous reposer, Roi d'Argent, déclara Theandras d'une voix neutre.

Elle se tourna vers Wellan et décolla son bras de sa poitrine, lui arrachant une grimace de souffrance.

— À quoi avez-vous pensé ? lui reprocha-t-elle.

— Nous voulions seulement sauver Jeni.

— Je ne sers pas qu'à panser les blessures, Wellan.

— Vous avez raison, pardonnez-moi. Il semble que j'ai oublié beaucoup de choses entre mes deux vies.

— Il est vrai que tu ne t'adresses plus aussi souvent à moi que jadis.

Wellan éprouva un profond soulagement dans tout son bras alors que Theandras en ressoudait les os.

— Merci, vénérable déesse.

En ressentant la présence de son fils dans le palais, et surtout sa souffrance, Kira avait remis Kylian à Kaliska et avait dévalé l'escalier. Tandis qu'elle courait vers le hall des Chevaliers, elle vit Santo, Bridgess et Liam qui arrivaient en sens inverse. Voyant que de la lumière écarlate fusait par la porte de la grande salle, les quatre soldats s'arrêtèrent prudemment sur le seuil. Ils virent alors disparaître la déesse de feu ainsi que la luminosité qui l'accompagnait. Kira fonça la première.

— Wellan, est-ce que ça va ?

— Oui, maintenant, ça va…

Bridgess et Santo se penchèrent sur Hadrian, couvert de sang. Il avait sombré dans le sommeil.

— Est-il vivant ? s'inquiéta Liam.

— Theandras lui a sauvé la vie, affirma Wellan.

— Et la tienne ?

— Je n'avais qu'un bras cassé.

Santo passa une main lumineuse au-dessus du corps de l'ancien roi.

— Je suis content que ce soit elle qui l'ait traité, avoua-t-il, car les dommages étaient importants. On dirait toutefois que les dieux ne peuvent pas plus que nous remplacer le sang que nous perdons. Il est très important qu'il dorme pendant plusieurs jours.

— Je vais le faire transporter dans une chambre près de la nôtre, décida Bridgess en tournant les talons pour aller chercher des serviteurs.

Son instinct maternel l'emportant, Kira examina également son grand garçon sous toutes ses coutures.

— J'ai toujours cru que ce serait Lazuli ou Marek qui m'arriverait avec des fractures, le taquina-t-elle.

— Je m'en suis tiré à très bon compte, tu sais, répliqua Wellan.

— Qu'est-il arrivé ?

— J'ai percuté un palmier. Ce sont des arbres remarquablement résistants.

— Et comment en es-tu arrivé là ?

– Un tigre m'a donné un sacré coup de patte.

La Sholienne entreprit aussitôt d'enlever la tunique de son fils.

– Kira, ce n'est pas nécessaire…

Lorsqu'elle aperçut les cinq cicatrices de griffes sur le torse de Wellan, la mère eut un serrement de cœur.

– La déesse m'a remis en parfait état de fonctionnement.

– Ça, c'est à moi de le décider, Wellan. Allez, debout. On rentre.

Kira fit bien attention de saisir le bras de son fils qui n'avait pas souffert et le tira vers la sortie.

– Mais Hadrian…

– Santo, Bridgess et Liam s'occupent de lui.

Elle le força à la suivre jusqu'à l'étage des appartements royaux.

7

UN CADEAU DIVIN

Les deux lièvres ne rassasièrent pas les Mixilzins très longtemps et Napashni dut retourner à la chasse. Heureusement, des dindons sauvages s'étaient abrités sous les branches d'un sapin, non loin de sa maison. La viande était bonne, mais Ayarcoutec continuait de réclamer le maïs auquel elle était habituée. Tous les soirs, lorsque la petite dormait, Napashni évaluait ses chances de survie dans ce monde étrange que gouvernait le Roi Onyx. « Comment fait-il pour vivre ainsi sous la pluie toute l'année ? » se découragea-t-elle.

Elle se demanda s'il y avait des régions sur ce continent où le soleil brillait plus souvent. Si elle avait déplacé sa maison une fois, elle arriverait certainement à le refaire. Rien ne l'empêchait d'explorer Enkidiev jusqu'à ce qu'elle trouve un climat qui lui convienne. Toutefois, elle aurait préféré commencer cette quête sous un ciel plus clément.

Elle jeta un coup d'œil autour d'elle. Sa réserve de bois s'amenuisait. Au lever du jour, elle irait en chercher pour le faire sécher, puis elle se rendrait chez son voisin Dempsey afin qu'il lui enseigne la façon de trouver des fruits et des légumes comestibles à Émeraude, et peut-être du maïs. Avant d'aller s'allonger sur son lit, elle tenta encore une fois de communiquer avec Onyx, mais ne le trouva pas. Comment arrivait-il à fermer son esprit ainsi ? Elle s'endormit en pensant à lui.

— Maman ? l'appela sa fille, au matin.

Napashni battit des paupières. Elle venait de rêver qu'elle se trouvait sur les volcans avec Onyx, mais que tout était changé autour d'eux : le monde, la nature et les gens.

— Qu'y a-t-il, mon petit rayon de soleil ?

— Tu devrais m'appeler ta petite goutte d'eau, maintenant que nous habitons ici, gémit l'enfant en grimpant dans le lit de sa mère.

— Ce n'est pas si mal que ça, à Émeraude. Nous avons un toit, de la chaleur et de la nourriture.

— Mais ton but, c'était de trouver Onyx pour l'épouser !

— Il a malheureusement le don de disparaître quand il en a envie.

— Ne pourrais-tu pas le localiser avec tes pouvoirs de divinatrice ?

— J'ai essayé, mais il a bâti un mur autour de lui. Il ne veut pas être découvert.

— C'est étrange pour un roi de ne jamais être chez lui, n'est-ce pas, maman ?

– Je sais que c'est difficile à comprendre à ton âge, Ayarcoutec, mais il y a des gens qui cherchent constamment le bonheur au loin, alors que bien souvent, ils l'ont sous les yeux.

– Étais-tu heureuse, chez nous ?

– Oui, jusqu'à mon exil. J'aurais volontiers passé le reste de ma vie auprès de ceux qui m'étaient chers, mais les dieux en ont décidé autrement.

– Pourquoi les dieux se mêlent-ils de la vie des gens, alors qu'ils ne vivent même pas parmi eux ?

– Je ne connais pas la réponse à ta question, ma petite goutte d'eau.

Ayarcoutec éclata de rire.

– Aujourd'hui, nous allons ramasser du bois et le faire sécher près du feu, sinon nous mourrons bientôt de froid, indiqua la mère. Ensuite, nous partirons à la recherche de maïs.

– Hourra !

– Il est temps de se laver, maintenant.

Il y avait, dans la hutte, un grand bassin de cuivre où Napashni récoltait l'eau de pluie, qu'elle changeait régulièrement. Elle l'avait reçu en cadeau de Cuzpanki, le père d'Ayarcoutec. Le grand récipient servait autant à laver les vêtements qu'à prendre un bain.

– On n'a qu'à se tenir dehors toutes nues ! s'exclama la fillette en soulevant l'étoffe qui masquait l'entrée.

– Tiens, c'est une bonne idée !

– Vraiment ? Et si quelqu'un passait par ici ?

– Nous sommes des princesses et nous n'avons pas honte de notre corps.

Napashni laissa glisser sur le sol sa robe brune décorée de motifs géométriques azur et orange, et sortit sous le déluge. Ayarcoutec hésita un instant, puis l'imita. Contrairement à ce qu'elle craignait, l'eau froide ne la frigorifia pas jusqu'aux os.

– Bon, c'est assez, décida l'enfant en retournant dans le logis pour se sécher.

Les deux femmes se vêtirent et jetèrent sur leurs épaules les belles capes de peau que portait jadis Napashni lors des cérémonies religieuses de son peuple. « Il faut bien qu'elles servent à quelque chose », songea la prêtresse. Ainsi protégées de la pluie, la mère et la fille rassemblèrent du menu bois et des bûches qu'elles trouvèrent sur le sol autour de la maison.

– Est-ce maintenant qu'on va chercher du maïs ? s'enquit Ayarcoutec une fois que leur butin fut empilé près du feu.

– Au lieu de passer des jours à cette recherche, nous allons demander à nos voisins s'il y en a à Enkidiev.

– Nos voisins du château ?

– Non.

– Nous en avons d'autres ?

Curieuse, la fillette suivit sa mère entre les arbres, jusqu'à ce qu'elle flaire enfin l'odeur d'un feu de bois. Napashni s'immobilisa à l'orée de la forêt, afin de s'assurer qu'elles pouvaient s'aventurer sans danger sur la grande terre défrichée au bout de laquelle s'élevaient une grosse maison en pierres et divers bâtiments tout autour.

– Il vit là-dedans ? chuchota Ayarcoutec.

– C'est ce que je pense. Reste près de moi.

Les Mixilzins s'avancèrent à pas feutrés en direction de l'habitation. Lorsqu'elles furent à quelques pas seulement de la grande galerie en bois, Dempsey sortit de chez lui en fumant une pipe, ce qui stupéfia Napashni, puisque c'était également une coutume des peuples d'Enlilkisar. Chaque fois qu'un traité était conclu entre deux pays, leurs chefs aspiraient la fumée sacrée des calumets des ancêtres.

– Ne restez pas sous la pluie, leur dit le Chevalier.

– Comment avez-vous su que nous étions là, puisque nous ne faisions pas de bruit ? s'étonna la fillette.

– Je suis un soldat magique, mademoiselle.

– Qu'est-ce que c'est ?

Les femmes grimpèrent sous le porche.

— C'est une personne qui possède des pouvoirs surnaturels et qui les utilise pour protéger les siens.

— Comme Onyx !

— Exactement. Quel est ton nom, ma belle enfant ?

— Ayarcoutec.

— Viens. J'ai quelqu'un à te présenter.

Dempsey prit la main de la fillette sans que sa mère s'y oppose, car celle-ci sentait qu'il était un homme de confiance. Ils entrèrent dans la maison, où il faisait délicieusement chaud. Ayarcoutec vit tout de suite les enfants, dispersés dans la pièce principale. Ils s'occupaient de différentes manières, probablement en attendant que cesse la pluie. Les deux grands garçons blonds réparaient des outils, tandis que la fille aussi pâle qu'eux manipulait gracieusement des fils colorés sur une grande machine qui ressemblait à une toile d'araignée, fabriquant une étoffe bien solide. Les Mixilzins tissaient aussi leurs vêtements, mais sur de larges plaques de bois hérissées de clous.

Un sourire apparut sur le visage d'Ayarcoutec lorsqu'elle aperçut ensuite une fillette juste un peu plus vieille qu'elle, aux cheveux bruns, qui jouait avec des blocs, assise sur un épais tapis devant l'âtre avec son petit frère.

— Mia, je te présente Ayarcoutec, fit Dempsey.

La jeune guerrière ôta sa cape, la laissa tomber sur le sol et gambada jusqu'à sa nouvelle amie.

— La bonne volonté des enfants me réjouit toujours le cœur, avoua le père à Napashni.

Une femme blonde vint à leur rencontre en s'essuyant les mains sur son tablier.

— Je suis Chloé, se présenta-t-elle.

— Et moi, Napashni. Comment se fait-il que vous compreniez ma langue, alors qu'au château, seule Kira pouvait la parler?

— C'est grâce à la sorcière de Jade, répondit Chloé.

— Anyaguara?

La prêtresse se rappelait fort bien la visite de cette femme mystérieuse chez les Mixilzins. Cette dernière disait posséder d'aussi vastes pouvoirs qu'Onyx...

— Elle s'est arrêtée chez nous il y a quelques semaines et nous a prévenus de votre venue, expliqua Dempsey. Elle nous a ensuite jeté un sort destiné à comprendre toutes les langues.

— Ce sort me serait bien utile, en ce moment.

— Alors, espérons que vous croiserez sa route, lui souhaita Chloé.

Dempsey fit enlever à Napashni sa cape ruisselante de pluie et l'emmena s'asseoir à la longue table, tandis que sa femme lui versait un gobelet de thé chaud. Ces nouvelles coutumes étonnaient continuellement la Mixilzin. Chez elle, on mangeait par terre et on buvait surtout des jus de fruit, de la bière de beurre ou du chocolat chaud.

— Comment la sorcière a-t-elle su que nous allions nous rencontrer ? s'enquit Napashni. Fait-elle des rêves prémoni-toires ?

— Sans doute, affirma son hôtesse. On dit aussi qu'elle est une déesse.

— Mais pourquoi s'intéresse-t-elle à ma fille et moi ?

— Nous nous sommes posé la même question, avoua Dempsey, mais nous n'avons pas osé le lui demander.

— Dans ce cas, j'ai bien hâte de la rencontrer.

— En attendant, vous arrivez à survivre dans la forêt ?

— J'arrive à nous procurer de la viande, mais Ayarcoutec me réclame sans cesse du maïs.

— Qu'est-ce que c'est ? s'étonna Chloé.

— C'est une céréale dorée comme le soleil, composée de centaines de petits grains collés sur un épi.

— Je n'ai jamais rien vu à Émeraude qui ressemble à ça.

Chloé disposa alors devant son invitée un échantillon de tous les fruits et légumes que Dempsey et elle avaient stockés dans leur chambre froide après les récoltes.

– Où les trouvez-vous ? voulut savoir Napashni.

– Nous les faisons pousser durant les mois ensoleillés et nous les conservons au frais pour la saison improductive.

– Êtes-vous en train de me dire qu'il ne pleut pas constamment, ici ?

– Mais non ! s'exclama Dempsey en riant. Il fait beau pendant dix mois et il pleut pendant les trois autres. Dans deux ou trois semaines, la chaleur sera de retour.

Chloé prépara pour ses voisines une provision de légumes qui durerait une semaine et montra à Napashni comment les faire cuire tout en préparant le repas du midi. Ayarcoutec se régala et ne se gêna pas pour annoncer à sa mère qu'elle désirait manger ainsi tous les jours. La petite échangeait des secrets avec Mia en les chuchotant à son oreille. Les deux enfants éclataient souvent de rire. «Ayarcoutec tient sûrement cette sociabilité de son père», ne put s'empêcher de remarquer Napashni. Elle-même était plutôt malhabile dans ses relations avec les autres.

Le couple de Chevaliers donna une leçon d'histoire et de géographie à la nouvelle résidente d'Émeraude, puis la laissa repartir chez elle avec sa fille. Ayarcoutec serra Mia dans ses bras et lui promit de revenir très bientôt, puis elle suivit sa mère dans la forêt. Napashni portait en bandoulière une grosse besace remplie de victuailles.

Elle suivit le sentier en songeant aux choses étonnantes qu'elle venait d'apprendre. Onyx ne lui avait pas tout dit à son sujet : il avait été un des héros des deux guerres qui avaient secoué Enkidiev. Il comptait parmi les plus grands guerriers de tous les temps.

En entrant dans la maison, la Mixilzin s'aperçut qu'il ne restait que des braises du feu qu'elle avait alimenté avant de partir. Elle s'affaira donc à le raviver pendant qu'Ayarcoutec fouillait dans le sac de légumes et de fruits.

— Ça, c'est une pomme ! s'exclama l'enfant. Mia m'en a fait goûter une !

Perdue dans ses pensées, Napashni poursuivit son travail jusqu'à ce que le petit bois prenne feu.

— Savais-tu que les filles jouent avec des poupées, à Émeraude ?

— Qu'est-ce que c'est ?

— Des faux humains de paille ou de chiffons qui sont habillés comme nous.

— À quoi servent-elles ?

— À faire semblant que ce sont des bébés dont il faut s'occuper.

Napashni se contenta d'arquer les sourcils avec surprise.

– Pourquoi n'y en a-t-il pas chez les Mixilzins? demanda Ayarcoutec.

– Parce qu'ils pensent plus à survivre qu'à jouer, sans doute.

Le silence de la petite guerrière fit comprendre à la mère qu'elle était déçue de sa réponse.

– J'imagine que tu aimerais en avoir une, toi aussi? se risqua-t-elle.

– Seulement pour jouer avec Mia.

«Ce pays va vraiment nous changer», s'inquiéta Napashni.

– Nous demanderons à Chloé de nous aider à trouver les matériaux nécessaires pour t'en fabriquer une.

– Merci, maman.

Lorsque la maison se réchauffa, Napashni s'allongea sur son lit pour réfléchir. De son côté, Ayarcoutec joua dans les braises avec un tison en revivant mentalement sa fantastique journée. Lorsqu'elle leva la tête pour questionner sa mère, elle vit que celle-ci s'était endormie. C'était sûrement toute cette pluie qui l'épuisait autant, car elle avait beaucoup plus d'énergie lorsqu'elles vivaient sur les volcans.

Ayarcoutec allait l'imiter lorsqu'elle entendit une douce mélodie à l'extérieur. Elle s'empressa de passer la tête dans l'ouverture de la hutte. Le déluge s'était changé en bruine légère. «Ce doit être l'homme à la flûte!» se réjouit l'enfant. Elle enfila sa cape de peau et se mit à sa recherche. Elle s'aventura entre les arbres jusqu'à ce qu'elle distingue enfin la silhouette de cet homme dont lui avait parlé sa mère. Ayarcoutec ralentit le pas et se posta derrière un gros tronc afin d'examiner l'inconnu.

Il ressemblait aux guerriers de son peuple, sauf qu'il était plus grand et plus musclé qu'eux. Il portait un pagne marron comme les Itzamans, mais par-dessus un pantalon fait du même cuir suédé. Ce qui différenciait ses vêtements de ceux des tribus du sud d'Enlilkisar, c'était toutes les petites perles colorées brodées sur le daim qui formaient des motifs exquis le long de ses jambes et sur l'ourlet du pagne. Des bandes de cuir ornées de longues franges étaient attachées sur ses biceps et autour de son cou. Au-dessus de son oreille droite, une unique plume noire et blanche était fixée dans ses longs cheveux noirs, qui lui atteignaient la taille. «Sa peau est dorée comme la mienne», nota Ayarcoutec.

L'homme arrêta de souffler dans sa flûte et tourna doucement la tête vers la cachette de l'enfant.

— Tu peux approcher, petite goutte d'eau.

— Qui vous a dit que ma mère m'appelait comme ça? se hérissa Ayarcoutec en se plantant devant Abussos avec un air de défi.

— Je sais tout.

— Personne ne sait tout.

Un sourire amusé flotta sur les lèvres du colosse.

— En toi brûle le même feu que dans le cœur de Napashni.

— Pas étonnant, puisque je suis sa fille.

Ayarcoutec plissa alors le front en regardant autour d'eux.

— Pourquoi ne pleut-il pas sur vous ? s'étonna-t-elle.

— Parce que rien ne peut m'atteindre, où que je sois.

— Dans ce cas, donnez-moi votre secret, parce que je commence à vraiment détester la pluie.

— Elle est pourtant nécessaire à la vie. Grâce à elle, les fleurs, les plantes et les arbres de cette forêt peuvent croître.

— Je sais à quoi sert l'eau, mais n'y aurait-il pas une façon de faire vivre la nature sans que nous soyons complètement trempés ?

— Peut-être bien… Je vais y réfléchir.

Ayarcoutec s'avança davantage vers le géant pour voir si sa proximité lui apporterait un peu de répit de l'averse.

— Rien à faire, soupira-t-elle en reculant.

– Le soleil brillera bientôt, mon enfant. Ne perds pas courage.

– En attendant, il est difficile de chasser, de se nourrir et de se réchauffer, bougonna la Mixilzin.

Une corbeille se matérialisa aussitôt entre l'homme et l'enfant. Ayarcoutec écarquilla les yeux avec émerveillement.

– Vous êtes un sorcier !

– Je suis Abussos.

– Le plus puissant de tous les dieux ! Ma mère m'a dit que vos enfants naissent dans la foudre. Vous ne trouvez pas que c'est très dangereux pour leur vie ?

Le dieu-hippocampe éclata d'un grand rire.

– Ne cesse jamais de dire ce que tu penses, Ayarcoutec. La franchise est le premier pas vers la splendeur.

L'enfant ne savait pas ce que cela signifiait exactement, mais elle accepta volontiers la recommandation de son grand-père.

– Qu'y a-t-il dans le panier ? voulut-elle savoir.

– C'est du pemmican, une nourriture qui se conserve très longtemps, et quelques surprises. Maintenant, retourne auprès de Napashni et apporte-lui mon présent.

– Je peux lui dire qu'il vient de vous ?

– Bien sûr. Donne-lui aussi ceci.

Dans la main d'Abussos apparut un arc et un carquois décorés de plumes d'oiseaux.

– Qu'est-ce que c'est ?

– Une arme dont elle devra apprendre le maniement.

La divinité attacha ce deuxième cadeau sur le dos de la gamine, puis la regarda soulever le panier et emprunter le chemin du retour.

– Ne t'attarde pas. L'orage va bientôt éclater.

– Comptez sur moi ! fit Ayarcoutec en disparaissant dans les fougères.

Abussos allait recommencer à jouer de la flûte lorsque Tayaress se laissa tomber de la branche où il était juché, atterrissant souplement sur le sol détrempé.

– Vous me demandez de surveiller votre fille sans lui rendre la vie plus facile, mais vous lui offrez ce dont elle a besoin pour survivre ? lui reprocha le demi-dieu.

– Je ne chasserai pas à sa place, Tayaress.

– Mais vous lui avez fourni une arme mieux adaptée à cette région que son javelot.

— Pour voir ce qu'elle en fera.

— Dois-je continuer à guetter les gestes de Napashni?

— Oui, mon fidèle serviteur. Assure-toi que rien n'arrive à la petite.

Abussos s'évapora sous le regard désapprobateur de l'Immortel, qui n'aimait pas recevoir des ordres contradictoires.

✳ ✳ ✳

Ayarcoutec traîna la corbeille jusqu'à sa maison entourée d'arbres déracinés. Épuisée, l'enfant fit tant de bruit en tentant de franchir le seuil qu'elle finit par réveiller sa mère.

— Qu'est-ce que tu fais, mon petit rayon de soleil?

La jeune guerrière poussa le panier devant elle, mais le bout de l'arc resta coincé dans l'étoffe qui recouvrait la porte. Elle se débattit pour le dégager, en vain. Napashni se porta donc à son secours.

— Où as-tu pris tout ça? s'étonna la prêtresse.

— C'est un présent de ton père.

— Intimanco?

— Non, l'autre! Celui qui joue de la flûte!

— Abussos…

– Je l'ai rencontré dans la forêt tout à l'heure et il m'a demandé de te remettre ceci.

Napashni vérifia d'abord le contenu du panier, attirée par l'odeur épicée qui s'en dégageait. Sur le dessus, elle trouva, enveloppés dans de larges feuilles vertes, de petits pâtés bruns.

– C'est du pemmican, l'informa fièrement Ayarcoutec.

– Qu'est-ce que c'est ?

– Je n'en sais rien.

La mère huma la nourriture et découvrit que c'était un mélange de viande broyée et de baies d'amélanchier compactées dans de la graisse animale. Elle continua de fouiller dans la corbeille. Un large sourire illumina son visage tandis qu'elle retirait du panier une poupée et des épis de maïs.

– Il connaît mes goûts ! s'exclama Ayarcoutec, folle de joie. Fais-les cuire, maman !

– Remplis la marmite d'eau.

Pendant que l'enfant s'y affairait, Napashni examina l'arc. Elle se rendit compte assez rapidement que les flèches s'encochaient sur sa corde tendue et que leur pointe acérée était conçue pour la chasse.

– Pourquoi nous donne-t-il ces choses ? s'émut la prêtresse.

Ayarcoutec haussa les épaules.

— La marmite est trop lourde, se plaignit-elle.

Napashni déposa l'arme et souleva le récipient de métal. « Abussos nous a donné de la nourriture et le moyen de nous en procurer davantage », songea-t-elle en accrochant la marmite sur le crochet, au-dessus des flammes. Elle tendit ensuite un morceau de pemmican à sa fille.

— Goûte !

Ayarcoutcc commença par sentir l'étrange nourriture, la lécha, puis se décida à la mettre dans sa bouche. Elle la mâcha lentement d'abord, puis avec plus de vigueur.

— Ce n'est pas si mal, admit-elle enfin. Mais le maïs est meilleur.

— Il te faudra attendre encore quelques minutes avant de pouvoir en manger.

— J'en ai l'eau à la bouche !

— Tu es impossible.

L'enfant décocha à sa mère un sourire espiègle qui fit comprendre à cette dernière que sa fille se débrouillerait fort bien dans la vie.

8

ÉMOTIONS NOUVELLES

Lorsqu'il ouvrit finalement les yeux, Hadrian constata qu'il n'était ni dans le Désert, ni chez lui. Pourtant, le décor lui semblait familier. Il essaya de se redresser afin de trouver quelqu'un qui puisse le renseigner. Une douleur aiguë dans sa poitrine le cloua aussitôt à son lit. Utilisant ses facultés surnaturelles, l'ancien roi tenta de comprendre ce qui lui arrivait. Il constata, au bout d'un moment, que plusieurs de ses côtes avaient été ressoudées, mais qu'elles n'avaient pas repris leur emplacement original. Elles exerçaient donc une pression inconfortable sur certains de ses organes.

« Je ne me suis pas senti aussi impuissant depuis la première invasion », songea-t-il en se rappelant avoir été violemment frappé par la lance d'un homme-insecte. Avec beaucoup de patience, il souleva les os de sa cage thoracique, jusqu'à ce que la sensation pénible disparaisse. L'opération, toutefois, l'affaiblit. De grosses gouttes de sueur coulaient sur son front.

– Doucement ! s'exclama une voix familière.

Hadrian tourna la tête et aperçut Santo qui arrivait à son chevet, l'air soucieux.

— J'ai seulement replacé mes côtes au bon endroit, murmura l'ancien roi, épuisé.

— C'était ma prochaine étape, affirma le guérisseur.

— As-tu beaucoup de travail à faire avant que je puisse reprendre le cours normal de ma vie ?

— Theandras a déjà stoppé les hémorragies internes. J'ai donc refermé tes plaies, réparé tes os cassés et gonflé tes poumons pour que tu puisses recommencer à respirer librement. Il ne me reste qu'à te redonner un peu de force vitale.

— Je t'en suis infiniment reconnaissant.

— Wellan prétend que vous avez affronté un tigre, mais aucun fauve n'inflige autant de blessures à un homme.

— Ce n'était pas un animal ordinaire. Comment Wellan se porte-t-il ?

— Mieux que toi.

Un grand soulagement apparut sur le visage d'Hadrian.

— Détends-toi, exigea Santo. Et surtout, n'essaie pas de te lever quand j'aurai terminé ce bref traitement.

— Contrairement à mon frère Onyx, je suis un bon patient.

Le guérisseur plaça une main sur le front d'Hadrian et l'autre au milieu de sa poitrine. Une brillante lumière blanche s'échappa de ses paumes. Tout comme il l'avait annoncé, l'éclat ne dura que quelques secondes.

– Pour être certain que tu ne tenteras pas de partir avant d'avoir ma permission…

Santo transmit à l'ancien roi une vague anesthésiante qui le fit sombrer dans le sommeil. Il vérifia encore une fois son état en passant la main par-dessus tout son corps, puis le laissa se reposer. En rentrant chez lui, de l'autre côté du corridor de l'aile des Chevaliers, Santo trouva Bridgess assise seule à la table de la cuisine, à siroter un thé.

– Ne devais-tu pas enseigner toute la journée ? s'étonna le mari.

– Il y a des jours où nous sommes moins efficaces que d'autres. J'ai demandé à Aydine de me remplacer. Elle se débrouille de mieux en mieux.

– Dis-moi ce qui te tracasse, la pria Santo en s'assoyant de l'autre côté de la table.

– Ils sont revenus sans Jeni…

– Ils ont été attaqués par un tigre, Bridgess.

– J'ai tenté de voir Wellan, tout à l'heure, mais ça ne répondait pas chez Kira et je n'ai pas osé entrer sans y être invitée.

– Pourquoi n'essaies-tu pas de communiquer avec lui par télépathie ?

– Je ne veux pas que tous nos compagnons d'armes sachent ce que j'ai à lui dire.

– Des reproches ?

Bridgess baissa la tête sans répondre.

– Si cet adolescent est l'homme que j'ai connu jadis, je suis certain qu'il a fait son possible pour arracher votre fille des griffes de son ravisseur. Tu dois comprendre qu'ils n'ont pas affronté un vulgaire fauve, ma chérie. Il s'agit d'un dieu.

– J'ai peur qu'elle soit morte…

Des larmes se mirent à couler sur les joues de Bridgess.

– Son instinct de survie est bien trop fort, répliqua le guérisseur.

– Elle ne répond pas à mes appels.

– Sans doute pour la même raison que tu ne veux pas discuter avec Wellan par le biais de ton esprit. Elle ne désire pas alerter tout le monde.

– J'aimerais être aussi optimiste que toi. Que ferais-tu si tu étais à ma place ?

– Puisque Jenifael a appris avec Onyx à ne parler qu'à une seule personne par voie télépathique, je lui demanderais tout simplement de l'utiliser pour me contacter et j'attendrais qu'elle le fasse.

Une lueur d'espoir brilla dans les yeux bleus de Bridgess.

– Tu es merveilleux, Santo d'Émeraude.

– Je sais, la taquina-t-il.

Le guérisseur s'étira par-dessus la table et posa un baiser sur le nez de sa femme.

– Je vais aller m'assurer que les enfants n'ont pas ligoté Aydine pour pouvoir aller jouer dans le grenier, ajouta Santo.

Il quitta leurs appartements, lui laissant tout le temps qu'elle voulait pour mettre les pendules à l'heure avec sa fille aînée. Bridgess essuya ses larmes et ferma les yeux. Afin d'augmenter ses pouvoirs, elle commença par méditer, puis fit ce que son mari lui avait suggéré. La réponse de la jeune déesse lui parvint quelques minutes plus tard.

– *Je vais bien, maman.*

– *Cette conversation sera-t-elle entendue de tous ?*

– *Non. J'ai en quelque sorte emprisonné ton esprit dans un couloir invisible que j'ai créé entre toi et moi.*

– *Où es-tu ?*

— *Dans un lieu sûr.*

— *Es-tu prisonnière ?*

— *Non.*

— *Alors, pourquoi n'es-tu pas rentrée avec Wellan ?*

— *C'est difficile à raconter…*

— *Je suis ta mère, Jeni. Tu me dois cette explication.*

— *Je n'ai pas suivi Wellan parce que quelqu'un d'autre avait besoin de moi,* répondit la déesse dans un soupir agacé.

— *Pas celui qui t'a enlevée, au moins ?*

Jenifael conserva un silence coupable.

— *Sais-tu le mal que ton mari s'est donné pour te retrouver ?*

— *Je n'avais aucune façon de m'informer de ce qui se passait à l'extérieur de la caverne de cristal. Elle bloque tous nos pouvoirs.*

— *As-tu l'intention de revenir auprès d'Hadrian ?*

— *Je n'en sais rien…*

— *Si tu as été ensorcelée par ce dieu qui t'a ravie, les Chevaliers uniront leurs forces pour t'en libérer.*

– Lui non plus ne pouvait pas utiliser ses facultés divines dans la caverne. Il ne m'a jeté aucun sort.

– Es-tu en train de me dire que tu es amoureuse de ce criminel ?

– Il n'est pas dangereux, maman. Il éprouve seulement de tendres sentiments pour moi.

– Il t'a arrachée à l'homme qui veut partager ta vie, Jenifael !

– Parce que je n'aurais jamais écouté ce qu'il avait à me dire autrement.

– Il a failli tuer Hadrian et Wellan.

– Mais ils sont toujours vivants.

– Jeni, écoute-moi. Il est évident que le choc que tu as subi t'empêche de raisonner correctement. Je t'en prie, rentre à la maison. Santo et moi allons nous occuper de toi.

– Je reviendrai dès que Mahito sera remis. Si je le laisse seul, il mourra.

– J'ai du mal à croire que c'est la fille que j'ai élevée qui me parle en ce moment.

– C'est vrai que j'ai changé, mais je te jure que c'est pour le mieux. Tu m'as pourtant toujours fait confiance, maman.

– *Oui, mais j'ai l'impression que tu divagues, comme si tu avais passé trop de temps sans oxygène.*

– *Je suis plutôt d'avis que je viens d'apprendre à respirer. Je regagnerai Émeraude dès que je le pourrai. Promets-moi de ne pas répéter mes paroles à Hadrian. C'est à moi de lui raconter ce qui m'est arrivé, d'accord ?*

– *Non, je ne suis pas d'accord, mais je ferai ce que tu me demandes.*

– *Merci, maman*

Bridgess ouvrit les yeux et chercha à comprendre le point de vue de sa fille. Depuis que Jenifael avait rencontré Hadrian d'Argent, elle n'avait cessé de vanter ses qualités et de dire à qui voulait l'entendre qu'elle l'épouserait. De l'avis de tous, ces deux personnes d'exception étaient faites pour cheminer ensemble. Pourquoi Jenifael avait-elle changé d'idée en si peu de temps ? Qui était ce dieu qui l'avait aveuglée au point de lui faire abandonner son mari blessé au beau milieu du Désert ?

La maman inquiète décida d'en avoir le cœur net. Elle quitta l'aile des Chevaliers et grimpa à l'étage royal. Elle frappa à la porte des appartements de Kira. À sa grande surprise, ce fut Wellan qui lui ouvrit.

– J'ai besoin de te parler, lui dit-elle sur un ton fâché.

Au lieu de l'inviter à l'intérieur, il sortit dans le couloir et referma la porte derrière lui.

— Dans le jardin ? proposa-t-il.

Elle acquiesça d'un mouvement de la tête. Wellan effleura son bras et ils se retrouvèrent instantanément près de la fontaine où, jadis, ils avaient passé beaucoup de temps.

— Je suis encore en colère contre toi, mais tu es le seul qui puisse m'aider.

— Crois-moi, je ne suis pas revenu en ce monde pour t'indisposer, Bridgess. Je n'ai aucune intention de bouleverser la vie de quiconque m'a connu lors de ma première incarnation. J'aimerais que tu le comprennes.

— J'imagine que j'arriverai un jour à te pardonner... Je ne te vois plus comme mon mari, mais je continue de croire que tu aurais dû nous dire la vérité.

— Tu as sûrement raison, mais je ne peux pas revenir en arrière.

Wellan s'assit sur le banc en pierre, mais n'invita pas Bridgess à l'y rejoindre, afin de ne pas la mettre dans l'embarras.

— Tout ce que je veux, c'est une existence différente. Je quitterai bientôt le château pour aller explorer le monde, alors tu ne m'auras plus constamment sous les yeux.

— Tu es libre de faire ce qui te plaît, mais je me vois contrainte, aujourd'hui, de te demander de redevenir le père que tu as été.

— Je ne forcerai pas Jenifael à revenir à la maison si ce n'est pas son choix.

— C'est pourtant ton devoir.

— C'était mon devoir.

— Tu as changé de visage, mais l'âme qui t'habite est bel et bien celle du commandant des Chevaliers d'Émeraude et du père de l'enfant de Theandras.

Wellan inspira profondément pour conserver son calme. «Est-ce lors de ce genre de discussions sans issue que le Roi Onyx décide de disparaître?» se demanda-t-il.

— Même dans mon incarnation précédente, j'ai toujours encouragé ma fille à suivre son cœur, répondit-il enfin. Pourquoi agirais-je différemment maintenant?

— Parce que tu l'aimes et que tu veux l'empêcher de gâcher sa vie!

— Pourquoi ne tentes-tu pas de la raisonner toi-même?

— Elle refuse de m'écouter.

— Bridgess, je comprends ton inquiétude, mais Jenifael est unc adulte. Nous lui avons appris à se servir de sa tête lorsqu'elle devait prendre une décision et à accepter les consé-quences de ses actes. À mon avis, tu devrais attendre son retour à Émeraude pour la questionner sur les motifs de son compor-tement lorsque nous avons tenté de la libérer.

– Dis-moi ce qui s'est passé.

Wellan lui raconta le peu qu'il avait vu, car il avait été rapidement assommé.

– Deux raisons peuvent avoir poussé Jenifael à suivre le fauve blessé. Ou bien celui-ci la tient en son pouvoir, ou bien elle est tombée amoureuse de lui.

– Elle n'a pas d'avenir avec ce paria.

– Ce paria ? répéta Wellan avec incrédulité. Mahito est le fils d'Anyaguara et de Danalieth.

– Il a agi comme un voleur !

– Ou comme un homme désespéré, qui voulait faire connaître ses sentiments à la femme qu'il aimait.

– Je ne peux pas croire que tu me dis ça !

Wellan ne savait plus quel argument utiliser pour lui faire comprendre que leur fille avait le droit de prendre ses propres décisions.

– Il a raison, fit alors une voix en provenance de la porte du palais.

Bridgess fit volte-face, prête à défendre sa position, lorsqu'elle reconnut la silhouette de son deuxième époux.

— En fait, j'admire le courage de ce jeune dieu, qui a osé ce que je n'ai jamais eu le courage de faire, ajouta Santo.

Wellan comprit que c'était le moment idéal pour disparaître.

— Mais Hadrian ? balbutia Bridgess.

— Il a suffisamment de maturité pour admettre que cette union ne serait allée nulle part.

— Qui le lui dira ?

Bridgess se tourna vers Wellan, mais il n'était plus là.

— Je crois qu'il l'a déjà deviné, signala Santo.

— Le pauvre homme…

— La vie est parfois cruelle, mais il y a toujours de l'espoir. J'ai souffert très longtemps en silence, mais les dieux ont fini par récompenser ma patience.

Émue, Bridgess se jeta dans les bras de son mari.

— Je veux que Jeni soit heureuse…

Santo la ramena à l'intérieur du château, persuadé qu'elle finirait par accepter le choix étrange de sa fille.

— Allons voir comment se porte Hadrian avant le retour de Diadzia et d'Élora, proposa le guérisseur.

Ils traversèrent le palais et s'engagèrent dans le long corridor des appartements des soldats qui avaient décidé de rester à Émeraude. Santo poussa la porte de la chambre où il avait installé l'ancien souverain. À sa grande surprise, son lit était vide. Il utilisa aussitôt ses sens surnaturels, craignant qu'il se soit évanoui en tentant de quitter l'aile des Chevaliers.

— Il n'est plus ici, annonça Bridgess qui effectuait la même recherche que son mari.

Santo étendit son balayage magique au reste du continent.

— Il est rentré chez lui, découvrit-il.

Bridgess suggéra de communiquer avec lui pour s'assurer qu'il était bien portant, mais ayant ressenti la peine de l'ancien roi, Santo parvint à persuader sa femme de le laisser tranquille.

✳ ✳ ✳

Tourmenté par un affreux cauchemar, Hadrian s'était réveillé en sursaut. L'ancien roi savait que personne ne pourrait le soulager de la souffrance qui compressait sa gorge, pas même Santo avec ses talents de guérisseur. Il avait donc choisi de consoler sa peine dans sa tour solitaire aux abords de la rivière Mardall.

Debout devant la fenêtre qui s'ouvrait sur l'ouest, Hadrian regardait le soleil se coucher sans vraiment le voir. Les images de son rêve continuaient de le hanter… mais était-ce bien un rêve ? Il porta la main à son cou et ne trouva pas le talisman que lui avait offert autrefois l'enchanteresse Medina. Une ombre s'était penchée sur lui pour le lui arracher. L'hippocampe en métal l'avait protégé du danger durant les deux guerres qu'il avait menées contre les Tanieths. Sans lui, Hadrian se sentait désemparé et vulnérable.

Il se mit ensuite à songer à Jenifael, disparue avec le tigre qui avait failli le tuer. Que s'était-il passé dans cette grotte ? S'il ne s'était pas senti aussi faible, l'ancien roi se serait transporté sur place pour procéder à une enquête. Incapable de conserver son équilibre plus longtemps, il alla plutôt s'allonger sur sa couche en priant les dieux de veiller sur lui pendant son sommeil.

9

UNE DÉCISION DÉCHIRANTE

Dans leur monde céleste, les dieux aimaient emprunter l'apparence des humains, mais leur vie était bien différente. Puisqu'ils n'avaient pas besoin de manger ou de boire, ils ne passaient pas le plus clair de leur temps à la recherche de nourriture. Pour conserver leur énergie, ils n'avaient qu'à avaler quelques gorgées d'une eau cristalline qu'on ne retrouvait que dans leur monde. S'ils ne dormaient jamais, ces êtres éthérés devaient toutefois s'isoler de temps à autre pour méditer. Ils élevaient ainsi le niveau de leur force vitale, source de leur magie.

En tant que déesse fondatrice, Lessien Idril se recueillait souvent pour propager l'harmonie dans les mondes créés par ses descendants. Secrètement, elle en transmettait aussi à chacun des enfants qu'elle avait conçus avec son époux. Leur aîné, Lazuli, avait été le premier à s'incarner dans le monde physique. Il n'y avait donc eu personne pour lui révéler ses origines et ses formidables pouvoirs. Son cœur rempli d'amour l'avait instinctivement orienté vers les arts de guérison. Lorsque le corps de Lazuli rendit l'âme, c'est avec beaucoup de sérénité qu'il entra dans le hall des disparus.

La foudre divine créée par Abussos et Lessien Idril transportait toujours deux entités contraires. En d'autres mots, ils mettaient toujours des jumeaux au monde. Celui de Lazuli s'appelait Nayati, mais l'éclair qui escortait son âme avait erré dans l'univers pendant des milliers d'années avant de frapper une femme enceinte à Émeraude. Les qualités de l'un des enfants égalant immanquablement les défauts de l'autre, Nayati avait tout de suite affiché sa nature belliqueuse. C'était pour cette raison qu'Abussos avait laissé l'Empereur Noir détruire la tour où se trouvait ce dieu, qui portait alors le nom de Nemeroff. Lessien Idril s'était opposée à cette décision de son mari, même si elle comprenait que le sort de toute une planète en dépendait.

Durant sa méditation, la déesse-loup enveloppa Lazuli et Nayati de tendresse, car s'ils n'avaient pas déjà vu le jour quelque part depuis leur évasion du royaume des morts, ils étaient certainement sur le point de naître. Elle se doutait qu'Abussos tenterait de rattraper les évadés, mais les laisserait-il vivre en paix avec eux dans leur forêt magique ? Lessien Idril rêvait de voir grandir le bienveillant phénix et de rééduquer l'implacable dragon bleu. À l'inverse d'Abussos, elle s'efforçait de croire que tout le monde, y compris les dieux, pouvait être réformé.

Elle songea ensuite à ses jumeaux suivants, Aufaniae et Aiapaec. Ils avaient heureusement tous deux un tempérament doux et conciliant. Leur différence se situait surtout dans leurs aptitudes. Aufaniae possédait une nature intellectuelle, tandis que son frère Aiapaec était plus apte à l'activité manuelle. Parmi les héritiers des dieux fondateurs, les deux dragons dorés étaient les seuls à avoir eu des enfants ensemble, qu'ils avaient quelque peu négligés d'ailleurs, car ils étaient trop occupés à fabriquer des corps célestes dans tous les coins de la galaxie.

Vinrent ensuite Nashoba et Nahélé. Le premier s'était incarné à Enkidiev plus de cinq siècles avant son frère qui, pour sa part, était né pendant une magnifique pluie d'étoiles filantes durant la deuxième invasion des Tanieths. Nahélé était le plus timide des deux. Seul son manque de confiance en lui l'empêchait de réaliser de grandes choses dans le monde des humains. Il avait l'aspect d'un dauphin ailé, ce qui le rapprochait de son père hippocampe. C'était toutefois la seule chose qu'il avait en commun avec Abussos.

Nashoba était le seul dont l'aspect animal, soit celui du loup, se rapprochait de la nature de Lessien Idril, sauf qu'il n'avait pas d'ailes. Leur similitude s'arrêtait là, car Nashoba n'avait pas hérité de l'esprit de conciliation de sa mère. Il était rongé par l'ambition et plutôt centré sur son propre plaisir.

Les derniers jumeaux célestes étaient Napashni et Naalnish. Cette dernière réjouissait le cœur de Lessien Idril, car elle tenait d'elle sa désarmante amabilité et un immense pouvoir de soigner les autres, tant physiquement que moralement. Naalnish était une magnifique licorne blanche, ce que Lessien Idril avait du mal à s'expliquer. Cependant, cet animal symbolisant la pureté et la grâce, elle représentait bien les qualités de la jeune fille.

Napashni, un redoutable griffon bleu, était la seule à être née à Enlilkisar, dans une décharge foudroyante. Elle partageait des traits communs avec Abussos. Tout comme lui, elle prenait des décisions qui tenaient compte de toutes les parties concernées, jamais uniquement pour elle-même. Si elle présentait la même intransigeance que son père, tout comme lui elle faisait preuve d'un grand sens de la justice.

Le rugissement d'un dragon mit alors fin à la contemplation de la déesse fondatrice. Elle ouvrit les yeux, persuadée qu'elle trouverait Aufaniae ou Aiapaec devant elle, mais elle était seule… Elle tendit l'oreille et s'étonna de ne rien entendre du tout. Pourtant, Abussos jouait constamment de la flûte. Il ne déposait l'instrument de musique qu'en cas d'extrême urgence. Elle se mit donc à sa recherche dans la vaste forêt, visitant d'abord les endroits qu'il affectionnait.

Lessien Idril ne le trouva pas sur le bord du grand lac où il aimait nager. Il n'était pas non plus dans la clairière où il fabriquait ses canots. La divinité se rendit donc aux abords de la chute où les rayons de soleil dessinaient de nombreux arcs-en-ciel. Elle ressentit un grand soulagement lorsqu'elle constata qu'il était assis en tailleur sur l'herbe tendre. Mais que tenait-il contre lui ?

Se transformant en louve blanche, Lessien Idril déploya ses ailes et traversa aisément le cours d'eau. C'est à ce moment qu'elle aperçut le bébé emmailloté qu'il berçait dans ses bras. Sa petite tête était chauve comme un œuf et ses yeux, qui observaient le visage du dieu-hippocampe, étaient d'un bleu indéfinissable.

– Qui est-ce ?

– Ne le reconnais-tu pas ?

Reprenant son aspect humain, la déesse s'approcha et sentit l'énergie démesurée qui émanait du petit être.

– Nayati ?

Le poupon tourna le regard vers sa mère, mais il ne geignit pas pour qu'elle le prenne.

– Où l'as-tu trouvé ?

– Il s'est matérialisé sur le bord de la mer d'Enkidiev.

– Tu as réussi à t'emparer de lui sans qu'il se débatte ? s'étonna Lessien Idril.

– Il dormait dans son berceau. Je n'ai eu qu'à le cueillir.

Dans la forêt céleste des dieux fondateurs, le petit ne pourrait pas utiliser ses facultés pour échapper à son sort.

La déesse s'installa sur le sol devant son mari.

– Il est bien trop jeune pour comprendre ce qui lui arrive, répliqua-t-elle.

– Nayati n'est pas un enfant ordinaire, Idril. Ne te laisse pas charmer par son doux visage.

L'assurance tranquille du nouveau-né était en effet inquiétante. Il ressemblait à un fauve qui rassemblait ses forces pour frapper.

– Que feras-tu de lui ?

– Je n'ai pas le choix. Je dois le retourner dans le hall d'où il s'est évadé.

Si Nayati comprenait ce que disait Abussos, il ne le laissa pas paraître.

— Tu ne peux pas l'y relâcher alors qu'il est incapable de parler ou de marcher. Ce serait doublement cruel.

— Je pourrais le confier à un dieu capable de s'en occuper.

— Non, ne fais pas ça, je t'en conjure. Donne-lui au moins le temps de grandir pour qu'il puisse s'amuser là-bas sans dépendre de personne.

— Tu es trop facilement attendrie, femme.

— Ce n'est pas à moi que je pense, mais à lui. C'est notre fils, Abussos.

Le dieu-hippocampe demeura silencieux à débattre entre son devoir de mettre Nayati hors d'état de nuire maintenant ou plus tard. Il était dangereux de lui donner la chance de vieillir…

— Aucune magie ne fonctionne ici sans notre consentement, lui rappela Lessien Idril.

— Tu oublies qui il est.

— Il n'a jamais fait de mal à personne de son vivant.

— N'essaie pas d'influencer ma décision.

Abussos se leva et se dirigea vers un sentier qui s'enfonçait entre les saules pleureurs. Il marcha en appuyant le bébé contre sa poitrine, jusqu'à l'énorme montagne rocheuse au sommet de laquelle se trouvait le portail du hall des disparus.

Pourquoi me tuez-vous ?

Le dieu-hippocampe s'arrêta net. Il pivota lentement sur lui-même pour découvrir qui l'avait suivi, mais ne vit personne. Il monta donc l'enfant à la hauteur de ses yeux pour observer son visage.

Vous ai-je déplu au point de vous pousser à commettre un tel crime ?

Les lèvres dc l'enfant n'avaient pas remué, mais au fond de ses yeux azurés, on pouvait déceler une vive intelligence.

— Si c'est bien toi qui me parle, Nayati, alors tu connais déjà mes raisons.

J'ai appris beaucoup de choses lors de mon premier séjour chez les dieux défunts. Je sais que j'ai perdu la vie parce que j'étais trop différent de Lazuli.

— C'est uniquement ton potentiel de destruction qui a causé ta perte.

Quand ai-je anéanti quelque chose ? Quand ai-je fait du mal à quelqu'un ? Avez-vous seulement pris la peine de regarder dans mon cœur ? Nashoba, lui, croyait en moi.

— Idril, est-ce toi qui tente de me faire changer d'idée ?

Je n'ai pas besoin d'elle pour vous faire comprendre que je suis la chair de votre chair.

N'ayant jamais élevé lui-même ses enfants, Abussos ignorait s'ils avaient manifesté une aussi intense conscience d'eux-mêmes dès la naissance… Était-ce une astuce de la part d'un jeune dieu qui n'avait aucune autre façon de sauver sa propre vie ?

Laissez-moi vous prouver que je ne constitue pas une menace pour la communauté céleste.

Les yeux du poupon devinrent étincelants et capturèrent ceux de son père. Paralysé, Abussos assista aux moments les plus marquants de la vie de Nemeroff d'Émeraude. Il avait été un enfant turbulent requérant beaucoup de surveillance de la part de son père, de sa mère et de leurs serviteurs. Il avait joué avec ses frères, avait pris leur défense, les avait consolés. Il avait aussi été un élève studieux et un fils qui aimait mettre son père au défi sur ses connaissances. Jamais il n'avait levé la main sur un autre habitant du château ni exprimé les mêmes ambitions qu'Onyx.

— Qu'est-ce que tu viens de me faire ? se fâcha Abussos en s'arrachant à la transe.

Je vous ai ouvert mon âme.

Le dieu-hippocampe ne pouvait certes pas prétendre y avoir découvert un motif raisonnable pour le faire disparaître à tout jamais. C'était son potentiel meurtrier qui l'avait jadis convaincu de le retirer du monde des humains.

Je serai sage.

Abussos hésita, car il serait beaucoup plus difficile de lui faire traverser le portail lorsqu'il aurait repris ses pleins pouvoirs. Lessien Idril se posa devant lui et referma ses ailes avant de se métamorphoser en femme.

— Ne me regarde pas comme ça, grommela son mari.

— Tu es pourtant indulgent avec Nashoba et Napashni, lui rappela-t-elle.

— Ce sont des adultes capables de modifier leur comportement.

— Accorde quelques mois de sursis à Nayati. S'il te déçoit, alors tu en feras ce que tu veux.

En réalité, ce que Lessien Idril lui demandait, c'était de lui donner la chance de jouer à la mère. Abussos était un dieu inflexible, mais intelligent. Sa femme avait raison : il serait toujours temps de revenir sur sa décision.

Les dieux fondateurs ramenèrent donc le bébé à leur campement, sur le bord de la rivière. Parce que ce dernier était blotti contre la poitrine de son père, ils ne virent pas le sourire qui parait son petit visage.

10

RETROUVAILLES

Vivant dans l'espoir que le soleil finisse par se montrer, Napashni et Ayarcoutec restèrent cloitrées dans leur maison, ne sortant que pour aller chercher du bois. Elles n'avaient pas vraiment besoin de chasser, puisqu'elles possédaient suffisamment de nourriture pour se sustenter pendant plusieurs jours. Le maïs avait finalement eu un effet apaisant sur la petite, qui se montrait tout à coup plus docile et moins bavarde. «Peut-être qu'elle a juste vieilli», songea Napashni en l'observant. L'enfant avait retrouvé ses ficelles colorées dans ses affaires et s'employait à y faire des nœuds.

Les Mixilzins ne possédaient pas d'alphabet ni de caractères figuratifs, idéographiques ou phonétiques afin de communiquer entre eux ou de consigner les événements importants de leur passé, comme les autres civilisations qui les entouraient. Cependant, les prêtres avaient inventé un ingénieux système qui leur servait de tableau chronologique de leur histoire. Sur une ceinture de cuir, ils attachaient des cordelettes de différentes longueurs et couleurs sur lesquelles des nœuds variés renfermaient un certain nombre d'informations. Puisqu'elle était la fille d'une prêtresse, Ayarcoutec avait commencé à apprendre cet art occulte dès son tout jeune âge.

– Cette fois, je pense que tu seras capable de comprendre mon message, maman ! s'exclama la jeune guerrière en tendant sa dernière création à Napashni.

Patiemment, la mère examina chaque cordon.

– Tu veux retourner sur les volcans… traduisit-elle pour la taquiner.

– Non ! Ce n'est pas ça du tout !

– Laisse-moi voir… Tu aimerais retrouver ton amie, la fille-poisson.

– Oui !

– Et tu souhaites que Cherrval guérisse rapidement.

– Oui !

– Tu t'es beaucoup améliorée, mon petit rayon de soleil, mais je crains que tu ne revoies plus jamais Shapal. Elle vit dans la mer, et nous sommes apparemment très loin à l'intérieur du continent.

Ayarcoutec se colla contre Napashni.

– Que va-t-il nous arriver si nous ne retrouvons jamais Onyx ? geignit-elle.

– Il finira bien par rentrer chez lui.

– Comment saurons-nous qu'il est dans son château si nous vivons au milieu des bois ?

– Tous les êtres humains ont une odeur.

– Comme les sangliers et les lièvres ?

– Oui, mais plus subtile. Ce n'est pas une senteur qui se perçoit avec le nez.

– Avec les oreilles, donc ?

– Non plus.

– Avec la langue ?

– Non. Avec un organe qui se cache ici.

Napashni posa la main sur la poitrine de sa fille.

– On ressent une curieuse sensation, expliqua-t-elle. Si on prend le temps de l'analyser, on finit par deviner qui a laissé sa trace ou même qui approche de nous.

– Comment sais-tu cela ?

– C'est Onyx qui me l'a appris.

– L'as-tu essayé ?

– Oui, mais je ne suis pas très douée, pour l'instant.

– Si j'allais me cacher dans la forêt, tu serais capable de me retrouver ?

– Sans doute.

– Est-ce que je pourrai y parvenir, moi aussi ?

– Je n'en sais rien. Peut-être faut-il à la base posséder de la magie.

– Comment pourrais-je vérifier que j'en ai ?

– Je vais te parler avec mon esprit. Dis-moi si tu m'entends.

Napashni lui transmit alors un court message destiné à la faire bondir afin d'être certaine qu'elle ne ferait pas semblant de le recevoir. *Je suis amoureuse d'un Scorpena,* déclara la mère dans sa tête.

– Alors ? demanda la prêtresse au bout d'un moment.

– Rien du tout…

– Ne t'en fais pas, petite fleur. Moi aussi j'ignore ce que je peux accomplir. Nous apprendrons ensemble à utiliser ces nouvelles facultés.

– Tu as raison.

Lorsque l'obscurité enveloppa le continent, les Mixilzins regagnèrent leur lit et s'endormirent en écoutant le martèlement de la pluie sur le toit.

Au matin, Ayarcoutec fut la première à se réveiller. Elle battit des paupières et ressentit un curieux pincement au milieu de son corps. Elle se redressa lentement. «Est-ce l'avertissement dont maman a parlé?» se demanda-t-elle. Elle glissa sur le sol et enfila ses vêtements. Napashni dormait à poings fermés, alors il s'agissait sans doute d'une fausse alerte, mais la petite voulut en avoir le cœur net. Elle empoigna solidement son javelot et s'aventura dehors.

Solidement campée sur ses jambes, l'arme tendue devant elle, Ayarcoutec entendait protéger son territoire, comme une véritable guerrière. La crampe dans son ventre était de plus en plus douloureuse, mais, curieusement, elle ne se sentait pas menacée. Le feuillage bougea à quelques mètres devant elle. «J'avais raison!» songea-t-elle. Elle plia les genoux et se prépara à projeter sa lance, lorsqu'un fauve émergea des fougères.

— Cherrval! lança Ayarcoutec en laissant tomber le javelot.

Le Pardusse déposa le gros panier d'osier qu'il transportait et reçut l'enfant dans ses bras.

— Tu es vivant!

— Évidemment, sinon je ne marcherais pas.

— Mais tu étais presque mort!

— Les Chevaliers Santo et Bridgess m'ont si bien soigné que je m'en suis sorti pas si mal.

– Qu'est-ce que tu fais dans la forêt sous cette pluie détestable ? Pourquoi n'es-tu pas resté au chaud et au sec au palais ?

– Parce que mes amies Mixilzins me manquaient.

– Nous allons sûrement avoir besoin de tes talents pour retrouver le Roi Onyx qui se cache quelque part. As-tu eu de la difficulté à nous retrouver ?

– Pas vraiment. J'ai suivi l'odeur de votre feu.

– C'est la seule façon de se réchauffer, ici. Je préférais la vie sur les volcans.

– Moi, j'ai appris qu'on peut être bien partout, si on fait l'effort de voir les beaux côtés de chaque endroit, lui confia Cherrval.

– J'ai beau chercher, je n'en vois pas.

– Alors, c'est que tu ne regardes pas assez loin.

Ayarcoutec le serra avec affection, même si son pelage était tout mouillé.

– Avez-vous retrouvé la femme Chevalier ?

– Avec l'aide de la déesse Anyaguara, Wellan et Hadrian ont découvert l'entrée de la grotte où le tigre la gardait prisonnière.

– Allez-vous passer toute la journée sous la pluie ? fit Napashni sur le seuil de la maison.

– Regarde qui est là, maman ! s'exclama joyeusement la fillette.

Cherrval souleva une fois de plus le panier en mordant dans son anse et le transporta à l'intérieur. Il le déposa devant la prêtresse, puis se coucha près du feu.

– C'est Lady Kira qui vous envoie tout ça, expliqua-t-il.

Napashni s'agenouilla devant ce deuxième cadeau providentiel et y trouva toutes sortes de denrées alimentaires.

– C'est très gentil de sa part.

Elle découvrit du pain, du fromage et des fruits, qu'elle partagea avec sa fille et leur invité.

– Cherrval était en train de me raconter la libération de la femme enlevée par le tigre, fit Ayarcoutec après avoir avalé une bouchée de pain.

– Est-elle saine et sauve ? s'enquit Napashni.

– Wellan est persuadé que oui, mais elle a refusé de revenir avec ses sauveteurs, les informa le Pardusse. Elle a préféré suivre son ravisseur.

– Pourquoi ? s'étonna l'enfant.

— Il a peut-être été galant avec elle.

— Mais elle venait de se marier !

— Le cœur n'est pas toujours facile à comprendre, ma petite.

Ayarcoutec alla s'asseoir entre les pattes de l'homme-lion et s'appuya le dos contre lui.

— Le mien est simple, affirma-t-elle.

Napashni leva les yeux au plafond pour la contredire.

— Je n'aimerai jamais personne d'autre que maman et toi… et Onyx. Sais-tu où il est ?

— Plusieurs rumeurs circulent au palais, mais personne ne le sait vraiment.

— Qu'est-ce qu'on dit ?

— Tu es trop curieuse, Ayarcoutec, lui reprocha la mère.

— J'étais comme elle, quand j'étais un lionceau, s'attendrit Cherrval. La soif de connaître n'est pas un défaut.

— Alors, qu'est-ce qu'on dit ?

— Certains prétendent qu'il est retourné à Enlilkisar pour se bâtir une nouvelle vie.

– Il aurait été plus simple de l'y attendre, soupira l'enfant en décochant un regard chargé de reproche à sa mère.

Napashni ne réagit pas à sa pointe.

– D'autres disent qu'il s'est isolé sur les terres gelées du Nord.

– Gelées ? répéta Ayarcoutec, effrayée.

– Il y en a aussi qui affirment qu'il s'est réfugié dans un monde parallèle.

– Un quoi ?

– Un endroit auquel seuls les dieux ont accès.

– Mais pourquoi fuit-il ?

– Il arrive, dans un couple, que les choses ne fonctionnent plus et que l'un des deux époux demande à l'autre de partir.

– La reine l'a chassé ? voulut s'assurer Napashni.

– C'est ce que racontent les Chevaliers qui m'ont soigné.

Les trois compagnons mangèrent sans dire un mot pendant un moment. Chacun pensait sans doute à son avenir.

– Je croyais que vous étiez rentrées à Enlilkisar, mais Lady Kira m'a annoncé que vous viviez dans la forêt au nord du château.

– Comment sait-elle que nous sommes ici? s'étonna la prêtresse.

– C'est une puissante magicienne.

– Onyx n'est donc pas le seul à pouvoir faire des choses mystérieuses, comprit Ayarcoutec.

– Les Chevaliers disent qu'il est plus fort qu'eux.

Le tonnerre se mit à gronder et l'enfant se colla davantage contre son ami Pardusse.

– Tu ne dois pas avoir peur des orages, petite fille, la réconforta Cherrval. Ils annoncent seulement un changement de température.

– Il n'y en a jamais chez les Mixilzins…

– Parce que vous vivez au-dessus des nuages, mais ailleurs, ils sont fréquents.

Napashni demeura muette sur le sujet. Elle n'avait pas peur du tonnerre, mais elle savait que les éclairs allumaient parfois de terribles incendies. Lorsqu'elle était petite, elle avait vu le feu ravager la forêt à la frontière du pays des Tepecoalts et de Djanmu. Toutefois, l'odorat de la guerrière étant très fin, elle se savait capable de réagir promptement si la foudre venait à tomber à Émeraude.

– Qu'avez-vous l'intention de faire, maintenant? voulut savoir le Pardusse.

– Survivre dans cette étrange contrée, répondit Napashni.

– En réalité, nous attendons le retour d'Onyx, ajouta Ayarcoutec.

– Et s'il ne revient pas ?

– J'imagine que nous le traquerons, n'est-ce pas, maman ?

– S'il est un grand sorcier et qu'il a décidé que personne ne découvrirait sa cachette, ne serait-ce pas une pure perte de temps ? raisonna Napashni.

– Je pourrais vous aider à le retrouver, offrit Cherrval.

– Nous prendrons cette décision au début de la saison chaude, car on nous a promis qu'il y en aurait une.

Ils passèrent toute la matinée à bavarder. Ni le Pardusse, ni les Mixilzins ne pouvaient retourner dans leurs pays respectifs. Ils s'étaient donc résignés à chercher fortune ailleurs. Lorsque l'orage cessa, Napashni annonça qu'elle voulait se délier les jambes et essayer l'arme que lui avait offerte son père. Habituellement, Ayarcoutec la talonnait pour participer à toutes ses parties de chasse, mais cette fois-ci, elle resta pelotonnée contre son ami lion.

– Je suis bien ici, au chaud, expliqua-t-elle en apercevant le regard interrogateur de sa mère.

– Je ne serai pas partie longtemps.

Napashni passa la bandoulière du carquois par-dessus sa tête et empoigna l'arc. Elle ne revêtit pas sa cape, car celle-ci aurait gêné ses mouvements, et affronta la pluie. Elle tira ses premières flèches dans une clairière, visant l'énorme chêne qui la bordait. Dès qu'elle aurait acquis plus d'habileté, Napashni choisirait des cibles plus petites. Elle aurait bien aimé qu'un archer chevronné lui enseigne le maniement approprié de cette arme, mais sans aucune aide, elle fit de son mieux. Tous ses projectiles se fichèrent dans l'écorce, sauf le dernier, qui manqua le tronc et se perdit dans la végétation. Napashni allait faire un pas pour reprendre ses flèches lorsqu'elle entendit une plainte déchirante. Elle avait touché quelque chose de vivant.

Sans perdre une seconde, la Mixilzin fonça en direction des lamentations et trouva un gros chat marron couché sur le flanc, la tige de bois planté dans son épaule. Pour mettre fin aux souffrances de l'eyra, Napashni sortit son poignard de sa ceinture et s'agenouilla près de sa tête. Elle savait où se trouvait l'artère qu'il fallait sectionner pour tuer rapidement un animal. Elle leva donc le bras mais stoppa son geste en voyant le fauve se métamorphoser en être humain !

– Pitié… hoqueta la femme aux cheveux roses.

Napashni ne comprenait pas la langue de la pauvre victime, mais sa voix implorante ne la laissa pas indifférente. Elle rengaina son couteau et examina la plaie. Puisqu'il était impossible d'arracher la pointe acérée sans provoquer une hémorragie, la guerrière souleva la femme eyra et la ramena chez elle.

– Maman ? s'inquiéta Ayarcoutec en la voyant rentrer avec un gibier humain.

– C'est un accident, expliqua Napashni en posant la femme blessée sur son lit.

– Est-ce qu'elle est morte ?

– Non, mais elle perdra la vie si nous ne faisons rien.

– Tu sais comment la guérir ?

Les Mixilzins n'avaient pas l'habitude de soigner les bêtes qu'ils abattaient.

– Est-ce que tu peux faire apparaître de la lumière dans tes mains comme Santo ?

Onyx prétendait que oui, mais Napashni n'avait jamais tenté l'expérience. Le Roi d'Émeraude lui avait également dit que le feu qui sortait de ses paumes pouvait tout autant tuer qu'apaiser les souffrances.

– Je ne maîtrise aucun de mes pouvoirs, Ayarcoutec. Je vais devoir utiliser ce que nous avons ici et prier pour qu'elle s'en sorte.

– Est-ce une Ipocane ? s'enquit l'enfant en caressant les cheveux roses de l'étrangère.

– Je ne crois pas. Elle n'est pas couverte d'écailles.

Napashni fit chauffer de l'eau et se nettoya les mains pour éviter d'infecter la plaie. Elle revint vers sa patiente en espérant ne pas causer une hémorragie lorsqu'elle retirerait la flèche de sa chair.

— Ne la touchez pas ! ordonna une voix de femme.

La prêtresse fit volte-face, mais ne vit que Cherrval et Ayarcoutec, tout aussi surpris qu'elle.

— Maman, derrière toi ! l'avertit la fillette.

Napashni sursauta en apercevant Anyaguara agenouillée près du lit.

— Sois brave, ma chérie, murmura-t-elle à l'inconnue.

Elle agrippa solidement la tige de bois et, d'un coup sec, l'arracha de l'épaule de Myrialuna, qui poussa un terrible cri de douleur. Puis, Anyaguara appliqua ses deux paumes sur la blessure. La maison des Mixilzins s'éclaira d'une lumière si vive que ses occupants durent se protéger les yeux.

— Anya, tu es venue à mon secours, murmura la blessée.

La sorcière cueillit sa fille adoptive dans ses bras et la serra en ronronnant.

— Que fais-tu aussi loin de chez toi, Myrialuna ? Et comment t'es-tu blessée ?

– J'étais en route pour le palais de ma sœur quand une flèche a jailli de nulle part. Cette gentille personne m'a ramenée chez elle.

– Je vous en serai éternellement reconnaissante, Napalhuaca.

– C'est Napashni, désormais.

Cette révélation sembla légèrement ébranler la sorcière.

– Depuis combien de temps connaissez-vous votre véritable identité ? voulut-elle savoir.

– Depuis quelques lunes, mais je ne sais pas encore comment faire appel aux pouvoirs que je suis censée posséder. Je ne comprends même pas ce que vous dit cette femme.

– Elle n'a pas reçu le sort que vous nous avez jeté, intervint Cherrval.

– Si ce n'est que ça…

Napashni et Ayarcoutec ressentirent un curieux picotement sur leurs tempes.

– Maman ?

– N'aie pas peur, mon petit rayon de soleil.

– Désormais, vous comprendrez la plupart des langues du monde connu, les informa la sorcière.

— Merci, Anyaguara.

— Qui est Napashni ? demanda Myrialuna en se décollant de sa mère adoptive.

Puisqu'elle avait appris à se métamorphoser depuis son plus jeune âge, la femme eyra savait comment conserver ses vêtements lorsqu'elle reprenait sa forme humaine. Toutefois, son casaquin avait été abîmé sur l'épaule par la flèche de la guerrière. Le lainage saumon était déchiré et taché de sang.

— C'est la fille d'Abussos et de Lessien Idril, répondit Anyaguara.

— Je suis au ciel ?

— Mais non ! la désappointa Ayarcoutec. Vous êtes dans notre maison.

— Napashni n'a que tout récemment découvert qui elle est vraiment, ajouta la sorcière.

— Je suis responsable de votre blessure, Myrialuna, avoua la prêtresse en s'agenouillant timidement devant elle. Je commence à utiliser une nouvelle arme et j'ai manqué ma cible. Je ne savais pas que vous étiez derrière l'arbre que je visais.

— C'était un accident, comprit la femme aux cheveux roses.

— Vous auriez pu mourir.

– Mais je suis toujours vivante.

Napashni releva lentement la tête, étonnée de ne pas percevoir d'agressivité dans la voix de sa victime. Elle arborait même un large sourire.

– Pour faire pardonner mon étourderie, j'offre de vous escorter jusqu'à votre destination, fit la Mixilzin, repentante.

– C'est très gentil, mais sous mon apparence féline, je me déplace beaucoup plus rapidement que vous.

– Pourquoi éprouves-tu le besoin de rendre visite à Kira en pleine saison des pluies ? s'enquit Anyaguara.

– Pour lui annoncer une grande nouvelle.

– Kira est votre sœur ? s'étonna Napashni.

– Elle a deux ans de plus que moi. J'ai aussi un frère. Je ne le vois pas souvent, parce qu'il parcourt le continent avec sa douce et qu'il ne s'arrête pas souvent dans sa famille.

La sorcière plaça doucement la main sur l'abdomen de Myrialuna.

– Je crois avoir deviné ce que tu veux annoncer à Kira, fit-elle en souriant.

– C'est quoi ? demanda innocemment Ayarcoutec.

– Je vais avoir des bébés !

– Plus qu'un ?

– J'ai eu six filles, la première fois, alors je suis pas mal certaine qu'il y en a encore plusieurs dans mon ventre.

L'enfant dirigea un regard interrogateur vers sa mère.

– Il arrive qu'une femme mette au monde deux ou trois enfants en même temps, expliqua Napashni. C'est déjà arrivé dans notre village, quand j'étais petite.

– Il est encore trop tôt, je pense, pour déterminer leur sexe, ajouta Myrialuna. À moins qu'une grande magicienne que je connais ne le sache déjà.

– Ce sera trois garçons, affirma Anyaguara.

La sorcière se tourna vers Napashni.

– Merci pour votre intervention et votre hospitalité, fit-elle en s'inclinant avec respect. Afin de m'assurer que mon petit eyra atteigne sa destination sans encombre, c'est moi qui l'accompagnerai. Que les dieux vous protègent.

Anyaguara prit la main de Myrialuna. Elles disparurent aussitôt sous les yeux de leurs hôtes.

– C'est comme ça que nous devrions nous déplacer ! s'exclama Ayarcoutec, émerveillée.

– Encore faudrait-il que je sache comment mettre cette magie à mon service, se découragea la mère.

– Quand la sorcière reviendra, nous n'aurons qu'à lui demander de nous donner aussi ce pouvoir.

– Elle peut jeter des sorts, précisa le Pardusse. Elle ne peut pas vous donner des facultés que vous n'aviez pas à la naissance. Il n'y a que les dieux fondateurs qui puissent exercer cette prérogative.

– Parle-moi d'eux, Cherrval !

Ayarcoutec alla s'asseoir entre ses pattes.

– Dis-moi tout ce que tu sais.

– Je vais aller chercher mes flèches, les prévint Napashni.

La guerrière sortit une fois de plus sous la pluie en réfléchissant à ce qui venait de se passer. Il lui fallait trouver un endroit plus à découvert pour pratiquer le tir à l'arc, afin de ne plus blesser personne.

11

ACCUSATIONS

C'est au milieu d'un orage violent que Lassa ramena au château la Reine d'Émeraude, ses fils, sa belle-fille et leur ami Shvara. Le petit Marek était accroché à la main de son père. Il était étrangement calme. Une fois que Swan et sa famille eurent pénétré dans les appartements royaux, Lassa s'accroupit devant son fils.

– Nous ne retournons pas chez nous ? s'étonna Marek.

– Pas avant que tu me dises ce qui te ronge.

Les joues de l'enfant s'enflammèrent et il baissa aussitôt la tête.

– Ne me dis pas que tu as fait une bêtise à Zénor, s'inquiéta Lassa.

– Ce n'était vraiment pas le moment...

– Victoire ! Un peu de sagesse !

– Est-ce qu'on peut rentrer, maintenant ?

— Tu ne m'as pas encore répondu.

Marek hésita, mais son père ne le pressa pas.

— Je viens de comprendre que Solis, c'est ton frère Zach, avoua-t-il finalement.

— Pas tout à fait.

Le garçon planta son regard étonné dans celui de Lassa.

— Solis n'est pas un être humain. C'est un esprit qui prend la forme qui lui plaît. Lorsqu'il a décidé de vivre à Enkidiev, il s'est emparé du corps de mon frère qui venait juste de naître.

— Il l'a tué ? s'horrifia Marek.

— En quelque sorte. Il l'a expédié sur les grandes plaines de lumière après son premier souffle.

— Mais comment se débrouille-t-on dans le monde des morts quand on n'est pas plus grand que ça ?

— À mon avis, il y a déjà là-bas des mamans qui ont quitté cette vie et qui sont certainement heureuses de s'occuper des nouveau-nés qui franchissent le portail.

— Alors, ce Zach n'est pas du tout un membre de ta famille.

— En fait, moi non plus, car il semblerait que mon véritable nom soit Nahélé et que je descende tout droit du ciel.

— Tu as tué le Prince Lassa ?

— J'en ai bien peur. Mon corps et mon sang sont les mêmes que ceux de Zach et Mona. C'est mon âme qui vient d'ailleurs.

Marek plissa le front en réfléchissant profondément.

— Et moi, dans tout ça ? voulut-il savoir.

— Rassure-toi. Aucun esprit n'a pris possession de toi. Tu es bel et bien le fils de Kira.

— Mais pas de toi, n'est-ce pas ?

— Pas physiquement, mais tu es certainement issu de mon propre cœur. N'importe qui peut concevoir un enfant, Marek, mais il n'est pas donné à tout le monde de l'aimer et de l'élever comme il se doit.

L'enfant jeta ses bras autour du cou de son père et le serra de toutes ses forces.

— Je n'aime pas vraiment Solis, tu sais, chuchota Marek à l'oreille de Lassa. Je trouve juste ça chouette de pouvoir me transformer en bébé léopard.

— Tant que tu le fais pour les bonnes raisons, je ne m'y opposerai jamais.

— C'est quoi les mauvaises raisons ?

— Faire peur aux jumeaux, grimper dans nos rideaux, effrayer le peuple, faire fâcher ta mère.

— Est-ce que courir dans les champs en fait partie ?

— Non, mais n'oublie jamais que les paysans craignent les fauves, qui peuvent décimer leurs troupeaux. Même si ce n'est pas ton intention, ils pourraient tenter de te tuer. Je serais inconsolable s'il devait t'arriver malheur.

— Je te promets de me tenir loin d'eux quand je sentirai le besoin de me transformer.

— C'est tout ce que je te demande et, pour que ce soit bien clair, Solis n'est pas mon frère.

— J'avais compris.

Lassa ouvrit la porte de leurs appartements et laissa son fils passer devant lui, heureux de constater qu'il avait mûri.

Au même moment, de l'autre côté du couloir, dans son salon privé, Swan prenait place devant ses fils. Son visage soucieux montrait qu'elle tentait de trouver une façon de dénouer la tragédie que subissait sa famille. Assis directement devant sa mère, Atlance était de plus en plus furieux, mais il faisait de gros efforts pour ne pas exploser, afin de ne pas indisposer davantage sa femme, qui tremblait près de lui. Maximilien partageait la tristesse de Katil. Il se serait probablement effondré lui aussi si on lui avait volé son enfant. Sans doute parce qu'il était devenu un dieu oiseau, Fabian semblait impassible, tout comme son ami busard. Toutefois, Swan savait qu'il était intérieurement affligé par le malheur qui s'était abattu sur son frère aîné.

– Maman ! s'écria Anoki en se précipitant dans la pièce.

Il s'arrêta devant Swan, les yeux brillants d'espérance.

– Vous avez retrouvé le bébé ?

La reine secoua doucement la tête.

– Ce n'est qu'une question de temps, affirma alors Fabian.

– Tu crois vraiment pouvoir arracher cet enfant au dieu fondateur ? s'étonna Shvara.

– Il suffit de le demander poliment.

– La dernière fois que tu m'as dit ça, nous étions dans une auberge non loin d'ici…

Fabian décocha à son ami rapace un regard sévère.

– Je suggère que nous pensions chacun de notre côté à la façon de reprendre Lucca, intervint alors Swan d'une voix faible.

Ses fils comprirent que ce drame l'avait beaucoup épuisée moralement et qu'elle avait envie de se reposer. Ils l'embrassèrent sur la joue et se séparèrent. Atlance et Katil se dirigèrent vers l'ancienne chambre du prince, tandis que Fabian et Shvara descendaient aux cuisines et que Maximilien se rendait à l'aile des Chevaliers. Seul Anoki resta avec sa mère.

— Trop de détresse dans cette famille, déplora le garçon.

— Tu ne devrais même pas prononcer des mots semblables, se désola Swan. Les épreuves n'existent que pour nous faire apprécier les bons moments de la vie, Anoki. Nous arrivons toujours à les surmonter.

— Ce scrait plus facile avec Onyx.

— Je n'en suis pas aussi sûre que toi. Malheureusement pour nous tous, je n'arrive plus à le comprendre.

— Il faut que lui revienne.

— Nous avons besoin de réfléchir, lui et moi, mon chéri. Nous devons lui donner du temps. Est-ce que tu saisis ?

— Non…

— Alors, je te réexpliquerai tout ça quand tu seras grand, décida Swan en l'étreignant.

Pendant que la reine câlinait Anoki, Atlance faisait les cent pas dans son ancienne chambre. Katil s'était plutôt pelotonnée sur le lit, dépassée par ce qui lui arrivait.

— Tout ce que nous voulions, c'était une vie tranquille loin d'Émeraude… murmura-t-elle.

Atlance s'arrêta net et se tourna vers elle.

— Je ne peux pas cesser d'être le fils du renégat ! se désespéra-t-il. Il a probablement offensé les dieux de tous les panthéons, qui vont chercher à se venger sur lui et sa descendance jusqu'à la fin des temps !

La terreur sur le visage de sa femme fit tomber la colère du prince d'un seul coup. Il grimpa sur le lit et abrita Katil dans ses bras.

— Je suis désolé, mon amour.

— Es-tu en train de me dire que tous les enfants que nous aurons nous seront enlevés ? balbutia-t-elle.

— Non… Je dis n'importe quoi parce que je suis fâché.

Il la berça doucement en silence pendant un long moment.

— Il est le seul qui puisse nous rendre Lucca, n'est-ce pas ?

— Onyx manipule des puissances qui échappent en effet à notre compréhension et, mieux encore, si Lucca est en réalité Nemeroff, qu'il a aimé plus que tous ses autres enfants, sans doute fera-t-il l'impossible pour le récupérer.

— Mais acceptera-t-il de nous le rendre ?

— Je n'en sais rien…

— Comment pourrions-nous nous libérer de la malédiction de ton père ?

— J'ignore si quelqu'un en ce monde connaît la réponse à cette question… à moins que…

Le visage de Mann venait d'apparaître dans l'esprit d'Atlance. Toutes les prédictions qu'il avait faites à la famille royale d'Émeraude s'étaient réalisées.

— Dès que la saison chaude sera de retour, nous nous rendrons au sanctuaire de Shola, décida-t-il. Les moines sauront nous éclairer.

— Ils vont sans doute te dire que tu ne peux pas échapper au sang qui coule dans tes veines, Atlance.

— Dans ce cas, je me ferai changer en Fée, comme Nartrach.

— Quoi ?

— On dit que ceux qui ont subi cette transformation ont désormais une constitution complètement différente.

— Je ne parlais pas du liquide qui circule dans tes veines, mais de ta force vitale qui est liée à celle de tes parents.

— Nous trouverons une façon d'y échapper.

Atlance embrassa les joues trempées de la mère éplorée.

– Dis-moi ce que je pourrais faire pour apaiser un peu ta peine ?

– Je t'aime plus que tout au monde, mon chéri, mais en ce moment, j'aimerais vraiment voir ma mère.

– Alors, partons.

– Mais l'orage ?

– Nous en avons affronté bien d'autres tandis que nous nous rendions à Zénor sur la charrette. Cesse de protester et suis-moi.

Atlance fit descendre Katil du lit, prit sa main et la tira vers la sortie des appartements royaux. Des serviteurs leur remirent de chaudes capes et les laissèrent poursuivre leur route jusqu'à l'écurie, où les palefreniers furent plus durs à convaincre. Ils utilisèrent tous les arguments pour dissuader le couple de partir par ce temps, mais Atlance ne voulut rien entendre. Il leur fit seller le cheval le plus vigoureux et hissa Katil derrière lui. Une fois devant les portes des murailles, le prince demanda aux sentinelles de les ouvrir et dût une fois encore exposer les raisons de son départ. Voyant qu'il n'arrivait à rien, Katil rassembla ses forces et utilisa sa magie pour tirer sur les chaînes qui ouvraient le portail. Dès que la voie fut libre, le cheval s'élança sur la route.

Heureusement, la ferme des parents de Katil se situait à une heure à peine du château, et, poussé par le vent, l'orage se dirigeait vers le nord. Le couple n'eut donc qu'à affronter la pluie et la boue qui les éclaboussait. Grâce à ses facultés surnaturelles, Jasson sentit leur arrivée et il alla ouvrir la porte de l'écurie. Atlance l'aperçut, malgré l'eau qui ruisselait sur son visage, et fonça dans le bâtiment.

— Mais qu'est-ce que vous faites ici par un temps semblable ? s'exclama Jasson, incrédule.

Katil se laissa glisser sur le sol et se jeta dans les bras de son père.

— Avez-vous retrouvé le bébé ?

— C'est justement de cela que nous voulions vous parler, répondit Atlance en mettant pied à terre. Emmenez Katil dans la maison. Je vous rejoins dès que j'aurai dessellé et installé le cheval.

※ ※ ※

Tandis que son frère aîné et sa femme racontaient le peu qu'ils savaient sur l'enlèvement de Lucca, Fabian avait fait asseoir Shvara au bout de la longue table de bois où les cuisinières préparaient le repas du soir. Celles-ci leur avaient volontiers servi un léger goûter. Le dieu-busard n'arrivait tout simplement pas à égayer son ami, qui était profondément songeur.

— Sais-tu où se situe le royaume d'Abussos ? demanda soudain Fabian.

— Non et si je me fie à ce que m'a raconté mon grand-papy à son sujet, même ses propres enfants l'ignorent. De toute façon,

190

comment arriverais-tu à le persuader de te rendre un dieu qui pourrait détruire l'univers tout entier ? C'est malheureux pour les parents du bébé, mais décidément préférable pour le reste d'entre nous.

— Il doit y avoir une autre solution…

— On pourrait leur donner un autre bébé et leur faire croire que c'est le leur.

— Ce serait malhonnête et je ne crois pas que nous pourrions tromper Katil. Les mères savent reconnaître leurs enfants.

— Elle l'a à peine tenu dans ses bras.

— C'est une magicienne. Elle a le pouvoir de déchiffrer l'énergie des gens.

Shvara mastiqua sa nourriture pendant un moment.

— Puisque c'est ton père qui est à la base de cette ténébreuse affaire, ne serait-ce pas à lui de la dénouer ?

— C'est certain, mais Onyx n'a pas l'habitude d'avouer ses torts.

— Alors, Atlance et Katil n'ont qu'à faire un autre bébé.

— Tout est toujours si simple pour toi, Shvara.

— Tout est toujours si compliqué pour toi, Fabian.

Pendant qu'ils continuaient de se creuser la tête pour venir en aide aux parents éplorés, Maximilien avait plutôt choisi de laisser les membres magiques de sa famille solutionner le problème d'Atlance. Il s'était rendu dans l'aile des Chevaliers afin de revoir la belle Aydine qu'il avait commencé à courtiser. Il la trouva dans le hall des valeureux soldats, à taquiner le feu dans l'âtre avec le tisonnier, assise sur un gros coussin. Maximilien ralentit le pas afin de l'admirer. Elle portait une tunique courte et un pantalon de soie vert tendre. Ses longs cheveux blonds touchaient le sol autour d'elle.

— Très belle dame, puis-je vous tenir compagnie ?

Aydine laissa tomber la barre de fer sur le plancher et s'élança à la rencontre de son prétendant. Sautant dans les airs, elle accrocha ses jambes à la taille de Maximilien et passa ses bras autour de son cou.

— Vous êtes légère comme une plume ! s'étonna-t-il.

La Madidjin parsema le visage du prince de baisers.

— Vous m'avez tellement manqué, Maximilien…

— Je ne suis parti que très peu de temps.

— Une éternité pour moi.

Ils s'embrassèrent un long moment, puis le jeune homme la déposa sur le sol.

— Puis-je m'asseoir devant le feu avec vous ?

— Vous êtes chez vous, ici, sire. Vous pouvez faire tout ce que vous voulez.

L'invitation sous-entendue était tentante, mais Maximilien avait promis à sa mère de faire les choses conformément aux usages d'Émeraude.

— J'avais l'intention de vous demander en mariage, Aydine, mais je crois que le moment n'est pas favorable.

— Vous avez raison. Même si je meurs d'envie de partager votre vie, il est préférable d'attendre que votre famille trouve des solutions à ses problèmes les plus urgents.

— Et si cela devait nécessiter des mois, vous lasseriez-vous de moi ?

— Jamais.

Enlacés devant l'âtre, ils échangèrent de langoureux baisers jusqu'à ce qu'un serviteur leur annonce de la porte que le repas allait bientôt être servi dans le hall de la reine. Maximilien aida Aydine à se lever.

— Suis-je présentable ? s'inquiéta-t-elle.

— Vous ne pourriez pas être plus belle.

Ils marchèrent main dans la main le long du couloir qui traversait tout le palais et se décollèrent en franchissant le seuil de la vaste pièce. Swan était déjà à table avec ses jeunes fils Anoki et Jaspe et elle ne semblait pas contente du tout.

— Mère ? s'inquiéta Maximilien.

— Je vous en prie, assoyez-vous, les pria Swan.

— Ai-je fait quelque chose pour vous déplaire ?

— Non, Maximilien. C'est ton frère Atlance qui a quitté le château à cheval avec sa femme au milieu d'un orage pour se rendre chez Jasson.

— Lui est-il arrivé malheur ?

— Non, mais par les temps qui courent, j'exige que vous me mettiez au courant de vos déplacements, surtout lorsqu'ils sont insensés.

— Je m'en rappellerai.

Aydine s'assit en gardant les yeux baissés afin de ne pas s'attirer les foudres de la reine. Fabian et Shvara arrivèrent quelques minutes plus tard. Ils n'avaient pas vraiment faim, mais ils savaient que leur présence rassurerait Swan.

— Il va bientôt faire beau, déclara Fabian pour briser le silence oppressant.

— Comment tu le sais ? s'enquit Anoki.

— Au début et à la fin des saisons, les orages éclatent presque tous les jours, et c'est ce qui se produit en ce moment.

— Mama ! s'écria Jaspe en tapant dans son assiette avec ses mains.

— Je pense que lui a faim, fit remarquer Anoki.

Swan découpa des aliments que le bébé pouvait manger et les lui servit.

— Majesté, deux hommes demandent à vous voir, annonça une servante en s'arrêtant au milieu du hall.

— Décidément, le mauvais temps n'empêche plus personne de voyager, grommela Swan. Faites-les entrer. S'ils se présentent chez les gens à l'heure des repas, alors qu'ils partagent notre table.

La jeune femme se courba devant la souveraine et s'empressa de quitter la salle. Elle revint quelques minutes plus tard en compagnie de deux Sholiens bien connus de la famille royale.

— Maître Hawke, maître Briag, soyez les bienvenus, les salua Swan. Je vous en prie, venez vous asseoir avec nous. Nous avons justement deux places vacantes.

— Nous regrettons d'arriver à cette heure, Altesse, s'excusa Hawke. Ce que nous avons à vous dire ne prendra qu'un instant.

— Cela concerne-t-il mon petit-fils ?

— En effet. La nuit dernière, j'ai reçu une communication de la part du vénérable Abussos.

— Assoyez-vous, ordonna la reine sur un ton qui rappelait beaucoup celui d'Onyx lorsqu'il était fâché.

Les Sholiens s'installèrent donc sur les chaises d'Atlance et de Katil.

— Que vous a-t-il dit ?

— Il veut que vous sachiez que son geste n'était pas destiné à vous causer du chagrin. Bien au contraire, Abussos ne veut que votre bien.

— Se rend-il compte qu'il a privé une mère de la joie d'élever le fils qu'elle venait de mettre au monde ?

— Oui, madame, il le sait très bien, mais il n'avait pas le choix. Le bébé était possédé de l'esprit de Nayati, le seul des enfants des dieux fondateurs à afficher des dispositions destructrices.

— J'ai aussi été informée que ce n'était pas la première fois que ce Nayati s'incarnait dans notre monde, répliqua Swan sur un ton dur. Il a été mon fils Nemeroff.

— Nous le savons.

— Or, même si Nemeroff avait le tempérament ardent de son père, il n'a jamais fait de gestes agressifs envers qui que ce soit.

— C'était, au contraire, un frère compréhensif et protecteur, l'appuya Fabian.

— Il avait l'étoffe d'un roi, ajouta Maximilien.

— Et d'un tyran, précisa Hawke. Votre courte expérience à ses côtés ne peut malheureusement pas se comparer à ce que le vénérable Abussos sait de ce dieu.

— J'ai l'impression que nous tournons en rond ! lâcha Shvara.

Fabian lui fit discrètement signe de se taire.

— Si nous ne pouvons pas persuader Abussos de nous rendre mon petit-fils, fit Swan, pourriez-vous lui indiquer que je lui serais reconnaissante d'offrir une réparation au jeune couple qui a perdu cet enfant ?

— Ce type de requête est inhabituel, mais je la lui adresserai en votre nom.

— Merci, Hawke.

Les Sholiens se courbèrent devant la reine, puis s'évaporèrent sous les yeux de la famille royale.

— Qu'est-ce qu'une réparation ? voulut savoir Shvara.

— C'est une compensation, un dédommagement, répondit Fabian.

— Un autre bébé, donc ?

— Quelque chose comme ça.

Fabian jeta un œil du côté de sa mère et vit qu'elle s'était refermée sur elle-même. Un énorme fardeau pesait sur ses épaules, car elle n'avait pas seulement ses soucis de famille à gérer, mais également ceux de toute la nation.

12

RUMINATIONS

Assis sur son lit, dans sa petite maison d'Irianeth, Onyx réfléchissait à l'impasse dans laquelle il se trouvait. Le trône qu'il avait convoité pendant des centaines d'années ne l'intéressait plus. La femme qu'il avait tant aimée depuis son retour à la vie ne voulait plus de lui. Ses fils ne reconnaissaient plus son autorité et sa fille était sous l'emprise d'un dieu félin. Que lui restait-il ?

Les rayons de la lune s'infiltraient par la fenêtre en même temps que les odeurs de la nuit. Pour passer le temps et calmer sa colère, Onyx avait extrait des montagnes des Hokous de la terre qu'il avait étendue sur sa nouvelle propriété. Il avait également déraciné des arbres qu'il avait soigneusement replantés près de sa demeure pour lui apporter de l'ombre durant la journée. Il y avait encore beaucoup de travail à abattre pour que cette contrée soit habitable. « Mais est-ce vraiment ce que je veux ? » se demanda le souverain.

Il leva devant ses yeux l'hippocampe qu'il avait arraché du cou de son ami Hadrian. Ce n'était qu'un porte-bonheur pour l'ancien Roi d'Argent, alors que pour celui qui savait s'en servir, il s'agissait d'un objet de pouvoir qui permettait à son propriétaire de commander toute l'armée des Ipocans.

Onyx se doutait qu'elle était bien plus importante que le petit détachement de cavaliers montés sur des hippocampes qui l'avait déjà rencontré, sinon comment ces créatures auraient-elles pu contrôler le trafic maritime des mers du sud ?

« Il ne me sert plus à rien de regarder derrière moi », décida Onyx. Un seul homme ne pourrait pas imposer sa volonté à Enkidiev, qui avait appris à se défendre contre les envahisseurs. Les Chevaliers d'Émeraude lui mettraient certainement des bâtons dans les roues. Pour conquérir ce continent, Onyx avait besoin d'une puissante armée. « Je vais d'abord devenir l'Empereur d'Enlilkisar, puis je m'emparerai d'Enkidiev. » Il lui serait facile de dominer les rois du nouveau monde, puisque la magie n'existait pas de ce côté des volcans.

Onyx cacha l'hippocampe sous son oreiller et sortit de chez lui. Le vent frais était annonciateur de mauvais temps. Le renégat ne détestait pas la pluie comme la plupart de ses semblables. Celle-ci avait un rôle à jouer dans le renouveau de la nature. Sans elle, les hommes et les animaux n'auraient rien à manger. En voyant son maître marcher vers l'océan, le cheval-dragon ailé poussa un sifflement aigu.

– Ne t'occupe pas de moi, Hardjan, le rassura Onyx. Je veux juste prendre l'air.

L'animal n'avait rien à craindre sur ses terres maintenant dépourvues de prédateurs. Toutefois, son instinct le ramenait toujours près de la maison lorsque la nuit tombait. Il ne s'aventurait sur les plaines qu'en plein jour pour brouter l'herbe que le sorcier y faisait pousser. Hardjan suivit l'humain des yeux, mais voyant qu'il n'avait pas besoin de lui, il se coucha contre le mur de l'habitation.

Onyx se planta au bout du quai et observa l'horizon où clignotaient de brillants éclairs. La tempête atteindrait sans doute Irianeth au matin. Immobile, les bras croisés sur sa poitrine, le mari banni rumina encore une fois son chagrin.

— Je veux seulement qu'on me respecte ! hurla-t-il.

Sa voix se perdit sur les flots agités. Au bord des larmes, Onyx s'assit en tailleur sur le quai. Malgré les émotions qui lui déchiraient le cœur, il fit bien attention de maintenir la puissante bulle de protection qu'il conservait autour de lui depuis son départ d'Émeraude. Pour s'arracher à sa peine, il chercha dans sa mémoire un souvenir encourageant. L'image d'un loup noir comme de l'encre apparut dans son esprit.

«Je dois apprendre à me métamorphoser quand j'en ai envie et non seulement quand je suis en colère», songea-t-il. Mais par où commencer ? Si ses parents célestes lui avaient fait cadeau de ce don, ils ne lui en avaient hélas jamais révélé le mode d'emploi. Il leva la main devant ses yeux.

— Que je devienne un loup, ordonna-t-il.

Rien ne se produisit. Après plusieurs essais infructueux, il en vint à la conclusion qu'il existait sûrement une incantation qui générait le phénomène. Découragé, il se leva et se tourna vers la grève. Un loup immaculé se tenait à l'autre extrémité de la rade. «Pourquoi Hardjan n'a-t-il pas flairé ce prédateur ?» se demanda Onyx. Tous les animaux poussaient des cris d'alarme lorsqu'ils se sentaient menacés. «Ou bien il a déjà tué mon cheval, ou bien il ne s'agit pas du tout d'un loup.»

Nullement effrayé par la bête, Onyx marcha à sa rencontre. Plus il avançait, plus il se rendait compte que le carnassier était énorme.

— Il est donc vrai que tu n'as peur de rien.

— Tiens donc, un loup qui parle? rétorqua le renégat, moqueur.

— Te crois-tu vraiment unique au monde?

— Vous n'êtes pas réellement un animal, n'est-ce pas?

— C'est peut-être ma seule apparence.

— On m'a trompé plus d'une fois, alors j'ai appris à me méfier de ce que je vois.

— Tu as raison de ne pas te fier à tes yeux.

— Qui êtes-vous? demanda Onyx sur un ton plus sérieux.

— Quelqu'un qui, contrairement à toi, sait comment se métamorphoser.

— Montrez-moi votre véritable visage.

— Mais tu l'étudies depuis un petit moment déjà.

– Si vous avez le pouvoir de vous métamorphoser, alors vous avez certainement un autre aspect.

– Je te le révélerai si tu me permets d'assister à ta propre transformation.

– Malheureusement, je ne maîtrise pas du tout cette faculté.

– Toi ? Le fils d'un dieu ?

Onyx crut entendre une pointe de sarcasme dans la voix rauque du loup.

– C'est ce qu'on dit, mais je suis né d'une femme comme les autres humains et j'ai souffert comme tout le monde.

– Mais tu n'étais pas comme eux.

– Non…

Dans l'esprit d'Onyx se succédèrent quelques images de son passé. Les premières fois où il avait utilisé ses extraordinaires pouvoirs, cela avait été bien malgré lui. Il avait failli incendier la maison de ses parents et il avait presque tué un garçon contre qui il était en colère…

– Je n'ai pas de sang divin, affirma-t-il.

– En es-tu bien certain ?

« Et si c'était une hallucination ? » se demanda le renégat. Il n'était pas rare que les hommes abusant de l'alcool finissent par perdre de vue la réalité.

— Je ne suis pas le fruit de ton imagination, répliqua le loup.

— Vous lisez mes pensées ?

— Très facilement, en dépit de la protection dont tu t'entoures.

— Vous ne pouvez donc être qu'un sorcier.

— Non. Moi, je ne crains pas de dire que j'appartiens au ciel.

— Alors, pourquoi êtes-vous descendu sur Irianeth ?

— Pour tenter de comprendre ce qui t'empêche de reprendre ton apparence divine.

— Puisque je vous dis que je n'en ai jamais eu d'autre que…

Onyx s'arrêta avant de terminer sa phrase. « Ce corps n'est pas le mien, mais celui de Farrell ! » se souvint-il.

— Comme c'est intéressant, observa le loup.

— Je suis né il y a des centaines d'années et le jour de ma mort, j'ai refusé de partir. Je me suis emparé du corps d'un des descendants de ma deuxième famille ayant vécu à Espérita, puis d'un autre de ma première famille, paysan d'Émeraude.

— Tes facultés ont-elles diminué lors de ces prises de possession ?

— Non… avoua Onyx. J'en ai même acquis d'autres.

— Nous pouvons donc conclure que ce n'est pas ton corps qui t'empêche de te métamorphoser.

— Si vous pensez que je connais la réponse à cette question, vous vous trompez.

— Tu t'es déjà changé en animal, n'est-ce pas ?

— Retournez d'où vous venez, grommela le renégat, mécontent.

— Mais cela se produit toujours au moment où tu t'y attends le moins.

— Si vous savez déjà tout, à quoi sert cet interrogatoire ?

— À te faire amorcer une réflexion sur le sujet.

— Je l'ai déjà fait et ça n'a rien donné.

Le loup blanc se transforma en une femme aux longs cheveux blonds bouclés, qui portait une tunique de suède blanche ornée de centaines de petites perles de couleur.

— Tu possèdes ce pouvoir au fond de ton âme, mais tu ne sais pas comment y accéder, parce que tu es farouchement convaincu d'être humain.

L'inconnue s'approcha du renégat et posa sa main droite sur son cœur. Ce dernier ressentit une grande chaleur se propager dans tout son corps.

— Ferme les yeux, Nashoba.

— Je m'appelle Onyx…

— Ferme les yeux, insista-t-elle.

Il lui obéit en soupirant avec agacement.

— Tu es le fils d'Abussos, né pendant le plus terrible de tous les orages. C'est la foudre qui a transporté ton essence jusque dans le corps d'un nouveau-né. Habituellement, les mères qui donnent naissance à des enfants divins entendent les voix qui les accompagnent. Ces murmures leur suggèrent le nom qu'elles doivent donner à l'enfant. Malheureusement, elles ne possèdent pas toutes des facultés surnaturelles.

Il n'y avait en effet aucun autre magicien dans la famille de Saffron.

— Tu es un loup, comme moi.

— Seulement quand je suis très en colère, admit Onyx en ouvrant les yeux.

— D'où tires-tu ta puissance magique ?

— De l'endroit où vous avez placé votre main.

— Comment la mets-tu en mouvement ?

— Je n'en sais rien… Au début, j'ai cru que c'était grâce à un effort de concentration, mais elle a vite commencé à se manifester spontanément.

— Les jeunes dieux savent instinctivement comment allumer le feu qui dort en eux. Quelqu'un a muselé ta puissance.

— Nomar, siffla Onyx entre ses dents.

— Qui est-ce ?

— C'est le nom que se donnait Akuretari lorsqu'il se faisait passer pour un Immortel.

La louve mit fin au contact et recula de quelques pas.

— Que t'a-t-il fait ?

— Il m'a enseigné sa sorcellerie dans l'espoir de faire de moi son apprenti. Quand j'ai refusé, il m'a fait subir bien des tourments.

— Nous devons briser le sortilège auquel il t'a soumis.

— Nous ?

— Il est très difficile de défaire ce qu'un autre dieu a fait.

— Les enchantements ne sont-ils pas censés disparaître à la mort de celui qui les a lancés ? Ou est-ce un mythe ?

— C'est généralement ce qui se produit, mais tu n'es pas n'importe qui et Akuretari le savait. Il a utilisé par ricochet la magie d'un autre être divin qui est toujours bien vivant afin que tu demeures sous son emprise, même s'il devait lui arriver malheur.

– Par ricochet ? Même moi, je n'ai jamais pensé à ça. Savez-vous de qui il s'agit ?

– C'est un puissant mage d'un autre monde.

– Que nous ne pourrons jamais retrouver, j'imagine ?

– Je préférerais que tu utilises ta propre force pour te libérer.

Les premières gouttes de pluie de la tempête qui approchait frappèrent le visage d'Onyx.

– Est-ce qu'on ne pourrait pas en parler au sec chez moi ?

Sans laisser le temps à la louve de répondre, il la contourna et marcha vers sa maison. Elle le suivit sans faire le moindre bruit. « Les cailloux devraient crisser sous ses pas », songea-t-il. Il entra dans son logis et alluma un feu magique au centre de l'unique pièce. Son invitée s'assit en tailleur sur le sol, de l'autre côté des flammes.

– Personne ne te l'a montré, mais tu as tout de même appris à méditer.

– C'est venu tout naturellement, acquiesça Onyx.

– Tu vas te servir de cette faculté pour te rendre jusqu'à ton âme et me dire de quoi sont faits les barreaux de la cage qui la retient.

« Qu'est-ce que j'ai à perdre ? » songea le renégat.

— Pense plutôt à ce que tu as à gagner, répliqua-t-elle.

Onyx se mit rapidement en état de transe. Il avait souvent exploré son esprit, mais jamais son âme, car il ne savait même pas où elle se trouvait.

— Dirige-toi vers le centre de ton corps, là où se centralise ta force vitale.

Il se laissa guider par la puissance qui émanait de son plexus solaire. La lumière qui s'en dégageait était aussi aveuglante que celle du soleil.

— Il est impossible d'y voir quoi que ce soit, grommela-t-il.

— Tu dois atteindre le noyau de cette énergie.

— Advienne que pourra…

Onyx continua d'avancer. Contrairement à ce qu'il anticipait, il ne ressentit aucune résistance et atteignit bientôt une cavité sphérique où une cage cubique flottait en état d'apesanteur. Au centre de cette prison se trouvait une étoile.

— Mais qu'est-ce que c'est que ça ? murmura-t-il.

— C'est ton âme, Nashoba.

— Cette cage, c'est l'œuvre d'Akuretari ?

— Tu es le seul être de toute la création à ne pas être le maître de ta conscience.

Révolté, Onyx marcha autour de la nasse avant d'essayer de la toucher. Une puissante décharge le repoussa et faillit l'arracher à la transe.

— De quoi ses barreaux sont-ils faits ?

— On dirait du métal en fusion… Ils ne sont pas entièrement solides.

— C'est une bonne chose.

— Ils sont également électrifiés.

— Décharge-les.

Le renégat avait toujours aimé les défis, ce que les autres prenaient souvent pour de l'imprudence. Il commença par lancer contre la prison tous les pouvoirs qu'il possédait. Le treillage devint incandescent sous ses charges, mais ne céda pas. Alors, Onyx poussa un terrible cri de frustration et s'y attaqua à mains nues. Une douleur brutale le submergea, mais il refusa de se détacher du métal brûlant. Il rassembla plutôt ses forces dans ses bras éthérés afin d'écarter les barreaux.

Assise devant lui, la louve assistait au combat intérieur d'Onyx. La sueur coulait à torrents sur le visage du pauvre homme et tout son corps était secoué de convulsions. « Il a la ténacité de son père », ne put que remarquer Lessien Idril.

Les efforts d'Onyx furent enfin récompensés : il parvint à créer un espace suffisant pour que l'étoile puisse s'y faufiler. Cette dernière fonça comme une flèche dans l'ouverture. Sa force de répulsion projeta le renégat dans la lumière du plexus solaire. Haletant, le renégat ouvrit les paupières et écarquilla les yeux.

– J'ai réussi… s'étonna-t-il.

Lessien Idril jeta sur lui une pluie de petites étincelles argentées qui eurent le même effet qu'une douche bien froide, et attendit qu'il se soit apaisé.

– La cage est toujours là, mais mon âme en est sortie, ajouta-t-il.

– Je ne crois pas qu'elle y retournera, plaisanta la louve. Maintenant, passons aux choses sérieuses.

Onyx allait protester qu'il avait vécu suffisamment d'émotions et qu'il voulait se reposer, mais elle ne lui donna pas le temps de parler.

– De la même façon que tu fais monter le feu jusqu'à tes mains, ordonne à ta force vitale de te rendre ta forme originale.

Il commença par soupirer, puis fit ce qu'elle demandait. À sa grande surprise, il se métamorphosa instantanément en loup noir. Mieux encore, il demeura conscient. Il était encore lui-même, mais sous une apparence différente.

– Ai-je encore tous mes pouvoirs ? s'inquiéta-t-il.

« Et je peux parler ! »

– Absolument tous et tu en découvriras d'autres, en temps opportun.

Lessien Idril reprit elle-même son aspect de louve et sortit de la maison sous la pluie.

– Attendez !

Onyx s'élança à sa poursuite sur le quai de pierre, mais lorsqu'elle en atteignit l'extrémité, elle déploya deux grandes ailes blanches et s'envola vers le ciel orageux. Le renégat s'arrêta juste à temps pour ne pas tomber la tête la première dans les flots. Il tourna la tête vers son dos, mais aucune aile n'y apparut.

– C'est injuste !

Il revint sur ses pas et décida de mettre son corps d'animal à l'épreuve. Il courut sur la plage et parcourut de nombreux kilomètres, étonné par sa nouvelle endurance, puis revint sur ses pas. Hardjan ne leva même pas la tête. « Il ne reconnaît pas mon énergie », constata Onyx. Il retourna dans sa demeure et exigea de reprendre sa forme humaine. Aussitôt dit, aussitôt fait.

– C'est miraculeux…

Il se débarrassa de ses vêtements, qu'il n'avait pas déchirés, cette fois, et se laissa tomber sur le dos dans son lit. C'est alors que se produisit un autre curieux phénomène. Aucun de ses sens n'enregistrait les choses autour de lui de la même manière qu'avant. Le contour des flammes du feu magique était plus net. Il percevait clairement le pourtour de chacune des pierres sur le mur devant lui. Même les sons de la nuit étaient plus intenses. Il entendait les battements d'ailes des chauves-souris malgré le ressac de la mer.

Afin de pousser plus loin son enquête sur ses nouvelles facultés, il scruta Irianeth avec ses sens invisibles et fut stupéfait du nombre de formes de vie qu'il y trouva. Il se tourna vers l'orage et y perçut une force qu'il n'avait jamais soupçonnée.

— Où les dieux résident-ils ? murmura-t-il.

Son esprit fonça vers l'Éther à une vitesse si vertigineuse qu'il craignit de perdre connaissance. Sa course s'arrêta finalement au milieu d'un ciel étoilé. Il prit le temps de reprendre ses sens et constata qu'il flottait dans le vide devant une paroi transparente. Il tendit la main pour la toucher du bout des doigts. Elle était froide et humide. Il appliqua une plus grande pression, mais elle ne céda pas. Onyx utilisa donc ses yeux pour étudier cet étrange environnement. De l'autre côté de la cloison magique, il distingua les éléments d'un monde semblable à celui d'Enkidiev, mais dont les couleurs étaient fort différentes : le ciel était rose et le sol bleu et blanc !

« Si je suis un dieu, pourquoi n'y ai-je pas accès ? » se demanda Onyx. Il ne savait même pas s'il s'agissait du royaume des dieux fondateurs ou de celui d'un des trois panthéons. De toute façon, il semblait inhabité. « Peut-être est-il très vaste et peu peuplé sur ses frontières », finit-il par conclure.

— Je désire retourner à Irianeth, prononça-t-il.

Le chemin inverse fut tout aussi exaltant. Il s'affala dans son lit et reprit son souffle. Onyx avait vécu des expériences hors du commun durant ses deux vies, mais rien qui avait ressemblé à cette incursion dans l'univers céleste.

– Et tout ce temps, ce pouvoir était emprisonné en moi...

Si Akuretari n'avait pas péri aux mains de Wellan, Onyx lui aurait fait payer cher les tourments qu'il lui avait causés. Il se mit alors à penser aux révélations de l'ancien commandant des Chevaliers d'Émeraude, qui vivait désormais dans le corps d'un jeune homme de son sang. Si Napalhuaca, Lassa et Kaliska étaient aussi des divinités, pourquoi ne détenaient-ils pas cette force qu'il ressentait maintenant dans toutes les cellules de son corps ? Nomar avait-il installé en eux une cage semblable à la sienne ?

Il laissa errer son esprit en direction d'Enkidiev et sentit l'énergie de la Mixilzin. « À Émeraude ? » s'étonna-t-il. Il poursuivit sa route jusqu'à son château et capta la présence de Lassa et de sa fille. S'ils ne se comportaient pas comme des dieux, ils en possédaient certainement la lumière rayonnante. Napalhuaca ne se trouvait pas très loin d'eux, mais elle n'était pas au palais... « Elle est à ma recherche ! » comprit-il.

13

IPOCA

Afin de ne pas épuiser ses forces, Shapal fit de nombreuses pauses tout le long de la côte méridionale du Désert. Assis dans la barque qu'elle tirait sur les flots, Kirsan commença par examiner le paysage, puis s'en lassa, car durant des jours, il ne consista qu'en d'immenses plages de sable blanc. Lorsque son amie aquatique s'arrêtait, il en profitait pour se délier les jambes tandis qu'elle plongeait chercher de la nourriture, car il avait vite épuisé ses provisions.

Ils ne voyageaient jamais la nuit, car Shapal craignait les prédateurs qui remontaient chasser à la surface. Les jeunes gens dormaient dans l'embarcation, blottis l'un contre l'autre, sous la cape de Kirsan, même lorsque la pluie finit par cesser, une fois qu'ils eurent quitté la côte ouest du Désert. Dès que le ciel fut dégagé, le jeune augure pointa les étoiles à Shapal, lui expliquant ce qu'elles signifiaient. Il alla jusqu'à faire des prédictions sur le sort des humains.

— Le monde que nous connaissons prendra fin, affirma-t-il.

— Il disparaîtra ? s'effraya l'Ipocane.

– La terre demeurera et les hommes survivront, la rassura Kirsan. Ce sont les habitudes de vie et la structure politique du continent qui changeront.

– Et l'océan ?

– Il sera toujours là, mais il aura un nouveau monarque.

– N'est-il pas naturel pour un roi de céder son trône à son fils après sa mort ?

– Il le cédera de son vivant à un habitant d'Enkidiev.

– Les Ipocans sont pourtant très attachés à leurs coutumes qui remontent à des milliers d'années. Es-tu certain que le Roi Sannpeh ne sera pas contraint par la force de remettre son titre à cet étranger ?

– Les étoiles indiquent clairement une collaboration entre les deux hommes.

– Se trompent-elles, parfois ?

– Jamais. Ce sont ceux qui les interprètent qui ont parfois de la difficulté à comprendre leurs messages.

– Dis-moi que tu n'es pas doué pour la divination…

– C'est malheureusement mon plus grand talent.

Kirsan ressentit le désarroi de son amie.

– Ce ne sera pas une association défavorable aux Ipocans, ajouta-t-il. Au contraire, tous ceux qui ignoraient leur existence sauront qui ils sont.

– Notre façon de vivre sera-t-elle modifiée ?

– Je n'en sais rien.

Elle ne reparla plus de cette prophétie pendant le reste du voyage, s'efforçant plutôt d'instruire Kirsan sur les créatures qui vivaient dans l'océan. Elle utilisait des mots que Kirsan ne connaissait pas, mais il parvenait toujours à comprendre ce qu'elle tentait de lui décrire. Les humains ne s'étaient jamais vraiment intéressés à ce qui se trouvait sous les flots, sauf s'ils pouvaient le manger. Shapal lui apprit que certains poissons étaient aussi petits que le bout de son pouce, alors que d'autres pouvaient atteindre la taille du château où il avait grandi.

– Aucun Ipocan n'a jamais mesuré la profondeur des abysses, l'informa-t-elle. Nous ne savons même pas ce qui y vit.

– Peut-être est-ce mieux ainsi.

Lorsque les deux amoureux arrivèrent à la hauteur des volcans, l'environnement devint plus intéressant. Les volcans étaient si élevés que leur tête était coiffée de nuages. Ils seraient bientôt en vue d'Enlilkisar que seuls, parmi les héritiers d'Enkidiev, Hadrian et Onyx avaient traversé en entier. Selon les dires de l'ancien Roi d'Argent, ce continent était plus vaste qu'Enkidiev et plus peuplé, aussi. Kirsan était convaincu de pouvoir s'y tailler un avenir, même si son père était capable de le retrouver où que ce soit.

La barque venait à peine de franchir la pointe de la baie d'Itzaman lorsqu'un détachement de cavaliers Ipocans émergea sur de fringants hippocampes.

— Te revoilà enfin ! s'exclama Riga, leur chef. Tu m'avais dit que tu allais seulement visiter un ami.

— C'est ce que j'ai fait, se défendit-elle.

— Pendant tout un cycle lunaire ?

— Zénor est très loin d'ici et je ne pouvais pas nager rapidement au retour, puisque je tirais la barque. Vous reconnaissez le Prince Kirsan, n'est-ce pas ?

Riga le salua d'un mouvement sec de la tête.

— Il demande une audience avec le Roi Sannpeh.

Le commandant de la garde ipocane fit avancer son hippocampe plus près de l'embarcation.

— Avec tout le respect que je vous dois, Kirsan, vous ne pourriez pas atteindre le hall de mon souverain, car votre constitution ne supporterait pas la pression qui règne à cette profondeur.

Le Zénorois ouvrit la bouche pour insister, mais Shapal le devança.

– Ce n'est pas là que Sa Majesté a l'habitude de recevoir les dirigeants d'Enlilkisar.

Riga se raidit sur sa monture. Depuis quand les adolescents dictaient-ils leur conduite aux adultes ?

– Il les accueille sur la…

– Tu n'as rien à m'apprendre, Shapal, la coupa Riga.

La sirène serra les lèvres pour ne pas répliquer.

– Où as-tu l'intention de conduire ton invité ?

– Sur l'île.

– Il s'agit d'une terre sacrée.

– Alors, je le déposerai chez des gens qui sauront bien l'accueillir.

Riga leva vivement son trident, mais ne frappa pas l'insolente.

– Tes parents seront prévenus de ton retour, dit-il plutôt.

Il fit un signe à ses soldats, qui s'enfoncèrent tous en même temps sous les flots. Riga jeta un dernier coup d'œil aux jeunes contrevenants avant de suivre ses semblables.

– On dirait qu'ils ne sont pas très contents de me voir, déplora Kirsan.

— Les Ipocans sont gouvernés par des règles très strictes, expliqua la femme-poisson. Ils ne savent pas comment réagir lorsque se présente une situation inattendue.

— Que faisons-nous ?

— Les Itzamans nous laisseront dormir sur leurs plages.

Shapal se remit à nager, tirant la barque en direction du pays des adorateurs de Solis. « Quelle ironie », songea Kirsan. Son amie choisit de s'arrêter dans une crique au pied du volcan, à une bonne distance de la pyramide du soleil. De cette façon, ils n'importuneraient personne et pourraient jouir d'un peu plus d'intimité. Le Zénorois tira l'embarcation sur le sable pendant que Shapal allait cueillir des algues. Le climat d'Itzaman était si clément qu'ils n'auraient pas à allumer un feu pour se réchauffer. Après s'être sustentés, ils se couchèrent une fois de plus dans le petit bateau.

— Que se passera-t-il si le roi refuse de me recevoir ?

— Cela m'étonnerait qu'il agisse de la sorte. Quiconque sollicite un entretien avec lui l'obtient.

— Que ferons-nous s'il ne peut rien pour nous ?

Shapal plaqua ses deux mains sur la bouche de Kirsan en s'assoyant sur son ventre.

— Ne dis pas ça ! se fâcha-t-elle.

Kirsan enleva doucement les mains de son amie de ses lèvres.

– Il faut prévoir toutes les éventualités.

– S'il ne peut pas te transformer, alors j'implorerai Abussos de me rendre humaine !

– Et si...

– Tais-toi !

– Shapal, je comprends ta détresse, mais elle est prématurée, puisque le Roi Sannpeh n'a pas encore pris de décision. Je t'en prie, calme-toi.

Elle s'écroula sur la poitrine du jeune homme, qui s'empressa de la serrer contre lui.

– Si on nous sépare, je ferai un malheur, hoqueta-t-elle.

– Comme je te l'ai dit à Zénor, je pourrais vivre chez les Itzamans, ce qui nous permettrait de nous fréquenter, suggéra-t-il pour la faire sourire.

– Nous serions encore trop différents pour former un couple...

– Ce qui me fait penser que tu ne m'as pas encore appris comment les Ipocans amoureux se montrent leur affection.

– Je ne le peux pas, puisque tu n'as pas de branchies.

Il l'étreignit en silence pendant un moment.

— Est-ce que tu as la foi, Shapal ?

— Qu'est-ce que c'est ?

— Le fait de croire quelqu'un, d'avoir confiance en quelque chose.

— Je crois en toi.

— Et en Abussos ?

— C'est le créateur de toutes choses et le protecteur des Ipocans.

— Si tu lui adressais une prière, est-ce qu'il l'exaucerait ?

— Je n'en sais rien.

— Demandons-lui, ce soir, qu'il nous réunisse à tout jamais, de la façon qu'il choisira.

Elle allait répéter cette supplication lorsqu'ils entendirent le clapotement de pieds qui approchaient dans l'eau peu profonde.

— Shapal ! appela une voix grave.

La petite sirène se redressa d'un seul coup et se tourna vers l'océan.

— Père ?

Kirsan s'empressa de s'asseoir. L'homme qui se tenait devant la barque était couvert d'écailles vermeilles veinées d'opale. Ses cheveux rouge vif dépassaient ses épaules.

— Ta mère et moi t'avons avertie que tu ne devais pas quitter les eaux ipocanes.

— La fille d'Abussos désirait se rendre au royaume du Roi Onyx, de l'autre côté des volcans, répondit l'adolescente en s'efforçant de se montrer brave. Comment pouvais-je refuser cette faveur à Napashni sans offenser les dieux fondateurs ?

— Tu aurais dû revenir avec Riga.

— J'avais besoin de revoir Kirsan.

Les yeux amarante de l'Ipocan se tournèrent vers l'humain qui accompagnait sa fille.

— Et de le ramener chez nous, apparemment.

— C'était une décision commune, père.

— Combien de fois t'ai-je répété que tu ne peux pas adopter d'animal de compagnie ?

— Quoi ? s'étrangla le Zénorois, surpris.

— Kirsan est un prince parmi les siens ! s'exclama Shapal, offensée. S'il est ici, c'est pour devenir l'un des nôtres !

— Est-ce lui qui t'a mis une idée aussi absurde dans la tête ?

— Rien n'est impossible à Abussos.

— Viens. Nous rentrons à la maison.

— Mais…

— Fais ce qu'il te demande, murmura Kirsan. Nous nous reverrons demain.

Le jeune homme lui fit un baisemain et la poussa gentiment vers son père. S'il voulait être accepté par la communauté aquatique, il ne devait surtout pas se mettre la famille de Shapal à dos. La sirène dirigea vers son ami un regard implorant, mais descendit tout de même de l'embarcation enfoncée dans le sable. Elle suivit son père à reculons dans la mer, puis plongea derrière lui.

Kirsan s'enveloppa dans sa cape pour se réconforter et s'endormit en s'efforçant de croire que tout irait bien. Cette nuit-là, il rêva qu'il nageait sous l'eau comme un poisson. Il s'étonna du paysage enchanteur qui se déployait devant lui. Sur les bas-fonds poussaient des fleurs aussi exquises que celles qui faisaient la joie des humains, à la surface. Elles étaient tout aussi colorées et, au lieu d'être bercées par le vent, elles étaient caressées par les courants marins.

Lorsque le Prince de Zénor ouvrit les yeux, au matin, il aperçut autour de sa barque une dizaine d'Ipocans armés de tridents.

— Venez avec nous, lui enjoignit Riga.

– Où m'emmenez-vous ?

Sans répondre, le chef de la garde tourna les talons et marcha vers l'océan. Kirsan se défit de sa cape et le suivit. Quelques mètres plus loin, d'autres soldats à cheval sur leurs hippocampes retenaient les montures de ceux qui étaient allés chercher l'humain. Riga grimpa sur le sien et fit signe à Kirsan de s'asseoir derrière lui. Le Zénorois n'avait pas fini de s'installer que les créatures marines foncèrent vers le large. Il passa rapidement les bras autour de la taille de l'Ipocan pour ne pas être éjecté dans les flots.

Contrairement à ce que craignait Kirsan, les hippocampes ne plongèrent pas sous l'eau. Ils nagèrent en gardant la tête à l'air libre en poussant de petits cris plaintifs. De temps à autre, ils immergeaient leurs longs museaux pour humecter leur peau sensible. Au bout d'une heure, la troupe arriva en vue de l'île que les Itzamans appelaient Ipoca. Il s'agissait en fait d'un gros bloc de roc où poussaient très peu d'arbres. Les soldats en firent le tour jusqu'à une petite baie naturelle, située au sud-ouest. C'était le seul endroit qui n'était pas une falaise.

Tandis que les hippocampes s'approchaient de la rive, Kirsan distingua les nombreuses marches sculptées dans la pierre et qui menaient à une plateforme.

– Grimpe là-haut, lui ordonna Riga.

Sans discuter, le Zénorois se laissa glisser dans l'eau et nagea jusqu'à la rive. Tant bien que mal, il marcha dans les galets glissants et gagna finalement l'escalier géant qu'il gravit sans se presser, afin de conserver son souffle. Lorsqu'il atteignit la terrasse, il constata qu'elle était bien plus vaste qu'il l'avait imaginé. Il leva les yeux sur l'énorme statue d'Abussos au pied de laquelle il se trouvait, surpris de découvrir que la partie humaine de son corps avait des traits tout à fait Enkievs…

Des coups de trompe firent sursauter le jeune homme. Il retourna sur le bord de la plateforme et vit que des Ipocans soufflaient dans des conques. S'agissait-il d'avertir la population aquatique qu'elle devait se rassembler en ce lieu ou d'annoncer l'arrivée imminente d'un personnage important ? Des hommes, des femmes et des enfants de toutes les couleurs se mirent à grimper sur les corniches. Ils lui firent penser aux otaries dont son grand-père lui avait parlé. Jadis, ces mammifères venaient aussi se prélasser sur les rochers de Zénor, avant que les sorciers n'empoisonnent la région. « Pourquoi n'utilisent-ils pas l'escalier ? » s'étonna le jeune homme.

En peu de temps, les Ipocans se massèrent tout autour de la terrasse. Il y en avait des milliers ! Kirsan se mit à chercher l'élue de son cœur parmi eux, mais ils étaient si nombreux… Les conques recommencèrent à retentir tandis qu'un nouveau groupe, composé du Roi Sannpeh, de son entourage et de ses soldats, sortait de l'eau. Le souverain était facilement reconnaissable à ses écailles opalines aux reflets irisés et à sa chevelure bleue comme le ciel. À ses côtés marchait le Prince Skalja, doré comme le soleil. Ils étaient suivis de nombreux Ipocans et flanqués des soldats armés de Riga.

Kirsan n'avait jamais questionné Shapal sur les usages de la cour de son peuple, alors, lorsque le roi arriva sur la plateforme, le Zénorois fit la seule chose qui lui vint en tête : il mit un genou en terre devant Sannpeh et baissa la tête. L'Ipocan le contourna et alla se planter au pied de la statue de son dieu.

— Qui es-tu et de quel droit demandes-tu à me voir ? demanda Sannpeh d'une voix forte qui résonna sur toute l'île.

— Je m'appelle Kirsan. Je suis le fils du Prince Zach et le petit-fils du Roi Vail de Zénor, Majesté, se présenta l'humain en pivotant sur son genou et en relevant prudemment la tête. J'ai voyagé jusqu'à Ipoca par amour.

L'homme-poisson pencha la tête de côté, indiquant qu'il ne comprenait pas sa réponse.

— Il y a plusieurs lunes, j'ai accompagné mes amis jusqu'à Enlilkisar afin de trouver le médicament qui rendrait la santé à mon roi, poursuivit Kirsan. C'est alors que j'ai rencontré une jeune fille de votre peuple qui a conquis mon cœur.

— Tu es amoureux d'une Ipocane, comprit Sannpeh.

— Ma vie sans elle n'a plus aucun intérêt, Majesté.

Les yeux bleus irréels du monarque fixèrent le requérant un long moment.

— Qu'attends-tu de moi, Kirsan de Zénor ? s'enquit-il finalement.

— On m'a laissé entendre qu'il existait une procédure permettant à un homme de devenir l'un des vôtres.

Une grande clameur s'éleva de l'assemblée, mêlée de surprise et de protestation. Le roi leva le bras, rétablissant immédiatement le silence.

— Elle n'a été utilisée qu'une fois. Un jeune Elladien s'était épris d'une de nos femmes. L'intervention s'est soldée par la mort de celui qui l'avait demandée à mon grand-père. Celui-ci a fait jurer à son successeur de ne plus jamais en tenter l'expérience.

— Kirsan n'est pas un humain ordinaire ! protesta alors une voix dans la foule.

— Qui a parlé ? voulut savoir Sannpeh.

— C'est moi, Majesté !

Le monarque vit alors à sa droite, parmi l'auditoire, une jeune fille que sa famille tentait de faire taire.

— Approche, mon enfant.

Shapal se défit de sa mère et descendit des rochers jusqu'à ce qu'elle atteigne enfin la terrasse. Kirsan la regarda s'avancer vers son roi en espérant qu'elle ne serait pas châtiée pour son audace.

— Je suis la fille de Seuthès et de Matka.

Le roi tourna la tête vers le soldat aux écailles rubicondes qui se tenait deux pas derrière Riga. Il semblait plutôt embarrassé par la conduite de sa fille.

– Les filles des prêtresses sont habituellement appelées à marcher dans leurs pas, dit Sannpeh à l'adolescente.

– C'est ce qui a été décidé pour ma sœur Zhali, Majesté.

– Pourquoi pas pour toi aussi ? s'enquit le roi en pivotant vers Seuthès.

– Parce qu'elle est intraitable, Majesté... murmura le soldat, honteux.

Sannpeh étudia le mignon visage de la rebelle, puis celui de l'humain, et constata qu'ils échangeaient des regards doux.

– Comment t'appelles-tu ?

– Shapal, Majesté.

– Cet homme t'a-t-il séduite par la force ?

– Oh non, pas du tout. J'ai été conquise par sa douceur, ses propos et ses yeux bleus.

– Es-tu d'accord avec sa requête ?

– Si elle nous permet de passer le reste de notre vie ensemble, oui, je le suis.

– Sais-tu que cette transformation, si elle réussit, comporte d'atroces souffrances pour lui ?

– Pour un humain ordinaire, certes, mais Kirsan est le fils du dieu Solis.

L'assemblée manifesta sa stupéfaction et, cette fois, Sannpeh réagit de la même façon. Il mit plusieurs minutes avant de se remettre de sa surprise.

– J'ignore si cette procédure peut être tentée sur une divinité, avoua-t-il lorsque le calme fut revenu. Pour en être bien certain, je devrai m'adresser à Abussos lui-même, par le biais des prêtresses. D'ici là, Kirsan de Zénor sera sous ta responsabilité. Tu devras l'instruire sur nos coutumes afin qu'il ne transgresse aucune de nos lois.

– Cela va de soi, Majesté.

– Que tous m'écoutent ! Cet homme est l'arrière-arrière-petit-fils d'Abussos et mon invité à Ipoca. Il devra être traité avec respect !

Sans remarquer le regard noir que Seuthès dirigeait vers sa fille, Sannpeh se mit à descendre le grand escalier, aussitôt suivi de son entourage et de sa garde. Toutefois, le Prince Skalja s'attarda un instant près de Kirsan.

– Je reviendrai vous voir demain, murmura-t-il.

– Je ne sais pas où je serai, avoua le Zénorois.

– Je vous trouverai.

Le bel homme aux écailles dorées suivit sa famille. Par petits groupes, les spectateurs plongèrent dans la mer. Il ne resta plus sur la terrasse que Kirsan, Shapal et sa mère. La sirène aux écailles indigo veinées d'argent et aux cheveux aussi verts que ceux de sa fille s'approcha de cet étranger qui dérangeait sa vie de famille.

— Kirsan, voici Matka, ma mère. Elle fait partie des prêtresses d'Abussos.

— Je suis ravi de faire votre connaissance, madame, la salua le Prince de Zénor.

— Où dormirez-vous tandis que le roi se renseigne ? demanda Matka.

— Sur la plage des Itzamans, sans doute.

— Il y a de nombreuses chambres chez nous.

— Je ne suis malheureusement pas encore une créature marine.

— Nous ne vivons pas entièrement dans l'eau.

— Elle a raison, l'appuya Shapal. Les Ipocans habitent dans des grottes sous-marines tout autour de cette île, mais elles ont toutes des conduits qui les approvisionnent en air pur. Et je sais exactement comment t'y emmener.

— Je serais ravie de vous recevoir pour le dernier repas de la journée, les convia Matka. Ne soyez pas en retard.

La prêtresse les quitta à son tour.

— Quelle étrange journée, laissa tomber Kirsan.

— C'est vrai, mais nous nous rapprochons du but, l'encouragea son amie.

— Combien de temps devrai-je retenir ma respiration afin d'atteindre votre maison ?

— Une dizaine de minutes.

— Alors, je n'y arriverai jamais.

— Tu y parviendras grâce à mes branchies. Je t'en prie, dis oui… Je meurs d'envie de te montrer à quoi ressemble nos maisons, notre nourriture et nos coutumes.

Kirsan aurait fait n'importe quoi pour lui faire plaisir. Il éprouva également une certaine satisfaction de savoir que jamais son père ne viendrait le chercher sous la mer. Après avoir bavardé une bonne partie de la journée sur la plate-forme, les jeunes gens descendirent vers la mer. Le Zénorois jeta un dernier regard à l'énorme statue du dieu-hippocampe, puis sauta dans les vagues. Shapal passa aussitôt ses bras autour de sa poitrine.

— Je vais coller mes lèvres contre les tiennes. Respire normalement par la bouche et non par le nez et, surtout, ne panique pas.

Il hocha doucement la tête pour dire qu'il acceptait de tenter l'expérience. La petite sirène lui fit faire quelques essais au-dessus de l'eau et lorsque son ami humain comprit qu'il ne suffoquerait pas, elle l'entraîna vers les profondeurs. Kirsan se transmit lui-même une vague d'apaisement afin de rester calme pendant tout le trajet et garda les yeux bien ouverts. Il vit que la falaise de l'île descendait très profondément sous l'eau. Elle présentait sur toute sa surface de grands trous qui devaient être des entrées de logis. Autour d'eux nageaient des Ipocans de toutes les couleurs. Des adultes transportaient des paniers remplis d'algues ou des tridents avec lesquels ils avaient embroché de petits poissons. Il y avait aussi des enfants qui se pourchassaient en émettant des cris de plaisir.

Kirsan était si occupé à étudier cet environnement qu'aucun autre humain n'avait vu avant lui que le parcours lui sembla n'avoir duré qu'un instant. Shapal l'entraîna dans un tunnel sombre, où l'eau était plus fraîche, puis le libéra dès que leurs têtes crevèrent la surface. Quelle ne fut pas la surprise du jeune homme lorsqu'il constata que l'entrée de la maison était éclairée par les pierres lumineuses dont lui avait parlé son oncle Lassa. N'appartenaient-elles pas au monde des hommes-insectes? Il n'eut pas le temps d'adresser la question à son amie. Elle le tira hors de l'eau et le guida dans un couloir qui se divisait en plusieurs petites grottes. Tout au bout se trouvait une caverne plus vaste, qui servait de lieu de rassemblement familial. Deux jeunes Ipocans, assis sur le plancher, étaient en train d'ouvrir des huîtres. En voyant arriver l'étranger, ils se figèrent.

– Zhali, Périko, je vous présente Kirsan.

La sœur et le frère de Shapal demeurèrent immobiles, les yeux écarquillés, la bouche ouverte.

— Nous avons aussi ce genre de mollusques à Zénor, fit le prince pour calmer leurs appréhensions.

Zhali était visiblement plus âgée que Shapal. «Elle ressemble à Kira, avec ses écailles mauves et ses cheveux violets», songea Kirsan. Périko semblait plus jeune. Son corps était grenat et ses cheveux noirs comme la nuit.

— Maman l'a invité à manger avec nous, annonça Shapal.

— Pourquoi ? s'étonna Périko.

— Parce qu'il est l'invité du roi et parce qu'il est spécial dans mon cœur.

— Mais c'est un humain.

— Son père est l'arrière-petit-fils d'Abussos.

«S'ils savaient que je me transforme en chat du Désert, ils ne resteraient pas là à me dévisager comme si j'étais un fantôme», songea Kirsan.

— Où est maman ?

— Elle est partie chercher des laminaires, répondit Zhali d'une voix presque inaudible.

– Ce sont des algues très nourrissantes, expliqua Shapal en apercevant l'air interrogateur de son ami. Viens, je vais te montrer ma chambre.

Elle fit demi-tour dans le couloir en tenant Kirsan par la main et le fit entrer dans l'une des petites grottes que le jeune homme avait vues à son arrivée. Elle était également éclairée par des pierres blanches. Sur le sol était creusé un bassin d'un mètre de profondeur. Il était rempli d'eau salée, de sable, d'étranges plantes circulaires et de minuscules poissons argentés.

– Nous respirons le même air que les humains, mais nous devons vivre dans l'eau, commenta Shapal. Les éponges sont très confortables et elles ne nécessitent que des résidus d'algues pour survivre.

– Mais tu as dormi dans la barque avec moi de Zénor jusqu'à Ipoca !

– Sans que tu t'en aperçoives, j'allais régulièrement tremper mes écailles dans la mer.

– À quoi servent les petits poissons ?

– Les garra rufa nettoient mes écailles pendant mon sommeil.

– C'est très ingénieux. Vous prenez votre bain en dormant.

Toutes les autres chambres ressemblaient à celle de Shapal, sauf que le lit liquide des parents était plus grand. La jeune fille ramena Kirsan dans la salle commune. Après avoir observé le travail de Zhali et de Périko, le prince décida de les aider à ouvrir les huîtres.

— Elles nous servent de nourriture, d'outils et de décoration, déclara la future prêtresse à l'étranger.

— Celles qui vivent sur la côte d'Agénor contiennent des perles, à ce qu'on raconte, ajouta Périko.

— Mais nous n'en avons jamais vues, déplora Shapal.

— Il serait amusant d'organiser une excursion là-bas, un de ces jours, proposa Kirsan.

— Génial ! approuva Shapal.

Toutefois, les deux autres Ipocans n'affichèrent pas autant d'enthousiasme que leur sœur, car il était défendu de s'aventurer loin de l'île.

Matka revint à la maison quelques minutes plus tard avec un grand panier chargé d'algues brunâtres.

— Je suis heureuse de te revoir, Kirsan, le salua la mère. Nous mangerons dès que Seuthès rentrera.

— Maman, où dormira-t-il ? voulut savoir Shapal.

— Dans la chambre sèche. Il y a plusieurs années, nous avons reçu des couvertures en présent de la part des Itzamans. Elles ont heureusement eu le temps de sécher.

Shapal installa donc Kirsan dans sa chambre, où aucun bassin n'avait été aménagé, pendant que sa mère mettait la touche finale au repas. Dès que Seuthès émergea du tunnel, elle appela ses enfants. Les Ipocans mangeaient assis en rond sur le sol, et se servaient des différents aliments à même les grands tridacnes placés au centre. Ils n'utilisaient ni écuelle, ni ustensiles et mangeaient avec leurs doigts.

– Habituellement, nous profitons de ce moment pour nous raconter ce que nous avons fait durant la journée, fit savoir Matka à leur invité humain.

– Peut-on parler de n'importe quoi devant lui ? s'informa Périko.

– Je suis ici pour apprendre, assura Kirsan.

Les enfants se mirent alors à bavarder comme des pies. Le petit garçon rapporta tout ce que les Anciens lui avaient appris durant ses classes du matin, puis Zhali décrivit les rituels qu'elle devait apprendre par cœur avant la nouvelle lune. De temps à autre, Matka leur posait des questions pour les inciter à s'exprimer plus clairement. Seul Seuthès garda le silence, se contentant de manger en écoutant la conversation. Kirsan savait que le soldat ne tolérait sa présence chez lui que parce que c'était le désir du roi. Il lui faudrait trouver une façon de se faire accepter dans la famille de sa future épouse.

14

MEURTRI

Dans sa grande tour sur le bord de la rivière Mardall, Hadrian s'était rapidement remis de ses blessures physiques, mais son moral en avait pris un coup. Jenifael, qu'il avait cherchée pendant si longtemps, avait choisi de partir avec son ravisseur. Jamais sa première femme ne lui aurait fait un pareil affront. Éléna était de la plus grande distinction. Non seulement elle avait toujours agi par devoir, mais elle avait également fait preuve de la plus admirable loyauté envers son époux. Les gens qui possédaient de belles valeurs respectaient toujours leurs engagements. Pourtant, Jenifael avait été élevée par Wellan d'Émeraude et Bridgess de Perle, deux Chevaliers dont l'honnêteté était légendaire.

Pour cesser de remâcher son amertume, Hadrian but tout le contenu d'une urne de vin. Son geste lui fit aussitôt penser à Onyx. Pour quelle raison lui avait-il ravi son porte-bonheur, alors qu'il savait mieux que quiconque ce qu'il représentait pour lui ? Pire encore, pourquoi lui avait-il arraché son talisman au lieu de soigner ses blessures ? Jamais, sur les champs de bataille où ils avaient combattu côte à côte, Onyx n'aurait agi de la sorte. « Était-ce bien lui ? » se demanda soudain l'ancien Roi d'Argent. Il avait pourtant bien vu son visage, l'espace d'un instant, mais un homme en proie à la douleur pouvait s'imaginer bien des choses.

Meurtri par cette double trahison, Hadrian sortit de son logis sous la pluie et marcha en chancelant jusqu'au cours d'eau, sous le regard inquiet de Staya, son cheval-dragon. Celle-ci poussa une plainte stridente.

– Ce n'est pas parce que je n'en ai pas envie, ma belle, mais non, je n'ai pas l'intention de me suicider dans la rivière. J'éprouve seulement le besoin de me changer les idées.

Hadrian s'agenouilla sur la berge et se plongea la tête dans l'eau froide à plusieurs reprises. Puis, il s'assit sur l'herbe et ferma les yeux. La jument, qui s'était approchée, le flaira.

– Il n'y a rien que tu puisses faire, Staya. Laisse-moi m'apitoyer sur mon sort.

Elle lui donna de petits coups de naseaux entre les omoplates.

– Je t'en prie, laisse-moi seul.

En fait, la bête tentait de l'avertir qu'ils avaient une visiteuse.

– Staya, arrête de faire ça !

Hadrian ouvrit les yeux et aperçut Theandras, qui flottait sur un nuage enflammé à quelques pas de lui.

– Déesse, la salua-t-il en baissant la tête.

Maintenant qu'il avait compris son message, Staya recula de quelques pas, mais demeura aux aguets.

— Je ne peux plus rien faire pour vous deux, déclara Theandras. Je suis vraiment désolée.

— Je n'avais pas l'intention de vous demander d'intervenir, cette fois-ci.

— Je vous ai rajeuni pour vous rendre plus attrayant aux yeux de ma fille et je vous ai arraché aux émotions négatives de votre passé.

— Apparemment, cela n'a pas suffi à nous rendre compatibles, puisque Jenifael s'est empressée de prendre le large avec un autre homme.

— Je possède d'incommensurables pouvoirs, Hadrian, mais je ne peux pas changer le cœur de Jenifael.

— Cet enlèvement était-il prémédité ?

— Accusez-vous ma fille d'avoir comploté contre vous avec son ravisseur ?

— Je ne sais pas quoi penser...

— Il y a des hommes qu'on apprend à aimer et d'autres qui nous subjuguent par un seul regard.

— C'est parce qu'il est un dieu, n'est-ce pas ?

— À mon avis, ce n'est pas ce qui a fait pencher la balance.

— Dites-moi pourquoi elle est partie avec le tigre.

— Vous devez d'abord savoir qu'il aime Jenifael à la folie depuis très longtemps, mais qu'il ne s'était jamais déclaré, par timidité.

— Timidité ? tonna Hadrian. Il l'a enlevée au beau milieu de son mariage !

— Il aurait voulu le faire avant qu'elle prononce ses vœux, mais il n'a pas été assez rapide. Il ne sert à rien de vous fâcher. Ni vous, ni moi ne pourrons empêcher ces deux jeunes divinités d'aller jusqu'au bout de ce qu'elles ont à vivre ensemble.

— Vous êtes donc d'accord avec le choix de votre fille.

— Je ne veux que le bonheur de Jenifael et je la sens enfin heureuse.

— Sans que vous ayez à intervenir pour changer mon rival à son tour.

— Faites attention à vos paroles, Hadrian d'Argent. C'est à une déesse que vous vous adressez.

Il se mordit les lèvres pour ne pas répliquer.

— Je suis certaine que vous avez mieux à faire que de vous morfondre chez vous.

– Apparemment, on ne m'a pas ramené dans ce monde pour que je me marie, mais pour que je freine les envies de conquête de mon frère d'armes, sans m'avertir qu'il est cent fois plus puissant que moi.

– Il est vrai que certaines rumeurs circulent dans les sphères célestes à son sujet.

– Onyx est vraiment le fils d'Abussos, n'est-ce pas ?

– C'est ce qu'on dit.

– Dans ce cas, je n'ai plus rien à faire ici. Renvoyez-moi sur les grandes plaines de lumière afin que je vive dans la félicité auprès de ma femme et de ma famille.

– Je n'ai aucune raison de vous tuer, Hadrian. N'oubliez pas non plus que si vous attentez à votre propre vie, vous ne serez pas conduit dans la section du ciel où vous avez déjà séjourné. Les dieux fondateurs ne sont pas très cléments avec ceux qui mettent fin à leurs jours avant la date prévue de leur mort.

– Ce sera à moi de prendre cette décision.

– Alors, soit.

– Avant de partir, déesse, dites-moi où je peux trouver Onyx.

– Personne ne sait où il se cache.

Les flammes qui brûlaient sous les pieds de Theandras devinrent plus intenses et l'engouffrèrent d'un seul coup, avant de la faire disparaître. Staya s'approcha d'Hadrian et posa son menton sur son épaule.

— Ne t'inquiète pas, ma jolie. Je ne m'en irai pas avant d'avoir repris à Onyx ce qu'il m'a dérobé.

Staya contourna son maître et le poussa vers sa tour.

— Mais qu'est-ce que tu fais ?

La pluie, qui s'était arrêtée pendant son entretien avec Theandras, avait recommencé à tomber. Au loin, on pouvait entendre le roulement de tonnerre de l'orage qui approchait.

— Si j'entre là-dedans, je vais encore me saouler ! protesta Hadrian.

La force musculaire des chevaux-dragons étant quatre fois supérieure à celle des chevaux ordinaires, Staya parvint facilement à le mettre à l'abri dans sa demeure de pierre. Pour être bien certaine qu'il grimperait jusqu'à l'étage habitable, la jument resta plantée devant la sortie.

— Bon, d'accord, tu gagnes…

Hadrian poursuivit sa route jusqu'en haut, mais ralentit le pas avant de mettre le pied sur les dernières marches. Il n'avait pas assez bu pour ne pas remarquer la luminosité différente de la grande pièce circulaire où il vivait depuis la fin de la guerre.

— Qui est là ? demanda l'ancien souverain en arrivant sur le palier.

— Quelqu'un qui vous a fâcheusement négligé.

Il reconnut tout de suite la voix de Danalieth, à qui Parandar avait pardonné ses fautes et qui veillait désormais sur les humains.

— Comme si vous n'aviez que cela à faire, vous occuper de moi ! répliqua Hadrian.

Vêtu de blanc et d'or, l'Immortel avait bien meilleure mine que lorsqu'il vivait en exilé dans la forêt de Turquoise.

— Pardonnez-moi si j'ai écouté votre conversation avec Theandras tout à l'heure, s'excusa Danalieth.

— Je n'ai rien à cacher.

— Si c'est vraiment votre vœu de retrouver le repos éternel, je peux renverser le sort que je vous ai jeté.

— En ce moment, vous parlez à un homme triste et désabusé qui a été trompé par les deux personnes qu'il estimait le plus. Peut-être serait-il préférable que nous parlions de tout ceci un autre jour.

— Majesté, la vie est comme un énorme échiquier. Il n'est pas toujours facile de prévoir le déplacement de chacune de ses pièces.

— Vous faites référence à Onyx, n'est-ce pas ?

— Il est si imprévisible que les dieux eux-mêmes ne savent pas ce qu'il fera.

— Ne m'avez-vous pas rappelé dans le monde des vivants afin de le surveiller ?

— Sa soif de conquête me troublait déjà à cette époque, avoua Danalieth. Aujourd'hui, ce que je crains, c'est qu'il ne détruise ce monde en tentant de le soumettre à sa volonté.

— Onyx est un dieu, alors que je ne suis qu'un revenant. Comment pourrais-je contenir son ambition ?

— À l'aide de votre arme la plus redoutable, soit votre éloquence. Vous avez le don des mots, Hadrian, l'avez-vous oublié ?

— Jadis, mon frère d'armes écoutait mes conseils, mais ce temps est révolu, vénérable Danalieth.

— Je n'en suis pas aussi sûr que vous. En ce moment, le Roi d'Émeraude suit ses instincts, mais lorsqu'il se retrouvera complètement seul, il aura besoin d'un véritable ami.

— Ami ? Il vient de me voler une amulette à laquelle je tenais beaucoup et il ne m'a même pas porté secours alors que j'étais gravement blessé !

— Possédiez-vous un instrument de pouvoir sans le savoir ?

– Il s'agit d'un hippocampe en argent que m'a offert une enchanteresse dans ma première vie à Enkidiev. Une simple amulette.

– Onyx ne vous l'aurait pas ravie si elle ne possédait pas une autre fonction.

Hadrian se creusa l'esprit et se souvint alors qu'il l'avait utilisée pour solliciter la présence des guerriers ipocans.

Il veut lever une armée... murmura l'ancien monarque.

– Une armée d'hippocampes ?

– Ou plutôt des créatures aquatiques qui les chevauchent.

L'Immortel ne cacha pas sa surprise.

– Ne savez-vous donc rien du nouveau monde ?

– Je ne m'occupe, de l'autre côté des volcans, que des peuples qui vénèrent les Ghariyals, soit les Mixilzins, les Ressakans et les Elladiens. Aucun d'entre eux ne vit dans l'eau. D'ailleurs, que ferait Onyx d'un contingent de soldats qui ne se déplace pas sur terre ?

– Il pourrait perturber le commerce maritime, la pêche et je ne sais quoi encore. Ils font sans doute partie d'un grand plan qu'il est en train d'ébaucher.

– Commencez-vous à entrevoir votre rôle, Hadrian ? Vous seul êtes capable de rassembler tous les morceaux du casse-tête.

– Ce n'est pas une mince affaire de démêler les pensées
d'Onyx d'Émeraude…

– Ne laissez pas tomber Enkidiev.

Danalieth s'effaça doucement sous les yeux d'Hadrian.

15

ÂMES SŒURS

Libérée de la caverne de cristal, Jenifael avait repris tous ses pouvoirs et elle localisa facilement Mahito, car le repérage à l'œil nu ne servait à rien dans un pays constellé de dunes de sable. Grièvement blessé, le tigre n'avait pas couru bien longtemps avant de s'effondrer. Lorsque la déesse le rattrapa enfin, sa fourrure était maculée de sang. Il poussa un rugissement menaçant lorsqu'elle s'agenouilla près de sa tête.

– Mahito, c'est moi, Jenifael…

Il reprit aussitôt sa forme humaine et tendit vers elle une main tremblante. Le visage du jeune homme était crispé par la douleur.

– Les dieux ne sont pas censés souffrir ainsi… hoqueta-t-elle.

Elle serra ses doigts entre les siens en lui transmettant d'abord une vague anesthésiante, puis une partie de sa force vitale, afin de le maintenir en vie. Anyaguara apparut alors aux côtés de Jenifael.

– S'il est le fils d'une déesse et d'un Immortel, pourquoi est-il dans un état aussi déplorable ? demanda la femme Chevalier.

– C'est la faute de son père, grommela la panthère en appliquant les deux mains sur la plaie causée par la lance.

– Mère… murmura Mahito, ramolli.

– Tais-toi et conserve tes forces.

Jenifael ressentit alors l'arrivée d'une vingtaine d'individus. Elle ferma les yeux pour capter leurs pensées.

– Des chasseurs approchent, déclara-t-elle.

La sorcière prit la main de la femme soldat et conserva l'autre sur la blessure de son fils. En un instant, ils se retrouvèrent dans une forêt tropicale.

– Où sommes-nous ?

– Au Royaume de Jade, répondit Anyaguara. Je vous en conjure, gardez vos questions pour plus tard, quand j'aurai sauvé Mahito.

Penaude, Jenifael recula de quelques pas, s'assit et ramena ses jambes contre sa poitrine afin d'observer le travail de la déesse féline sans l'importuner. Anyaguara commença par arrêter le flot de sang, puis répara les tissus, les veines, les muscles et la peau de l'homme-tigre. Grâce à l'intervention de sa nouvelle amie, celui-ci supporta tous les traitements sans douleur.

– Veillez sur lui, ordonna ensuite la sorcière à la femme soldat.

Elle disparut d'un seul coup.

– Mais où allez-vous ?

– Jeni... souffla le blessé.

La jeune déesse se précipita à son chevet et souleva sa tête pour la placer sur ses jambes.

– Essaie de dormir.

Elle glissa ses ongles dans les longs cheveux noirs du demi-dieu afin de le détendre.

– Tu es restée...

– Mais oui, espèce d'idiot. Maintenant, arrête de parler et concentre-toi sur ta guérison.

Lorsque son nouvel ami remua les lèvres pour ajouter quelque chose, Jenifael relâcha dans son crâne suffisamment d'énergie pour l'assommer. Les heures passèrent sans que la sorcière revienne lui dire ce qu'elle devait faire.

Lorsque le soleil se mit à descendre, la femme Chevalier craignit que l'odeur du sang n'attire des prédateurs affamés.

Elle fit donc apparaître autour d'eux un cercle de feu magique pour les protéger et s'appuya contre Mahito. Malgré son désir de rester éveillée, au petit matin, elle s'endormit. Ce furent les efforts du dieu-tigre pour se redresser qui la réveillèrent quelques heures plus tard.

— Est-ce que ça va ? s'inquiéta immédiatement Jenifael en lui laissant suffisamment d'espace pour s'asseoir.

Le ressentiment qui brillait dans les yeux de Mahito la mit en garde.

— Je ne pourrais jamais être amoureuse d'un homme rancunier, l'avertit la déesse.

— Il a failli me tuer.

— C'est un réflexe tout à fait normal lorsqu'on se fait attaquer par un fauve, Mahito.

La colère de son amant tomba d'un seul coup.

— Tout ce qui s'est produit hier est bien malheureux, poursuivit Jenifael, mais c'est déjà du passé. Moi, j'ai envie de regarder vers l'avenir… et en ce moment, nous ne sommes pas très reluisants.

Les vêtements des deux nouveaux amoureux étaient déchirés et tachés de sang. Mahito regarda autour de lui et flaira le vent à la manière d'un animal.

— Je sais où nous sommes, affirma-t-il.

Il se leva en grimaçant.

— Tu dois avoir mal partout.

— J'ai connu pire. Les fermiers des environs ne sont pas tendres avec les tigres.

Mahito lui tendit la main avec un sourire invitant, et Jenifael y succomba. Il boitilla sur un sentier dans la luxuriante végétation pour finalement atteindre un étang aux eaux limpides, alimenté par une petite cascade.

— As-tu grandi ici ?

— Mon père m'a caché un peu partout, jusqu'à ce que je décide de me débrouiller seul.

— Quel âge as-tu, Mahito ?

— Je suis assez vieux pour savoir de quoi je parle.

— Mais ton visage est si jeune...

— Les enfants des dieux ont le pouvoir de choisir leur âge.

— C'est vrai, se souvint Jenifael. J'ai sauté bien des années pour atteindre celui de mes amis Liam et Lassa, au grand découragement de ma mère, d'ailleurs.

Mahito se débarrassa de ses vêtements déchirés et marcha dans l'eau. Jenifael, qui n'avait jamais rien fait d'aussi osé, hésita. Mais quand elle l'entendit soupirer de soulagement, elle laissa tomber tous ses scrupules. Elle ôta ce qui restait de sa robe de mariée et plongea pour rejoindre son ami. « Pourquoi l'eau est-elle aussi froide dans un pays aussi chaud ? » se demanda la déesse.

— Elle provient directement des glaciers du nord, répondit le dieu-tigre à sa question silencieuse.

— Je ne pourrai donc jamais rien te cacher.

— C'est malgré moi. Je n'ai jamais appris comment neutraliser cette faculté.

Jenifael s'approcha de lui et toucha la cicatrice juste au-dessus de son cœur.

— Personne ne s'est jamais battu pour moi, avoua-t-elle.

Liam avait souvent eu envie de faire un mauvais parti à Cassildey, jadis, quand il rôdait autour d'elle, mais il aurait probablement reculé devant une lance…

— Qui est Cassildey ?

— Un Écuyer qui est mort à la guerre, parce qu'il n'a pas su travailler en groupe.

— Qu'y a-t-il de mal à être individualiste ?

— Rien, si on a décidé de vivre en marge de la société, mais Cassildey faisait partie des Chevaliers d'Émeraude. Il n'était pas capable d'assimiler nos valeurs et encore moins de les mettre en pratique.

Mahito l'attira à lui et l'embrassa sur les lèvres.

— Et moi ? Aurais-je pu être Chevalier ?

— Tu possèdes certes une grande sagesse, mais tu es un solitaire.

— Serais-je un bon mari ?

— Il faudra continuer de me courtiser avant que je me prononce là-dessus, Mahito de… Où es-tu né ?

— Je ne le sais pas exactement. Parfois, mon père disait que c'était au Royaume de Jade, d'autres fois, il affirmait que j'étais né dans les forêts de Turquoise.

— Alors, ce sera Mahito d'Enkidiev, décida Jenifael.

Ils échangèrent de langoureux baisers en oubliant le reste de l'univers. Lorsque la jeune femme se mit à grelotter, le dieu-tigre la prit dans ses bras et la transporta à travers la forêt.

— Mahito, nos vêtements !

— Tu tiens vraiment à te parer de ces loques ?

— C'est tout ce que nous avons !

Le sourire moqueur sur le visage du jeune homme lui fit comprendre qu'il lui préparait une surprise… mais elle n'aimait pas les surprises. Depuis sa naissance, tout avait été envisagé avec soin et rien n'avait jamais été laissé au hasard.

— L'anxiété empoisonne le cœur et l'esprit, déclara-t-il, comme un vieux sage.

— Tu ne vas tout de même pas me faire croire que tu n'as jamais été inquiet de toute ta vie.

— Tourmenté par l'amour que je ressentais pour toi, oui, mais angoissé, non. Je suis un homme d'action. J'aime expérimenter les choses plutôt que d'y réfléchir jusqu'à la mort.

— Je ne fais pas ça !

Il se mordit les lèvres pour s'empêcher de rire.

— Je ne le fais pas ! insista Jenifael.

Mahito s'accroupit et pénétra dans un grand terrier. Réagissant comme un soldat, la jeune femme sonda l'obscurité, mais ne ressentit aucun danger. Une lampe s'alluma brusquement, la faisant sursauter.

— Tu es pourtant habituée à la magie, la taquina le dieu-tigre.

— C'est ta tanière ?

— Non, celle de ma mère et, apparemment, elle a pensé à tout.

Il déposa Jenifael sur la couche recouverte de fourrure et lui indiqua les vêtements bien pliés sur une petite étagère en bambou. Sur une autre s'alignaient différents pots de céramique. Mahito en ouvrit tous les couvercles et flaira leur contenu.

— C'est de la nourriture.

— Je meurs de faim...

— Riz... pâtes... galettes... légumes frits... pousses de bambou... papaye... haricots... fruits séchés... thé...

— Arrête ! Mon estomac n'en peut plus !

Mahito dénicha un grand bol en bois et y versa un peu de tout. Il s'assit par terre et plaça le récipient devant lui. Jenifael descendit du lit et prit place devant le jeune homme.

— Où sont les ustensiles ? s'enquit-elle.

Il lui montra ses dix doigts.

— C'est dégoûtant... grimaça-t-elle.

— Autre pays, autres mœurs.

Il plongea les mains dans le savant mélange et commença à se régaler. Tenaillée par son estomac vide, la femme Chevalier l'imita.

– C'est vraiment bon ! s'exclama-t-elle après avoir avalé plusieurs bouchées.

– Mieux encore, tu t'es mise à manger spontanément, sans te poser mille questions.

– Ne me provoque pas, Mahito d'Enkidiev.

– Je n'y peux rien... Tu es tellement belle quand tu es fâchée.

Les yeux rieurs du dieu-tigre trahirent son humeur badine.

– Tu me le paieras, quand je serai rassasiée, le menaça-t-elle.

Ils mangèrent tout le contenu du grand bol comme des loups affamés, puis Mahito prépara du thé. Jenifael avala la réconfortante boisson chaude en se rappelant que c'était son père qui faisait chauffer le samovar lorsqu'elle était enfant.

– On dit qu'il était un grand homme, se risqua son compagnon.

– Il l'est toujours, précisa-t-elle. Il fallait que la déesse Theandras l'aime beaucoup pour lui redonner la vie de cette façon.

– Ce doit être assez curieux d'avoir un père plus jeune que soi.

– En fait, je ne m'y habitue pas. Je sais qu'à l'intérieur de son corps de seize ans, il y a une âme d'une soixantaine de printemps, mais je suis incapable de tenir avec lui les conversations que nous avions jadis.

— Maintenant, c'est moi l'homme de ta vie.

— Pas si vite, monsieur le tigre. Nous en sommes au stade des fréquentations, rappelle-toi.

— Faudra-t-il que je demande ta main à ton père ?

« Lequel ? » se demanda Jenifael. Si Wellan était son père biologique, c'était Santo qui s'était occupé de Bridgess et d'elle après sa mort.

— Celui que tu voudras, la rassura Mahito.

Il se rapprocha et lui signifia subtilement son envie de s'unir à elle. Jenifael jeta un coup d'œil en direction du trou qui donnait accès au terrier en se demandant si la sorcière n'allait pas les surprendre.

Au lieu de lui expliquer que sa mère était occupée ailleurs, Mahito joua plutôt de séduction. Ses caresses eurent finalement raison des craintes de son amie et ils passèrent une nuit magique et sans soucis.

Lorsqu'elle ouvrit les yeux, au matin, Jenifael vit que son amant était en train de s'habiller. Il portait un curieux pantalon de peau, trop grand pour lui, et une chemise de lin. Elle se leva et alla fouiller à son tour dans les vêtements. Elle enfila une tunique grise qui ne lui allait pas du tout, mais qui était de sa taille.

– C'est difficile de croire que la sorcière de Jade, avec tous les pouvoirs qu'elle possède, s'habille comme ça, déplora la déesse.

– J'ai une idée.

– Une autre surprise ?

– On dirait bien que tu commences à t'habituer à moi.

Il lui tendit la main. «Pourquoi pas ?» songea Jenifael. Il l'entraîna sur un sentier différent de la veille. Au lieu de se frayer un chemin dans la végétation, ils marchèrent entre les chênes lièges, les wutongs et les grands pins.

– Où m'emmènes-tu ?

– Quelque part où tu es probablement déjà allée, puisque ton armée a sillonné tout le continent.

– Sur un champ de bataille ?

– Si c'est tout ce que tu as vu dans ta vie, alors il était urgent que tu me rencontres.

– Arrête de te donner tout le temps plus d'importance que tu en as.

– Quand on connaît sa propre valeur, pourquoi en douter ?

– Bon, tu recommences à philosopher.

Jenifael sentit la présence d'autres êtres humains non loin et elle tenta de se défaire de la main de son amant.

– Je ne veux pas que les gens me voient ainsi… gémit-elle.

– Mais c'est justement parce que nous sommes aussi mal vêtus que je t'ai conduite ici.

La déesse aurait pu utiliser ses facultés surnaturelles pour faire comprendre à son compagnon qu'elle disait cela très sérieusement, mais une fois encore, elle céda à ses caprices. Ils débouchèrent dans un petit village, au beau milieu du marché. Lorsque Mahito se mit à saluer les Jadois en faisant de légères courbettes, Jenifael comprit qu'il était un habitué. Il s'arrêta finalement devant un étal où étaient disposées des robes en soie brodée de toutes les couleurs.

– Quel tissu magnifique, apprécia la jeune femme.

La marchande dégagea alors de la table une robe émeraude, qui rappelait la couleur de l'armure des Chevaliers, décorée de minuscules fleurs blanches. Elle la plaça devant Jenifael, signalant avec de grands sourires qu'elle lui allait très bien. Elle saisit ensuite son bras et l'entraîna vers sa hutte.

– Mais… protesta la déesse.

– Il n'y a pas de mal à l'essayer, l'encouragea son amant.

Lorsqu'elle ressortit de la paillotte, Mahito en eut le souffle coupé. Les longs cheveux roux vagués de Jenifael tranchaient comme des flammes sur la robe longue de soie verte, cintrée à la taille et évasée à partir des genoux.

– Tu es magnifique…

La Jadoise pointa alors une autre tenue semblable, mais bleu sombre. Mahito acquiesça de la tête, puis adressa quelques mots à la dame, dans la langue ancienne de ce royaume. Elle tira d'un panier une chemise et un pantalon en soie noire sans aucune décoration. Le jeune homme fouilla dans la petite bourse de cuir qui pendait à sa ceinture et lui offrit deux pierres précieuses. Un sourire étonné apparut sur le visage de la marchande, qui s'empressa de plier les achats et de les glisser dans une besace en toile. Elle accepta le paiement avec force courbettes et se tourna vers la jeune Émérienne pour lui adresser quelques mots en jadois.

– C'est un beau garçon avec un grand cœur ! Mariez-le !

Jenifael, qui avait reçu le sortilège des langues chez les Mixilzins, se mit aussitôt à rougir. Mahito suspendit le grand sac sur son épaule et glissa ses doigts entre ceux de sa belle. Il tira doucement sur sa main et l'entraîna à travers le marché.

– Où as-tu appris le jadois ? voulut savoir la jeune déesse.

– Ici-même, évidemment.

Il l'emmena jusqu'à un autre marchand, qui faisait frire du poisson devant sa hutte. Ses clients pouvaient emporter leurs achats ou les manger sur place de chaque côté d'une table improvisée. Lorsqu'il vit le saphir que lui offrait Mahito, le pêcheur lui servit aussitôt deux écuelles de poisson et y ajouta même du riz.

— D'où viennent ces pierres précieuses ? chuchota Jenifael une fois qu'ils furent assis de chaque côté de la longue planche qui servait de table.

— J'en ai trouvé des centaines dans des coffres remplis à craquer, lorsque j'ai exploré Shola il y a quelques années. Je savais qu'elles finiraient bien par me servir.

Ils mangèrent en écoutant le bourdonnement du marché où de plus en plus de clients affluaient, puis allèrent marcher sur le bord de la rivière, main dans la main. Des femmes lavaient leurs vêtements sur des pierres plates en bavardant tandis que leurs bambins s'amusaient derrière elles. Jenifael avait à maintes reprises traversé ce royaume avec les Chevaliers d'Émeraude, mais c'était surtout pour parlementer avec le roi. C'était la première fois qu'elle observait la vie quotidienne de ses habitants.

Elle laissa son regard se perdre sur la crête des petites vagues que le soleil faisait briller. Il était agréable de pouvoir se prélasser ainsi sans penser à rien et sans avoir d'obligation.

— C'est la vie que je t'offre, lui dit Mahito.

— Je risque de décevoir mes compagnons, car c'est à moi qu'on avait confié le commandement des Chevaliers d'Émeraude.

— Tu n'es certainement pas la seule à posséder des qualités de chef. Quelqu'un d'autre s'en chargera.

— Oui, tu as raison.

Ils s'arrêtèrent sous un mûrier blanc et s'embrassèrent devant tout le monde, sans la moindre gêne.

16

PRÉPARATIFS

Sa conversation avec les Sholiens avait secoué Swan au point où elle avait du mal à trouver le sommeil. Pourtant, avec l'enfant qui grandissait dans son ventre, elle avait besoin de beaucoup plus de repos qu'à l'accoutumée. Assise sur un fauteuil à bascule, sur le balcon de sa chambre, elle regardait tomber la pluie en ressassant ses souvenirs du premier bébé qu'elle avait mis au monde. Nemeroff avait toujours manifesté plus de détermination que ses frères, mais jamais il n'avait été méchant avec qui que ce soit. Son intelligence était si vive qu'Onyx le voyait le remplacer un jour sur le trône d'Émeraude.

Swan avait beau se torturer l'esprit, elle n'arrivait tout simplement pas à déceler le moindre signe d'agressivité dans le cœur du garçon fauché prématurément durant la deuxième invasion des Tanieths. «Il ressemblait encore plus à Onyx qu'Atlance», se rappela-t-elle. Il avait la même soif de vivre, d'apprendre, de tout savoir. Swan n'avait jamais eu à le forcer à lire. Dès qu'il avait terminé un ouvrage, Nemeroff allait en chercher un autre et, tout comme son père, il avait un penchant pour les livres défendus. «Que serait-il devenu, s'il avait atteint l'âge adulte?» se demanda la reine. «Il y aurait certainement eu des prises de bec entre Onyx et lui, car ils étaient trop semblables.» Elle se doutait que Nemeroff aurait profité des quinze années d'empoisonnement de son père pour le supplanter et relancer les affaires du royaume.

— Mama ! appela la voix aiguë de Jaspe.

Une fois encore, il avait échappé à la surveillance des servantes. Swan l'avait confié à Armène lorsque la pluie était plus fine, mais depuis le retour des orages, il était impossible de circuler dans la cour boueuse. Elle gardait donc le bébé dans ses appartements. Anoki le distrayait une partie de la journée, puis les jeunes femmes qui s'occupaient des besoins de la famille royale veillaient sur lui durant ses siestes. Swan prenait le relais dès que ses réunions avec les conseillers étaient terminées. Jadis, Onyx avait congédié ceux qui avaient guidé le Roi Émeraude Ier. Pendant la longue maladie de son mari, la reine en avait embauché d'autres, car trop de choses avaient traîné.

— Je suis ici, petite peste.

Depuis qu'Anoki lui avait montré à courir, il n'était plus possible de ralentir le bambin. Il se précipita sur le balcon et s'arrêta net en sentant la pluie tomber sur lui.

— Retourne-toi.

Un sourire de soulagement para le visage de l'enfant lorsqu'il aperçut Swan. En poussant des cris de joie, il tenta de grimper dans les bras de sa nouvelle mère.

— Profites-en pendant qu'il y a encore de l'espace sur mes genoux, mon beau Jaspe.

– Mama...

L'air de contentement du bambin fit sourire Swan. Il avait le visage et les yeux de Nemeroff et, pourtant, ce n'était pas le fils d'Onyx. Un éclair éblouissant éclaira la cour de la forteresse. Jaspe se crispa et se cacha la tête dans le cou de sa mère adoptive.

– Tu as raison. Il serait plus prudent de rentrer.

Gardant Jaspe collé contre elle, Swan quitta son poste de guet et referma les portes du balcon derrière elle. Le coup de tonnerre fit éclater l'enfant en sanglots.

– Tu n'as aucune raison d'avoir peur, mon chéri. Les orages n'entrent pas dans les châteaux.

L'explication ne rassura nullement Jaspe, qui continuait de regarder en direction des fenêtres, par-dessus l'épaule de la reine. « Il perçoit peut-être les choses différemment avec ses sens de jeune dieu », songea Swan.

– Que dirais-tu de rendre visite à Maélys et Kylian ?

Jaspe ne montra aucun intérêt pour cette suggestion, mais sa mère jugea que c'était une bonne idée. Elle quitta les appartements royaux et frappa à ceux qui se trouvaient de l'autre côté du couloir.

– Veux-tu cogner sur la porte, toi aussi ?

– Non...

« C'était également le mot préféré de Nemeroff au même âge », se rappela Swan. Il avait été rapidement suivi de « capable ». Lassa ouvrit la porte.

— Est-ce que je vois un autre petit garçon qui veut entendre mon histoire sur les oiseaux de foudre ? fit-il en apercevant le minois terrorisé de Jaspe.

D'un geste de la main, il invita Swan et son fils à entrer. Anoki était déjà assis au salon près de Marek, tandis que Kira et Kaliska berçaient les jumeaux, tout aussi tendus que Jaspe.

— Je pense que c'est surtout l'intensité du tonnerre et le fait que le château tremble sur ses fondations qui les inquiètent autant, avança la Sholienne. Ils sont trop petits pour comprendre qu'il ne s'agit en fait que d'un changement de température dans l'atmosphère.

— Parce que ce sont des jeux d'oiseaux, évidemment ! s'exclama Lassa en attirant l'attention des enfants.

D'un geste, il éteignit magiquement la moitié des chandelles pour rendre la pièce plus sombre.

— Dans le ciel vivent de grands hérons lumineux.

Il retourna sa main et l'échassier en question y apparut. Maélys poussa un cri de plaisir qui détendit les autres bébés.

— Lorsqu'ils s'ennuient, les hérons de foudre se posent sur les nuages et ils appellent leurs amis avec de longs cris aigus.

Lassa les imita en faisant rire ses jumeaux. Jaspe se contenta de l'observer en se demandant ce qui lui prenait. Jouant le jeu, Anoki et Marek répondirent aux appels aviaires du conteur. Pour plus de réalisme, Marek fit apparaître sur sa propre paume un deuxième héron lumineux.

– C'est alors que ces oiseaux magiques s'engagent dans une compétition amicale.

Dans le gosier du premier échassier apparut une petite étoile, qui se mit à grossir jusqu'à ce qu'il la régurgite en direction du second héron. À mi-chemin entre les deux créatures, la sphère brillante éclata en un feu d'artifices qui arracha un cri d'admiration aux enfants.

– Mais les boules de foudre étant très lourdes, elles font aussi beaucoup de bruit quand elles se désagrègent.

Marek crut alors que c'était à lui d'en faire la démonstration. L'éclair qui sortit du bec de son héron secoua tout le salon avec un bruit assourdissant. Les trois bébés éclatèrent en sanglots.

– Je suis désolé, s'excusa le garçon. Je voulais que ce soit plus vrai.

Lassa attendit que les enfants se soient calmés avant de leur expliquer que c'étaient les petites étincelles qui faisaient tout ce fracas. Il relança plusieurs sphères en diminuant l'intensité de l'explosion, jusqu'à ce qu'ils s'y habituent, puis fit disparaître les hérons.

– C'est le moment d'aller au lit, annonça Kira.

— Est-ce que je peux aller jouer dans le grenier avec Anoki ? demanda Marek.

— Pas plus d'une heure.

Les deux garçons déguerpirent avant que la Sholienne ajoute d'autres conditions.

— Je reviens tout de suite, dit Kira à Swan.

Kaliska et elle disparurent dans le couloir avec les jumeaux, espérant qu'ils arriveraient à dormir, maintenant. Il ne resta plus que Lassa avec la reine et Jaspe.

— Je ne savais pas que tu pouvais faire apparaître d'aussi belles illusions, avoua Swan.

— En fait, je l'ai appris avec ton mari, quand j'étudiais la magie.

— Il est curieux qu'il ait montré toutes ces choses merveilleuses à ses élèves et jamais à ses fils.

— Malheureusement, il y a des parents qui ne désirent pas être supplantés par leurs enfants et qui les tiennent dans l'ignorance pour les dominer.

— Ils finiront par comprendre, comme Onyx, que ça ne fonctionne pas.

Swan retourna Jaspe face à elle et l'appuya contre sa poitrine pour commencer à l'endormir. Le bambin était si content de passer du temps avec sa mère qu'il ne rechigna même pas.

– S'il est vrai que tu es l'un des enfants d'Abussos, pourrais-tu intercéder pour moi auprès de lui ? demanda alors la reine au dieu-dauphin.

– Il n'y a rien que je ne ferais pas pour t'aider, Swan, mais j'ignore comment m'adresser à Abussos. En tant que Chevaliers, nous ne sommes pas censés adorer un dieu plus qu'un autre, alors je ne sais tout simplement pas prier.

– Si jamais il communiquait avec toi, pourrais-tu lui expliquer ce que ressentent Atlance et Katil ?

– Je le ferai sans faute.

Kira revint avec du vin, une mauvaise habitude qu'elle avait contractée sous l'influence d'Onyx. Swan refusa d'en boire, puisqu'elle portait une nouvelle vie en elle. Elle bavarda encore un peu avec le couple, puis retourna dans ses appartements. Elle déposa le petit Jaspe dans son lit, tira les rideaux de velours pour bloquer les fréquentes illuminations des éclairs, puis se dirigea vers le petit salon qui séparait sa chambre de celle de l'enfant. Elle vit alors Maximilien qui venait vers elle.

– Mère, puis-je te parler ?

Ce fils, qu'Onyx avait spontanément adopté lorsque Santo l'avait ramené au château, âgé de quelques heures à peine, avait toujours été le plus respectueux de ses enfants.

– Bien sûr, Maximilien. Viens t'asseoir.

Ils prirent place sur les bergères séparées par un guéridon de bois ouvré.

— Tu sembles fatiguée.

— Je pense que c'est la grossesse. Je n'ai plus la vigueur de mes jeunes années. Cessez de vous inquiéter pour moi. J'ai eu suffisamment d'enfants pour savoir comment prendre soin de moi-même. Dis-moi plutôt pourquoi tu veux me voir, ce soir.

— Je veux épouser Aydine, mais la coutume exige que j'adresse cette requête à mon père.

— Tu as de la chance, car en l'absence du roi, c'est la reine qui peut te l'accorder.

— Crois-tu qu'Onyx se serait opposé à ce mariage ?

— Il est contre tout ce qu'il n'a pas décidé lui-même.

— Et toi ? Es-tu d'accord avec mon choix ?

— Aydine est quelque peu envahissante, mais c'est une fille charmante, qui respecte le protocole de la cour. Elle fera sensation auprès du peuple.

— Je sais que notre famille traverse des temps difficiles, mais je ne veux pas attendre que nous ayons réglé tous nos problèmes avant de prendre épouse.

Tu as tout à fait raison, Maximilien. Dans la tourmente, il est bon d'avoir un petit rayon de soleil de temps en temps. Ce mariage remontera le moral de tes frères et de tous les habitants du château, aussi. Même si tu es pressé, je te recommande cependant de fixer le jour de la cérémonie au début de la saison chaude.

– J'y avais également pensé. Puis-je toutefois annoncer publiquement la nouvelle ?

– Évidemment, mon chéri. De mon côté, dès demain matin, je commencerai les préparatifs. Je veux que ce soit un beau mariage qui réchauffe le cœur de tout le monde.

Maximilien alla embrasser sa mère sur la joue.

– Merci, mère. Grâce à toi, nous avons de nouveau une famille.

– Il manque encore Cornéliane…

– Elle a été élevée par des parents combatifs. Je suis certain qu'elle reviendra d'elle-même à la maison.

Swan n'en était pas aussi sûre, mais elle choisit de ne pas épancher sa peine devant lui. Elle caressa la joue de Maximilien avec douceur.

– Bonne nuit, mère.

Elle le regarda partir sans bouger, car son esprit s'était instinctivement mis à la recherche de sa seule fille. Si Onyx n'avait pas pu la ramener au bercail, Swan se doutait bien que personne ne pourrait y arriver. « Est-elle en santé ? Mange-t-elle à sa faim ? » se demanda-t-elle. Accablée, la reine trouva juste assez de courage pour retourner à sa chambre et s'allonger sur son lit.

✳ ✳ ✳

Fou de joie, Maximilien traversa tout le palais à la hâte afin d'annoncer la bonne nouvelle à sa future femme. Il ne la trouva pas dans le hall des Chevaliers, où elle aimait contempler les flammes dans l'âtre, alors il poursuivit sa route dans l'aile où certains des valeureux soldats s'étaient installés après la guerre. Habituellement, il pouvait localiser Aydine en suivant les effluves odoriférants de son parfum, mais cette fois, ce fut sa voix qui le guida. Il venait tout juste de mettre le pied dans le long corridor lorsqu'il l'entendit chanter. Il s'arrêta devant les appartements du Chevalier Liam et tendit l'oreille.

Maximilien ne voulait pour rien au monde la déranger, mais il avait besoin de la voir, alors il frappa quelques coups sur la porte.

— Entrez ! fit la voix de Mali.

Le prince ne se fit pas prier. La prêtresse était en compagnie d'Aydine et lui montrait à changer les langes de la petite Kyomi.

— Maximilien ! s'exclama joyeusement la Madidjin.

— Où sont vos manières, jeune dame ? la taquina Mali. Vous vous adressez à un prince.

— Qui sera bientôt son époux, précisa-t-il.

— Comme si on ne s'en doutait pas déjà…

Aydine termina son travail, puis sauta dans les bras de son amoureux.

— Vous avez trouvé votre père ?

— Non. Apparemment, la reine a les mêmes pouvoirs que le roi. C'est elle qui nous unira pour la vie.

— Quelle merveilleuse nouvelle !

— Si vous alliez en discuter ailleurs ? suggéra Mali. Votre énergie est en train de stimuler la petite et je n'arriverai pas à la recoucher.

Aydine prit la main du prince et l'entraîna jusqu'au hall.

— Quand, Maximilien ?

— Au début de la saison chaude, ce qui ne devrait plus tarder si on en juge par le nombre d'orages qui nous harcèlent.

— Votre père pourrait-il arriver au beau milieu de la cérémonie pour empêcher notre mariage ?

— C'est possible, mais je ne crois pas que ma mère tolérerait son interférence. Il ne faut pas oublier que c'est elle qui dirige le royaume depuis bien des années. Il serait forcé de s'incliner.

— Je trouve dommage de voir en arriver là deux êtres qui s'aimaient si passionnément.

– Si mon père n'avait pas été alité si longtemps, les choses se seraient sans doute passées autrement. Ils ont tout simplement pris des chemins différents et ils n'arrivent plus à se rejoindre.

– Je prie les dieux que cela ne nous arrive jamais.

– Nous ne savons pas ce que la vie nous réserve, Aydine, alors profitons de chaque seconde que nous pouvons passer ensemble.

– Vous avez raison.

Elle se blottit contre Maximilien, devant le feu, et savoura son bonheur, loin des Madidjins, des plaines de sable, des hommes qui traitaient les femmes comme de la marchandise et de l'affreux prince auquel son père avait voulu la marier pour éviter qu'il pille ses terres.

✳ ✳ ✳

Au même moment, Atlance et Katil partageaient le repas du soir à la ferme de Jasson, à quelques kilomètres du château. Heureusement que la maison était solidement construite, car des vents violents balayaient la campagne et le tonnerre éclatait à tout moment.

– Cette pluie rendra le sol plus fertile, laissa tomber Jasson.

– Comment fais-tu pour ne voir constamment que le beau côté des choses ? s'étonna Katil.

– Je n'en sais rien…

– Ton père est un éternel optimiste, fit remarquer Sanya.

– Il y a toujours deux faces à une médaille, ajouta Jasson.

– Quel est le côté réjouissant de ce qui nous arrive ? se hérissa Atlance.

– L'enlèvement de Lucca a réuni votre famille.

– C'est censé me réconforter ?

– Mon chéri, il n'a pas dit ça pour te faire fâcher, tenta de l'amadouer Katil.

Assis en face du couple, Carlo et Cléman mangeaient en silence. Ils comprenaient la peine d'Atlance, mais ils savaient aussi que leur père était un homme sage qui n'avait que de bons conseils à offrir aux autres.

– À mon avis, intervint Sanya, lorsque les dieux fondateurs auront réussi à extraire l'âme du dieu destructeur du corps de votre bébé, il vous sera rendu.

– Serait-il le même ? s'inquiéta Katil.

– J'en doute fort.

– Si je me fie à ma propre expérience, ajouta Jasson, quand l'esprit d'Onyx s'est emparé de Sage, celui-ci a affiché une imperturbable assurance et une habileté surnaturelle au combat.

Lorsque le Magicien de Cristal a débarrassé le pauvre homme de l'âme du renégat, nous nous sommes retrouvés face à un garçon charmant, timide et complètement ignorant des arts de la guerre.

— Tu m'as raconté cette histoire autrefois, se rappela Katil.

— Vous croyez que la même chose pourrait nous arriver ? s'encouragea Atlance.

— Les dieux ne sont pas des créatures physiques, continua Jasson. Pour évoluer dans notre univers, ils ont besoin d'un corps mortel. Ce Nayati est en réalité un esprit. Pour circuler dans l'Éther, où Abussos l'a certainement ramené, il n'a nul besoin de Lucca.

— Qu'arrivera-t-il à notre bébé s'il a déjà été rejeté à Enkidiev ? s'alarma Katil en se tournant vers la pluie qui s'abattait sur la fenêtre.

— Il apprendra à nager, plaisanta Jasson.

— Papa, je suis sérieuse ! Lucca pourrait se noyer !

— Et où Abussos le déposerait-il ? renchérit Atlance.

Tandis que le Prince d'Émeraude prononçait ces mots, chez les Sholiens, à des kilomètres au nord-ouest, la sentinelle qui veillait sur le sanctuaire pendant les dernières prières des moines perçut une faible agitation sur la corniche, devant l'entrée secrète du temple. Elle traversa donc la barrière invisible pour jeter un œil dehors et découvrit à ses pieds un bébé emmailloté, qui remuait comme un ver de terre.

Le gardien s'étira le cou pour regarder au bas de la falaise, mais il ne vit personne. Pourtant, le petit n'avait pas grimpé jusque-là tout seul. S'il avait regardé vers le haut, par contre, le Sholien aurait aperçu Tayaress, cramponné à la pierre comme une araignée guettant sa proie. L'Immortel avait procédé au sauvetage du bébé sans prévenir ses maîtres célestes, car lorsque Nayati était sorti du petit Lucca afin de vieillir plus vite, il avait rejeté le pauvre enfant dans une forêt de Zénor, où il aurait péri. Pour qu'il soit rendu à sa famille sans que personne sache qui l'avait trouvé, Tayaress avait décidé de le déposer devant le sanctuaire.

Le moine se pencha sur l'enfant en se demandant depuis combien de temps il était là. La couverture dans laquelle on l'avait enroulé était encore bien sèche. Il ramena le poupon à l'intérieur et se dirigea vers la cellule du hiérophante. Le vieil homme était en train de diriger la méditation du soir, alors la sentinelle s'assura qu'il trouve rapidement leur visiteur à son retour dans ses quartiers en le déposant sur le lit.

– Mann ne s'est pas mis à hurler quand je t'ai fait entrer dans le sanctuaire, dit le gardien au bébé. C'est déjà un bon point en ta faveur.

Épuisé, le poupon ferma les yeux. «Avant longtemps, il réclamera sa tétée», soupira intérieurement le moine en déposant sur lui une épaisse couverture qui servirait à l'immobiliser durant son sommeil. Ne pouvant rien faire de plus, il poursuivit sa ronde dans les couloirs du temple.

Une heure plus tard, Isarn revint à sa chambre. Quelle ne fut pas sa surprise d'apercevoir un enfant dans son lit.

— Mais qu'est-ce que c'est que ça?

Il réclama aussitôt la présence de Hawke et de Briag, persuadé qu'ils avaient quelque chose à voir avec la présence de cette minuscule créature chez lui. L'Elfe et le Sholien s'empressèrent de répondre à la requête du hiérophante.

— Qui est-ce? demanda Isarn en pointant l'intrus.

Les deux hommes demeurèrent interdits.

— Nous ne connaissons pas tous les humains, répondit Briag, au bout d'un moment.

— Je m'en doute. Ce que je veux savoir, c'est si l'un de vous l'a déposé ici.

Ils affirmèrent que non d'un hochement de tête.

— C'est le fils d'un prince, fit une voix en provenance de la porte.

— Entre, Mann, l'invita Isarn.

L'augure fit quelques pas à l'intérieur de la chambre en observant le bébé endormi.

— Ses parents le cherchent, affirma-t-il.

– Comment a-t-il abouti ici ?

– Une créature divine l'a déposé à votre porte, car il n'a trouvé personne dans la maison de Zénor où il a vu le jour.

– Qui est son père ?

– Le Prince Atlance.

Se doutant que le pauvre homme devait être dans tous ses états, Hawke scruta Enkidiev à sa recherche.

– Il est à Émeraude, les informa-t-il.

– Puisque tu possèdes le don de te déplacer par la magie, ramène l'enfant à sa famille.

– Tout de suite ?

– Ne perds pas une seconde.

L'Elfe cueillit le bébé avec beaucoup de douceur.

– Est-ce que je peux… commença Briag.

– Vas-y aussi, puisqu'on ne peut plus vous séparer, grommela Isarn.

Le jeune Sholien plaça la main sur l'épaule de l'Elfe, et ils disparurent instantanément.

17

LE PRINCE NEDAL

Des cris d'affolement tirèrent Bahia de son sommeil juste avant le lever du soleil. Elle se redressa immédiatement sur ses coudes et tendit l'oreille. La cloche de la tour de garde se mit à retentir. Idriss avait expliqué à sa pupille qu'elle servait à avertir les habitants de la ville d'une attaque ou d'une catastrophe naturelle. L'adolescente bondit de son lit et enfila ses vêtements de combat.

– Bahia ! l'appela la voix angoissée de Madiha.

– Je suis là !

Elle descendit l'étroit escalier à la hâte et trouva Madiha en train d'aider son mari à attacher les sangles de son armure en cuir, sur laquelle se détachait l'emblème du Prince Fouad : un aigle tenant une épée double entre ses serres. La vue de cette arme provoqua chez l'adolescente un léger étourdissement.

– Emmène Madiha dans la grotte où se tiennent les cérémonies en l'honneur d'Aquilée, ordonna Idriss à la jeune fille.

— Je ne veux pas me cacher ! protesta-t-elle. Je n'ai pas appris à me battre pour rien !

— Tu es la future concubine du prince, Bahia. Rien ne doit t'arriver.

— S'il se fait tuer dans un raid, je ne lui servirai pas à grand-chose. Le devoir de son armée est d'empêcher l'ennemi de se rendre à son palais.

— Elle a raison, Idriss, l'appuya Madiha. Vous aurez besoin de tous les combattants disponibles, surtout si c'est le Prince Melchior qui nous attaque. Je suis capable de me rendre seule à la grotte.

Idriss poussa un grondement de déplaisir. Il n'aimait pas que les membres de sa famille se liguent contre lui.

— Dépêchez-vous ! les pressa Madiha.

Le soldat poussa son épouse et sa pupille vers la sortie. Dans la rue, les femmes et les enfants couraient, effrayés.

— Ne sois pas en retard pour le repas du soir, recommanda Madiha à son mari avant de se jeter dans la marée humaine.

Idriss leva les yeux vers la tour et vit le guetteur qui pointait vers le nord-est.

— Les terres de Melchior ne sont pas de ce côté, murmura-t-il, surtout pour lui-même.

– Alors, c'est qui ? s'étonna Bahia.

– Le Prince Nedal possède des terres adjacentes à celles du Prince Kaïpo… Nous en aurons le cœur net lorsque nous verrons les cuirasses de ceux qui tentent de nous intimider. Ne me perds pas de vue.

Idriss traversa le flot ininterrompu de ceux qui couraient se mettre à l'abri, Bahia sur ses talons. Il zigzagua entre les maisons dans la direction indiquée par la sentinelle. Le nuage de poussière à l'horizon signalait l'approche d'une importante armée à cheval.

– Quand seront-ils ici ? demanda l'adolescente.

– Dans un peu plus d'une heure. Hâtons-nous.

Bahia suivit son mentor. Ils atteignirent la rivière, qu'ils s'empressèrent de traverser. Au loin s'élevait le palais du Prince Fouad, devant lequel ses soldats étaient en train de se rassembler. Les novices, qui se tenaient à l'écart, furent bien contents de voir arriver leur mentor.

– Nous battrons-nous, Idriss ? voulut savoir Rami.

– Oui, mon garçon. C'est notre devoir de protéger le prince qui nous nourrit. Toutefois, vous ne pourrez pas vous mêler à son armée.

– Parce que nous sommes des esclaves ?

– Parce que notre statut social est différent, en effet.

– Nous sommes pourtant meilleurs que bien des soldats.

– Écoutez-moi bien, jeunes gens. Il y a plusieurs façons de recouvrer votre liberté. Vous pouvez l'acheter, bien sûr, mais vous pouvez aussi la mériter grâce à un geste d'éclat durant une guerre. Alors, si je n'ai qu'un conseil à vous donner, c'est de faire de votre mieux et de ne pas blesser quelqu'un qui appartient à notre camp. Assurez-vous d'avoir en main les armes avec lesquelles vous combattez le mieux.

Bahia alla chercher une lance et une épée recourbée. Lorsqu'elle se retourna, Rami se dressait devant elle.

– Tu pourrais demander à Idriss de regagner la cachette du harem, chuchota-t-il.

– Je peux défendre le prince aussi bien que toi, répliqua l'adolescente.

– Et si tu te faisais tuer ?

– Alors, tu ne te sentirais pas obligé de me protéger tout le temps.

Elle le contourna et rejoignit le groupe d'Idriss. Les palefreniers arrivaient en vitesse avec les chevaux qu'ils s'étaient empressés de seller. Fouad fut le premier à mettre le pied à l'étrier. Ses principaux commandants l'imitèrent, puis leurs lieutenants. Le reste des soldats les suivraient à pied. Idriss observait attentivement le moindre geste du raïs. Lorsque l'armée se mit en marche, il fit signe aux novices de ne pas bouger. Les colonnes se formèrent enfin derrière chaque général.

— Venez avec moi, ordonna finalement Idriss.

Ses élèves lui obéirent sans discussion. Puisqu'ils n'étaient pas des citoyens libres, ils devaient se tenir à l'extérieur des nombreuses files. Idriss ne s'en plaignait pas, car contrairement aux guerriers qui suivaient leurs chefs, il n'était pas obligé de manger leur poussière. Tout en conservant le même rythme que les cavaliers, il gardait un œil sur ses apprentis. C'était leur premier raid et ce ne serait certainement pas le dernier.

— Est-ce que tu as peur, Bahia ? murmura Rami, derrière elle.

— Non.

— Tu étais peut-être un sicaire dans ton autre vie.

L'adolescente ne répondit pas. Elle ne pouvait pas expliquer pourquoi elle était si douée pour le maniement des armes, mais elle n'avait pas l'âme d'un meurtrier.

Fouad arrêta ses troupes devant la rivière et attendit que l'envahisseur arrive sur la rive opposée. Idriss s'avança jusqu'aux premiers rangs en faisant bien attention de demeurer à l'écart. À cet endroit, rien n'obstruait sa vision. Il pouvait ainsi intervenir rapidement si la vie de son prince était menacée.

En refusant de traverser le cours d'eau, Fouad procurait non seulement à ses hommes un moment de repos, mais il fatiguait davantage ceux de l'armée ennemie. Lorsque celle-ci ralentit finalement sa cadence, Idriss reconnut l'emblème sur les cuirasses de ses généraux : un aigle transportant un lièvre dans ses serres.

— C'est Nedal, apprit-il aux novices en faisant la grimace. On raconte qu'il embauche surtout des mercenaires cruels qui ne se battent pas selon les règles d'engagement.

— Nous pouvons aussi être sans pitié, affirma le plus vieux des novices.

— Je vous le recommande fortement.

En demeurant sur leurs montures, les souverains s'avancèrent l'un vers l'autre au milieu de la rivière. Puisqu'elle n'était pas très profonde, les chevaux acceptèrent de s'y immobiliser. Les deux princes étaient très différents l'un de l'autre. Fouad était mince et élégant, tandis que Nedal était corpulent et débraillé. Ce dernier avait aussi la réputation de prendre ce qu'il désirait au lieu de l'acheter honorablement.

— Quel est le motif de cette incursion, Nedal ?

— Rends-moi la princesse que le raïs Kaïpo m'a promise !

— Je n'ai rien acheté de lui depuis des décennies.

— Elle n'était pas à vendre ! Elle est à moi !

— Comment s'appelle-t-elle ? À quoi ressemble-t-elle ?

— C'est la Princesse Aydine de Baliaza. Une déesse aux cheveux blonds si longs qu'ils touchent ses fesses.

— Aucune des femmes de mon entourage ne répond à cette description.

— J'ai suivi sa trace et je sais qu'elle est passée par ici.

— Dans ce cas, elle a dû poursuivre sa route vers le sud.

— Tu mens !

— Je n'ai aucune raison de te mentir, Nedal.

— Tu la retiens pour que j'anéantisse Kaïpo et son armée de pacotille !

— Je t'invite à visiter mon palais de fond en comble, pour te prouver que je dis la vérité.

— Personne ne ridiculise Nedal d'Isolte.

D'un geste vif, le prince offensé dégaina son sabre. Il n'eut que le temps de le lever au-dessus de sa tête : un poignard se ficha dans son bras, lui arrachant un terrible cri de douleur.

— À moi ! hurla-t-il en faisant reculer son cheval.

Avant que les hommes de Nedal se précipitent dans la rivière, Fouad eut juste le temps de voir Idriss à sa droite. Sa posture lui indiqua que c'était lui qui venait de lui sauver la vie.

— Reculez, Altesse ! crièrent ses commandants.

Il talonna sa monture et fit demi-tour. Ses soldats se précipitèrent à la rencontre de l'ost adverse et bientôt, on entendit le bruit étourdissant des lames qui s'entrechoquaient et des cris barbares des mercenaires. Idriss fit signe à ses jeunes de ne pas bouger. Pourtant, les généraux de Fouad se faisaient massacrer.

— La seule façon de gagner cet affrontement, c'est de couper la têtc du serpent.

— Le Prince Nedal ? s'étonna Rami.

— Suivez-moi et restez accroupis.

Idriss traversa le cours d'eau en attirant le moins possible l'attention des combattants. Il vit sur l'autre rive l'insolent personnage : il malmenait les chirurgiens qui tentaient de le débarrasser du poignard. Nedal avait hérité du trône d'Isolte en raison de son sang plutôt que pour ses qualités de chef. Son caractère explosif risquait de transformer tout le sud de Madidjin en champ de bataille perpétuel. Celui des novices qui parviendrait à le faucher serait à coup sûr affranchi par Fouad. Il pourrait aussi devenir une légende dans tout le pays.

— Tuez-le, chuchota Idriss.

Il y avait une troisième façon de redevenir libre : c'était de mourir honorablement. Les novices se dispersèrent comme une meute de loups. Puisqu'ils avaient la moitié de la taille des soldats et qu'ils portaient tous des cuirasses légères et des pantalons de la couleur du désert, les gardes du corps du prince ne les aperçurent que lorsqu'ils furent sur eux.

– Attention ! hurla Nedal en les voyant arriver au ras du sol comme des scorpions au dard meurtrier.

Les assaillants évitèrent les larges lames des soldats avec une agilité presque surnaturelle et les poignardèrent à chaque ouverture qu'ils leur offraient. Rami fut le premier à trancher la gorge de son adversaire. Au lieu de s'en glorifier, il chercha aussitôt une nouvelle cible, espérant qu'un de ses camarades finirait par se rendre jusqu'au prince.

Légère comme une plume, Bahia était agile et rapide comme un singe. Elle esquivait toutes les charges de son opposant et, à l'aide de sa lance, le blessait là où sa cuirasse ne le protégeait pas. Incapable de la toucher, le soldat devenait de plus en plus enragé. Toutefois, ce ne fut pas lui qui réussit à mettre l'adolescente hors de combat. Se portant à la rescousse de son compagnon d'armes qui saignait de partout comme une fontaine, un autre garde prit Bahia par surprise. Elle recula vivement pour faire face à deux ennemis à la fois, ce à quoi Idriss l'avait préparée, mais ne vit pas le cheval derrière elle. Effaré, l'animal se cabra et l'un de ses sabots frappa la petite guerrière à la tête.

Bahia s'écroula sous le choc. Avec un sourire sadique, le soldat qu'elle avait malmené s'approcha, ramassa sa lance et s'apprêta à la lui enfoncer au milieu du corps. Au moment où il allait abaisser brutalement les bras, une épée lui traversa le torse. L'homme stupéfait vit sortir le bout de la lame de son ventre et laissa tomber la lance, tremblant de tous ses membres. Rami retira son arme du corps de son ennemi et le poussa sur le sol, loin de Bahia, avant de se pencher sur elle.

– Bahia, ouvre les yeux ! la supplia Rami.

Le visage et les cheveux de l'adolescente étaient couverts de sang. Son ami posa l'oreille sur sa poitrine et fut rassuré d'entendre battre son cœur. Un sabre siffla alors juste au-dessus de sa tête. Il roula sur le côté, se remit sur pied avec souplesse et para la charge de l'attaquant.

Pour sa part, Idriss profita que ses élèves occupaient les gardes du corps pour se frayer un chemin jusqu'à Nedal. Les chirurgiens avaient cessé de s'affairer autour de lui afin de prendre les armes eux aussi contre les novices. Tapi au sol comme un chat, Idriss attendit le bon moment pour frapper sans interférence. Ses apprentis, ayant compris ses intentions, éloignaient systématiquement du prince tous ceux qui le défendaient. Lorsque le passage fut enfin libre, il s'élança.

Nedal vit l'homme surgir devant lui. Puisque son bras était trop douloureux pour tenir un sabre, il se mit à reculer. Impitoyable, Idriss le fit basculer sur le dos. Avec un pied, il immobilisa le bras de l'envahisseur et arracha le couteau qui y était toujours.

– Je vous arracherai le cœur, espèce de bâtard !

– Ce n'est pas parce qu'un homme a eu la mauvaise fortune d'être capturé par un despote tel que vous que son sang est impur, siffla Idriss entre ses dents.

– À moi ! hurla Nedal.

Deux de ses soldats abandonnèrent leur combat pour voler à son secours. Idriss n'avait plus le temps de faire souffrir sa victime. D'un geste sec, il planta le couteau dans la gorge de Nedal, lui imposant le silence pour toujours. Il évita la lame du premier guerrier et plongea par-dessus le corps du prince en effectuant une roulade dans le sable.

– Le prince est mort ! proclama-t-il en courant vers la berge.

Tout en poursuivant leur attaque, ses apprentis répétèrent cette annonce de tous leurs poumons, jusqu'à ce qu'elle gagne les généraux. Tandis que ces derniers dépêchaient leurs hommes de confiance afin de vérifier cette affirmation de l'ennemi, Idriss émit un sifflement aigu, signifiant à ses recrues qu'elles devaient battre en retraite.

Rami donna dans l'estomac de son adversaire un puissant coup de pied qui le fit tomber à la renverse. Il cueillit Bahia dans ses bras et courut derrière ses compagnons qui tentaient de rattraper Idriss dans la rivière. Le mentor les écarta des dernières escarmouches et les laissa reprendre leur souffle, dans l'eau jusqu'aux cuisses. Rami en profita pour nettoyer la tête de Bahia.

– Quelle est l'étendue de sa blessure ? demanda Idriss en s'approchant.

– Je n'en sais rien, mais elle respire encore.

Idriss l'examina et vit l'entaille au-dessus de l'oreille. Il détacha l'une des bandelettes enroulées autour de son poignet droit pour le rendre plus solide et en entoura la tête de Bahia pour arrêter le sang.

— Elle a bien combattu, ajouta Rami.

— Je n'en doute pas une seconde, mon petit.

Ils virent alors l'armée d'Isolte battre en retraite, talonnée par celle d'Aabit. Les envahisseurs ne prirent même pas le temps de ramasser le corps de leur souverain. Entouré de sa garde personnelle, Fouad descendit de cheval et s'approcha de son rival afin de s'assurer qu'il était bel et bien mort. Il ferma les doigts sur le manche du poignard planté dans la gorge de Nedal et le retira d'un coup sec. L'inscription qui y était gravée lui apprit qu'il s'agissait de celui du maître d'armes.

— Où est Idriss ? s'enquit-il.

Ses hommes le cherchèrent du regard.

— Dans la rivière, Altesse.

— Construisez un bûcher et faites brûler tous ces chiens.

Ils inclinèrent la tête en signe d'acceptation de ses ordres. Fouad remonta à cheval et galopa dans l'eau jusqu'à ce qu'il rejoigne le petit groupe des novices.

— Est-ce bien le tien ? demanda le prince en tendant le poignard à Idriss.

Le mentor s'avança vers lui.

— C'est bien le mien.

— Est-ce toi qui l'as planté dans la gorge de Nedal ?

— Oui, Altesse. J'ai coupé la tête du serpent pour éviter des pertes de vie inutiles.

— Tu seras richement récompensé, Idriss.

Le maître d'armes baissa la tête en guise de remerciement.

— Retournez au palais, maintenant. Vous avez fait du beau travail.

Les jeunes gens marchèrent derrière Idriss en se racontant les difficultés qu'ils avaient rencontrées durant leurs combats. Seul Rami demeura silencieux. Il transportait le corps inanimé de l'adolescente qui avait conquis son cœur. Il déposa Bahia sous le chapiteau des apprentis, à l'extérieur du palais, s'agenouilla près d'elle et garda sa main dans la sienne.

— Elle s'en remettra, le rassura Idriss. Elle est bien plus forte qu'elle en a l'air.

Des colonnes de fumée s'élevèrent au loin, signalant au peuple la fin de l'attaque. La cloche d'Aabit se fit de nouveau entendre, annonçant aux habitants de la ville qu'ils pouvaient retourner chez eux en toute sécurité. Les novices s'étaient abrités du soleil et buvaient de l'eau en attendant les prochains ordres d'Idriss. Celui-ci avait pris le temps de regarder la blessure de l'adolescente de plus près, d'y appliquer de la pommade désinfectante et de panser sa plaie avec des bandages propres. Il s'était ensuite assis au milieu de la tente, le dos appuyé contre le piquet principal.

— Idriss, pourquoi n'es-tu pas le chef des soldats du prince ? demanda alors un de ses apprentis. Tu es bien meilleur qu'eux !

— Seuls ceux qui sont nés Madidjins peuvent en faire partie, répondit tristement le mentor.

— Quel est ton pays d'origine ?

— Est-ce vraiment important ?

— Nous aurons beaucoup plus de respect pour ses combattants, c'est sûr.

Un sourire nostalgique flotta sur les lèvres d'Idriss.

— J'ai vu le jour à Pergé, un petit village d'Ellada.

Les novices échangèrent un regard interrogateur.

— C'est à l'autre bout du monde, ajouta Idriss.

— Comment es-tu arrivé ici ?

– Comme la plupart d'entre vous. J'ai été capturé par des marins d'Agénor et vendu au Prince Fouad.

– Tu savais déjà te battre aussi férocement ?

– Mon père me l'a montré, car nous subissions souvent des invasions de la part des Tepecoalts.

Aucun des jeunes gens n'avaient entendu parler de ces peuples. Idriss sortit alors son poignard de sa gaine et dessina le continent d'Enlilkisar sur le sol devant lui.

– Nous sommes ici, indiqua-t-il en pointant le nord. Toutes ces terres appartiennent aux princes Madidjins.

– Ont-ils un roi ?

– On raconte que oui. Il s'appelle Lugal, mais personne ne sait où il réside.

– C'est peut-être une légende.

Idriss haussa les épaules.

– Et ton pays, où se situe-t-il ? demanda l'un des garçons.

– Tout en bas, sur le bord de l'océan ipocan. Pergé se trouve là où le grand fleuve rejoint la mer.

– Si le prince t'affranchissait, est-ce que tu y retournerais ?

– J'ai de nombreux printemps derrière moi, mon petit. Tous ceux que j'ai connus sont probablement morts. Ce ne serait sans doute plus le pays dont je me souviens. Et puis, j'ai à Aabit une femme que j'aime beaucoup et une bande d'enfants qui veulent devenir soldats.

Son dernier commentaire fit rire les recrues. Seul le visage de Rami était resté impassible. Idriss l'avait remarqué, mais il crut que c'était l'état de Bahia qui le tourmentait.

Lorsque le soleil se mit à descendre, les serviteurs de Fouad vinrent leur porter de la nourriture comme ils n'en avaient jamais mangée, afin de les remercier d'avoir mis un terme à ce qui aurait pu être un massacre. Assis au chevet de Bahia, Rami ne s'approcha pas du festin. Ce fut Idriss qui lui apporta une cuisse de poulet et qui l'obligea à la manger.

– Souvent, lorsque le corps se répare, l'esprit prend congé, affirma le mentor. De cette façon, on guérit plus rapidement. Cesse de t'inquiéter pour elle, mon jeune ami.

Idriss alluma l'unique torche du chapiteau lorsque la nuit tomba. Il aurait aimé rentrer et s'assurer que Madiha allait bien, mais il ne pouvait pas laisser ses protégés avant d'être certain que toutes leurs âmes étaient en paix. C'est alors que Bahia émit de faibles gémissements. Rami se pencha aussitôt sur son amie.

– J'ai mal à la tête… gémit-elle.

– Ce n'est pas étonnant, avec le coup que tu as reçu.

L'adolescente battit des paupières et planta son regard dans celui du jeune guerrier.

– Rami…

– Tu me reconnais. C'est bon signe.

Elle resta un long moment à le fixer.

– Bahia, est-ce que ça va ?

– Je sais qui je suis…

18

LIENS DE SANG

Après avoir refait ses forces, Onyx ouvrit les yeux. Il pleuvait toujours, mais l'orage était passé. Il ne ressentit aucune turbulence dans le ciel. « La saison chaude est-elle arrivée ? » Ressentant un impérieux besoin de mettre ses nouveaux pouvoirs à l'épreuve, il sortit de la maison. Hardjan était déjà en train de brouter sur la plaine, mais il n'y avait pas grand-chose à manger. Onyx avait appris à « emprunter » magiquement tout ce dont il avait besoin, mais les dieux n'étaient-ils pas capables de créer à partir du néant ?

Il prit une profonde inspiration et se concentra sur son nouveau domaine. « Que l'herbe couvre ce pays et qu'elle soit abondante ! » ordonna-t-il mentalement. Le cheval ailé poussa des sifflements de frayeur lorsque la prairie se couvrit d'une dense végétation.

— Merveilleux ! s'exclama Onyx

Il souhaita ensuite que des forêts apparaissent ici et là entre sa maison et les hautes falaises. Aussitôt dit, aussitôt fait.

— Je veux des lacs aussi !

Il s'en creusa une dizaine entre les vastes étendues d'arbres. Onyx se tourna alors vers la petite maison de pierre qu'il avait dérobée à Agénor. Pendant un moment, il fut tenté de la transformer en palais, mais il arrêta son geste.

– Je n'aurai un nouveau château que lorsque je pourrai le partager avec quelqu'un.

Maintenant certain que son destrier avait de l'ombre, de l'eau et de la nourriture à profusion, Onyx choisit de se rendre à Émeraude en utilisant son vortex. « C'est sans doute parce que j'étais vraiment un dieu que j'arrivais à me déplacer ainsi bien avant qu'Abnar n'accorde ce pouvoir aux premiers Chevaliers d'Émeraude », se dit-il.

– Emporte-moi jusqu'à Napalhuaca.

En une fraction de seconde, il fut transporté dans la forêt au nord-ouest de son château. Il pleuvait encore beaucoup sur le continent, mais la saison froide tirait à sa fin.

– Mais où est-elle ? se demanda Onyx, entouré de végétation ruisselante.

Il se servit de ses anciens pouvoirs et la localisa quelques mètres devant lui. Il avança donc dans cette direction et s'étonna de trouver un bon nombre d'arbres déracinés qui étaient tombés en rond comme les pétales d'une marguerite autour d'une maison qui lui sembla très familière.

– Est-ce que je suis à Émeraude ou chez les Mixilzins ?

Il fit un pas vers la chaumière.

— Arrêtez ou je tire !

Onyx ne vit d'abord que la pointe de la flèche tandis que la prêtresse menaçante sortait de la maison.

— Tu ne le tiens pas correctement, répliqua le renégat.

Napashni reconnut sa voix. Elle sortit sous la pluie et abaissa son arme.

— Qu'est-ce que tu fais à Émeraude ? s'informa le renégat.

— Je voulais te voir.

— Qui a bâti cette maison ?

— Pourquoi n'es-tu pas dans ton château ?

Elle laissa tomber l'arc et la flèche et se jeta dans les bras d'Onyx.

— Ça fait trop de questions et pas assez de réponses, fit-il remarquer sans oser l'étreindre.

La prêtresse prit sa main et l'entraîna à l'intérieur, où brûlait un bon feu. Elle lui tendit une couverture pour se sécher pendant qu'elle récupérait ses armes dehors.

— Si on recommençait ? offrit Onyx en s'assoyant devant les flammes.

— Mon peuple m'a chassée lorsqu'il a appris que j'étais née de la foudre. Je ne savais pas où aller, alors je me suis mise à ta recherche, car tu es probablement la seule personne qui comprend vraiment ce qui m'arrive.

— C'est peu dire. On m'a fait le même coup au palais. Mais comment as-tu réussi à te rendre jusqu'ici ?

Napashni lui raconta l'épisode du griffon, puis lui parla de l'aide que lui avaient apportée Cherrval et les Ipocans, qui les avaient conduites jusqu'au Désert.

— Où est la petite ?

— Elle est allée jouer avec Cherrval chez son amie Mia. C'est la fille du Chevalier Dempsey.

— Ensuite, que s'est-il passé ?

— Je ne savais pas de quel côté me diriger, alors j'ai suivi un grand fleuve et nous sommes tombés sur Hadrian et Wellan.

— Tu étais avec eux ? s'étonna Onyx, qui ne l'avait pourtant pas vue lorsqu'il avait arraché à l'ancien Roi d'Argent son talisman.

Elle hocha vivement la tête.

— Il cherchait la femme d'Hadrian qui a été enlevée. Apparemment, ils l'ont retrouvée, mais elle a refusé de rentrer avec son mari.

– Revenons au Désert, insista Onyx. Es-tu restée avec eux ?

– En suivant la piste du fauve, nous avons fini par le trouver, mais Cherrval s'est attaqué à lui et il a été grièvement blessé. Hadrian et Wellan ont décidé de nous ramener à Émeraude pour le faire soigner. Une fois que le Pardusse a été entre bonnes mains, ils sont repartis.

« C'est donc pour ça qu'elle n'était pas là après la deuxième attaque du tigre », comprit Onyx.

– Pourquoi ne m'as-tu pas attendu au château ?

– Ta femme m'en a chassée.

– Swan ? Elle respecte pourtant le protocole mieux que moi et les règles de courtoisie exigent qu'on donne asile aux gens qui viennent de loin.

– Quand je lui ai dit que c'était toi que je cherchais, elle s'est fâchée.

– Elle m'a demandé de partir parce qu'elle ne m'aimait plus et elle t'a fait une crise de jalousie ? C'est à ne plus rien y comprendre.

– Toi, est-ce que tu l'aimes encore ?

– Pas comme avant, c'est certain. Nous avons cessé depuis longtemps de penser de la même façon et de vouloir les mêmes choses. Une partie de mon cœur l'aimera toujours, car elle est la mère de mes enfants, mais je ne pouvais plus supporter qu'elle défie constamment mon autorité, comme mes fils, d'ailleurs.

— As-tu passé tout ce temps sous la pluie ?

— Non. Moi aussi j'ai une cachette. Mais dis-moi ce que ta maison fait au milieu de mes bois ?

— Je ne sais pas vraiment ce qui s'est passé. Ayarcoutec gémissait au sujet de la pluie et du froid et je lui ai répondu que je n'étais pas un escargot qui traînait sa maison sur son dos.

« Elle a sans doute hérité des mêmes pouvoirs que moi, sauf qu'elle n'en est pas consciente », songea Onyx.

— Te souviens-tu de notre conversation sur les dieux ?

— Comment pourrais-je l'oublier ?

— Il semblerait que les fils et filles d'Abussos et de Lessien Idril détiennent des pouvoirs bien supérieurs à ceux des chefs des panthéons qui sont, en fait, leurs petits-enfants.

— Alors, c'est moi qui ai fait apparaître cette maison ?

— À mon avis, tu as déplacé la tienne de ton pays au mien. Pourtant, je ne comprends pas comment tu as pu faire ça, car les volcans créent habituellement une barrière infranchissable entre nos deux mondes. Même moi, je n'arrive pas à me déplacer directement là-bas.

Napashni plissa le front en réfléchissant.

— Pourquoi y a-t-il cette séparation ? s'enquit-elle.

— Les livres anciens prétendent que le feu de la terre a été attiré vers la surface à cause d'un puissant sortilège jeté par Lycaon.

— Combien de temps dure un sortilège ?

— Jusqu'à la mort du…

Onyx s'arrêta net.

— Un dieu peut-il mourir ? continua Napashni, qui n'avait pas suivi le raisonnement de son frère divin.

— Apparemment, oui, mais j'ignore dans quelles circonstances. J'ai lu quelque part qu'un dieu pouvait en détruire un autre.

Le regard du renégat s'immobilisa tandis qu'il scrutait le continent en direction des montagnes. À sa grande surprise, il arriva à poursuivre son travail de détection jusqu'à Enlilkisar.

— Tu as raison… balbutia-t-il en réintégrant son corps.

— Qu'est-ce que tu viens de faire ?

— J'ai sondé Enkidiev en direction des volcans.

— Comment ?

— Je laisse mon esprit sortir de moi et voler au-dessus du paysage, comme s'il était un aigle. Je t'ai déjà montré à le faire lorsque nous étions dans le nouveau monde. Pour devenir habile dans n'importe quel domaine, il suffit de s'exercer souvent.

Ce fut au tour d'Onyx de se perdre dans ses pensées.

— Si Lycaon est mort, ça ne peut vouloir dire qu'une chose : Azcatchi est en train de tuer tous les dieux de son panthéon. En éliminant sa triade, cet imbécile va mettre en péril l'univers tout entier.

Napashni pencha doucement la tête de côté, car elle ne comprenait rien à ce qu'il racontait.

— Afin d'éviter qu'un seul dieu ne s'arroge tout le pouvoir de son clan, les fondateurs ont fait en sorte qu'ils soient toujours trois pour prendre toutes les décisions. S'il devait en manquer un seul, l'équilibre serait rompu et le ciel tomberait sur la terre.

La prêtresse ouvrit des yeux épouvantés.

— Combien de temps nous reste-t-il ?

— Je n'en sais rien. J'imagine que le panthéon des rapaces doit chercher une solution en ce moment même.

— Toutes ces choses invisibles sont terrifiantes…

— Moi, ce qui me fait peur, c'est de ne pas pouvoir diriger mon propre destin. Que comptes-tu faire, maintenant ?

— Trouver une nouvelle patrie pour ma fille et moi. Si ce n'est pas à Émeraude, alors ce sera ailleurs. Je n'arrête pas d'y penser.

— Le monde est vaste, mais pas nécessairement accueillant partout, l'informa Onyx.

— Toi, que feras-tu ?

— Je vais laisser mon royaume à ma femme, qui l'administre d'ailleurs mieux que moi, et je me concentrerai sur mon prochain but : devenir empereur. Je suis né pour régner.

— Qu'est-ce que c'est, empereur ?

— C'est un roi absolu qui règne sur tous les autres.

— Même sur ceux d'Enkidiev ?

— Surtout sur ceux-là. Ils me devront tous obéissance et l'univers s'en portera mieux. S'ils répondent tous d'une même autorité, les peuples arrêteront de s'entredéchirer. Il n'y aura plus de guerres et nous pourrons répartir les ressources de façon équitable.

— Ce sont des intentions louables. Mais s'il est le seul à diriger, un empereur n'a donc besoin de personne.

— Au contraire, affirma Onyx. Il a besoin d'une poignée d'amis sur lesquels il peut compter, peu importe ce qui se passera.

— J'aimerais bien faire partie de ce cercle d'élus.

— J'espérais que tu me le demandes.

Le sourire chaleureux d'Onyx rassura Napashni.

— Où est ta cachette ? voulut-elle savoir.

Il contourna le feu, à quatre pattes, et lui tendit la main. Sans cacher son inquiétude, elle la serra dans la sienne. Elle n'eut pas le temps de cligner des yeux qu'elle se retrouva dans la même position au bout d'un long quai en pierre.

— Quel est cet endroit ?

— C'est un continent qui s'appelle Irianeth. Jadis, il était peuplé d'hommes-insectes qui mangeaient des pierres rouges et qui tentaient d'asservir les humains. Ils ont tous disparu, alors j'ai décidé de m'installer ici.

Il avait arrêté de pleuvoir et de timides rayons de soleil tentaient de percer les nuages. Onyx entoura de ses bras les épaules de la prêtresse. Il n'était pas facile pour une guerrière d'accepter sa vulnérabilité et l'attirance qu'elle ressentait pour cet homme si différent de tous les autres.

— Pourquoi tiens-tu tant à vivre seul ?

— Ça me donne plus de temps pour réfléchir, admit-il en la ramenant vers la terre ferme. Et il n'y a personne pour me contrarier.

— Feras-tu la même chose lorsque tu seras empereur ?

— Je m'entourerai de très peu de gens.

– Mais je reconnais cette maison ! s'exclama Napashni en apercevant l'habitation de pierre sur le monticule où s'élevait jadis la ruche d'Amecareth.

– C'est la même que j'ai empruntée à Agénor.

– Pourquoi n'as-tu pas choisi un palais ?

– Chaque chose en son temps.

Ils marchèrent longtemps sur la plage, laissant le vent jouer dans leurs cheveux, oubliant tous leurs soucis. Onyx ne voyait son cheval ailé nulle part, mais puisque ses pâturages s'étendaient désormais à perte de vue, il pouvait être n'importe où.

– As-tu l'intention de retourner auprès de ta femme pour lui demander pardon ? demanda soudain la prêtresse.

– Non. Nous n'avons plus rien à nous dire.

En fait, Onyx ne retournerait chez lui que dans quelques mois pour aller chercher l'enfant qu'elle mettrait au monde, puisqu'il était convaincu que ce serait Nemeroff. Il lui faudrait une mère…

– Crois-tu que tu prendras une nouvelle épouse un jour ?

– Ce n'est pas impossible. J'aime être marié.

– L'eau est-elle froide, ici ?

– Elle l'est plus que sur la côte d'Enkidiev, mais j'y ai survécu.

Sans aucune gêne, Napashni enleva ses vêtements et marcha vers l'océan. Elle poussa un cri de surprise lorsque les vagues léchèrent ses pieds.

– Tu m'as menti ! Elle est glaciale !

– Alors, tu aimes la chaleur…

Onyx se déshabilla à son tour et la rejoignit dans l'eau. Il tendit les bras et de la vapeur se forma à la surface des vagues sur une superficie d'une cinquantaine de mètres carrés.

– Et là, c'est mieux ?

Napashni s'avança davantage dans la mer, étonnée du soudain changement de température. Lorsqu'elle eut de l'eau aux épaules, elle se tourna vers Onyx.

– N'y a-t-il rien que tu ne puisses faire ?

– Être heureux…

Elle lui fit signe de la rejoindre. Onyx avança jusqu'à elle à pas lents.

– Tu es roi. Tu possèdes des facultés inouïes et…

Il ne lui laissa pas le temps de finir sa phrase. Il l'attira à lui pour l'embrasser avec un désespoir qui ne laissa pas la jeune femme indifférente. Ils restèrent enlacés pendant de longues minutes.

– Tu mérites d'être heureux, chuchota Napashni à son oreille.

– C'est ce que je me dis depuis plus de sept cents ans…

De gros nuages noirs venaient d'apparaître à l'horizon. Il allait bientôt recommencer à pleuvoir. Néanmoins, Onyx ne se décidait pas à revenir sur la plage. Ses baisers devenaient de plus en plus brûlants et bientôt, il ne pourrait plus freiner son besoin de posséder cette femme aussi seule que lui. Le tonnerre se mit à gronder.

– Ne restons pas ici, souffla Napashni, qui sentait qu'elle ne pourrait pas résister longtemps à ses avances.

– Un dernier baiser.

Leurs lèvres se touchèrent au moment où un éclair déchirait le ciel et plongeait dans les flots, tout juste entre les deux amants. Le choc les écarta brutalement l'un de l'autre. Onyx vola dans les airs et retomba sur la plage. Assommé, il secoua la tête et chercha Napashni. Elle n'était nulle part. Il se servit aussitôt de ses sens magiques et la localisa dans l'eau. Sans perdre une seconde, il sauta dans les vagues et nagea jusqu'à elle. Elle flottait sur le ventre, inerte. Il la colla contre lui et utilisa son vortex pour la ramener dans la maison. Il plaça une main sur sa poitrine et fit évacuer l'eau de ses poumons. Napashni se mit à tousser violemment en s'assoyant.

— Qu'est-ce… commença-t-elle.

Effrayée, elle se réfugia dans les bras d'Onyx.

— Je pense que nous avons été frappés par la foudre. J'aurais dû t'écouter et sortir de l'eau.

Elle demeura muette et tremblante contre lui.

— Comment te sens-tu ?

— J'ai de la difficulté à respirer.

En caressant son dos, le renégat lui transmit une vague curative qui lui fit le plus grand bien.

— Nous aurions pu mourir, murmura-t-elle.

— Bah ! Nous sommes des dieux !

Son commentaire la fit rire.

— Nous devrions retourner à Émeraude, à présent, suggéra-t-il.

— Mais nos vêtements ?

Ils apparurent sur le sol près d'eux, mais ils étaient plutôt détrempés. Pour achever de la calmer, Onyx les fit voler autour d'eux, comme s'ils avaient été aspirés par l'entonnoir d'une tornade.

– Tu es merveilleux, le complimenta-t-elle.

– Je sais.

L'expression espiègle sur le visage d'Onyx la fit rire encore une fois. Ils s'habillèrent en se promettant tout bas de reprendre leurs ébats là où ils avaient été interrompus lorsqu'il n'y aurait pas apparence de tempête.

Main dans la main, ils se déplacèrent magiquement jusqu'à la chaumière de la Mixilzin. Napashni fut la première à y entrer.

– Maman ! s'exclama Ayarcoutec. J'étais inquiète !

– Je sais me défendre.

– Es-tu allée chercher du bois ? Nous n'en avons presque plus !

La fillette vit alors entrer leur visiteur.

– Onyx ! s'écria-t-elle joyeusement de tous ses poumons.

Elle bondit comme un lapin et atterrit dans les bras du roi, qui, heureusement, avait déjà fait face à ce genre d'attaque de la part de ses enfants quand ils étaient petits.

– Tu l'as trouvé, maman ! Tu l'as trouvé !

– C'est plutôt le contraire, avoua la guerrière.

— Tu ne partiras pas tout de suite, n'est-ce pas ? s'inquiéta aussitôt Ayarcoutec.

— Bien sûr que non. Vous avez besoin de bois.

— Je veux aller le couper avec toi !

— Il pleut, Ayarcoutec, l'avertit sa mère.

— Je m'en moque. Je veux rester avec lui.

Onyx fit un clin d'œil à Napashni et sortit de la maison en gardant la fillette dans ses bras. Il fit quelques pas en regardant autour de lui.

— La pluie ne tombe pas sur toi ! constata Ayarcoutec au bout de quelques secondes. Tu es comme le joueur de flûte !

— J'ai beaucoup de talent, mais je ne joue pas de musique. Comment ces arbres ont-ils tous été déracinés dans des directions différentes ?

— C'est quand la maison est tombée du ciel. Je pense que c'est maman qui a fait ça.

— Ce serait un véritable gaspillage de les laisser pourrir sur le sol.

— Je suis d'accord.

Onyx ne fit que regarder le premier arbre pour qu'il se découpe instantanément en morceaux qui flottèrent dans les airs et allèrent s'aligner contre le mur de la maison.

— Mais… s'étrangla Ayarcoutec, stupéfaite.

— Je n'aime pas me salir les mains, prétendit Onyx, moqueur.

En quelques minutes à peine, tous les arbres furent débités.

— Moi, ça ne me fait rien, répliqua l'enfant en se tortillant pour qu'il la dépose par terre.

Ayarcoutec empila trois bûches sur ses petits bras pourtant frêles et entra dans la maison.

— Nous en avons assez pour le reste de notre vie ! s'exclama-t-elle en les déposant sur le sol.

Napashni et Onyx échangèrent un regard chargé de désir qui n'échappa pas à Cherrval. La nuit venue, il ferait en sorte que la petite dorme de son côté du feu pour laisser les adultes tranquilles.

— Qu'est-ce qu'on mange ? demanda l'enfant pendant que sa mère mettait du bois sur les braises.

— Qu'est-ce que tu aimerais manger ? rétorqua Onyx.

— Il nous reste encore des vivres, l'avertit Napashni.

— Et Lady Chloé nous en a donné d'autres, ajouta Cherrval.

— Mais nous avons fini tout le maïs !

Une marmite apparut sur les flammes, faisant sursauter la prêtresse. Elle était remplie jusqu'au bord d'épis jaunes appétissants.

— Ayarcoutec, il faudra aussi que tu apprennes à te contenter de ce que notre terre d'asile a à nous offrir, la gronda-t-elle.

— Pourquoi ? la taquina Onyx.

— Parce qu'on ne sait pas ce que nous réserve l'avenir.

— S'il reste avec nous, l'affaire est réglée, intervint l'enfant. À partir de maintenant, je mangerai ce dont j'aurai envie.

— Est-ce que tu as élevé tes enfants ainsi, Onyx d'Émeraude ?

Il hocha la tête à l'affirmative.

— Les Mixilzins s'assurent que les leurs pourront se débrouiller et survivre à l'âge adulte, poursuivit-elle sur un ton sentencieux.

— Je ne suis pas Mixilzin.

Ayarcoutec éclata de rire. « Elle ne se plaint plus depuis qu'il est là », remarqua la mère.

— Quand le maïs sera-t-il prêt ? demanda l'enfant en sautillant.

— Il faut laisser le temps à l'eau de chauffer, mon petit rayon de soleil.

Elle se mit à bouillonner sous ses yeux. Dès que les épis furent cuits, Napashni alla verser l'eau chaude dehors puis les servit à tout le monde.

— Est-ce que tu sais ce qu'est du beurre ? demanda Onyx à Ayarcoutec.

La petite fit signe que non. Un gros pot rempli d'un corps gras de couleur ivoire apparut entre l'enfant et l'adulte. Onyx y roula son épi et croqua dans les grains dorés. Ayarcoutec l'imita sans faire preuve de la moindre prudence.

— C'est bon ! s'exclama-t-elle, conquise.

Tous y goûtèrent et avouèrent que cette étrange substance donnait meilleur goût au maïs. Alors que la nuit s'installait doucement sur Émeraude, Onyx raconta à la petite l'histoire d'une princesse elfique qui avait donné son cœur à un humain, mais qui était morte avant qu'ils puissent se marier. Napashni allait lui reprocher son choix de conte, lorsque sa fille déclara que c'était le plus beau récit qu'elle avait entendu de toute son existence. « Évidemment, puisqu'il sort de la bouche d'Onyx », soupira intérieurement la mère.

Lorsque vint le temps d'aller au lit, Ayarcoutec protesta en apprenant que c'était sa mère qui dormirait auprès du Roi d'Émeraude. Napashni lui rappela que c'était encore elle qui prenait les décisions. En bougonnant, l'enfant se réfugia entre les pattes de Cherrval. Les ronronnements du Pardusse eurent finalement raison d'Ayarcoutec, qui sombra dans le sommeil. En silence, de leur côté de la maison, Onyx et la prêtresse échangèrent des baisers silencieux jusqu'à ce que leurs corps en réclament davantage. Napashni tendit l'oreille. Puisqu'il ne semblait pas y avoir d'orage dans les parages, elle s'abandonna aux étreintes de son nouvel amant.

19

DESTIN

La routine d'Abussos ne se trouva pas vraiment changée par la présence du bébé dans son campement. C'était le premier enfant que Lessien Idril et lui élevaient ensemble et ils étaient bien dépourvus face au poupon. Ignorant quoi faire, le dieu-hippocampe avait demandé à sa femme de s'en occuper. Elle n'était pas plus expérimentée que lui, mais l'improvisation faisait partie de ses belles qualités. Elle était donc descendue dans le monde des mortels pour y trouver un biberon. Les dieux ne consommaient évidemment pas de lait, mais elle pourrait le remplir avec le nectar cristallin dont ils avaient tous besoin pour survivre.

Se dirigeant vers le Château d'Émeraude où vivaient plusieurs de ses enfants, Lessien Idril avait ressenti la frustration de Nashoba et avait décidé de lui consacrer un peu de temps. Heureusement, d'ailleurs. Sans son intervention, l'âme du dieu-loup n'aurait jamais pu se libérer seule du piège où Akuretari l'avait enfermée. Elle avait ensuite poursuivi son chemin jusque chez Nahélé et Naalnish, qui vivaient dans la même famille. Après les avoir épiés sous un bouclier d'invisibilité, la déesse-louve avait pris l'un des nombreux biberons qui servaient à nourrir les jumeaux, puis était retournée dans son monde.

Le petit Nayati était vorace. Lorsqu'il avait terminé une bouteille, il pleurait pour en avoir une autre. Lessien Idril ne s'en plaignait pas. Toute sa vie, elle avait rêvé de prendre soin d'un bébé. Même les souhaits des dieux fondateurs étaient parfois exaucés. Elle le berçait toute la journée et lui parlait pour lui inculquer de bons préceptes. Nayati gardait ses yeux bleus braqués sur elle en tétant tranquillement. Lorsqu'il commençait à fermer les paupières, la déesse le déposait dans son berceau de bois.

Abussos, qui passait presque tout son temps dans les forêts célestes, à fabriquer des flûtes et des canots et à jouer de tristes mélodies, ne voyait l'enfant que lorsqu'il rentrait, au coucher du soleil divin. Il s'assoyait près du petit lit qu'il agitait doucement en contemplant les iris azurés de son fils jusqu'à ce qu'il s'endorme. Le dieu-hippocampe serait un jour obligé de conduire ce futur tyran à son dernier repos, afin d'épargner aux humains d'atroces souffrances, mais sa femme l'avait persuadé d'attendre qu'il commence à marcher. De cette façon, il pourrait avoir un peu de plaisir dans l'univers des disparus.

Les jours s'écoulèrent sans anicroches, jusqu'au soir où Abussos ne trouva pas Nayati dans son berceau. Pourtant, Lessien Idril tenait obstinément à imposer une solide routine au petit rebelle. Le dieu-hippocampe marcha donc jusqu'au feu de camp devant lequel sa femme était assise, croyant qu'elle avait gardé le bébé dans ses bras. Il constata avec surprise qu'il n'en était rien.

— Où est Nayati ?

— Dans son lit.

Abussos secoua la tête pour indiquer qu'elle se trompait. Lessien Idril bondit sur ses pieds et fonça dans la grande tente.

— Il a disparu… s'étrangla-t-elle.

— Où peut-il être allé ? se demanda le dieu-hippocampe en scrutant les alentours.

— Nulle part. Il n'est pas encore assez vieux pour marcher à quatre pattes. Quelqu'un l'a enlevé.

— Personne ne peut pénétrer dans notre monde, Idril.

Les dieux fondateurs appelèrent en même temps leur fidèle serviteur. Tayaress apparut immédiatement à l'entrée du tipi.

— Vénérables maîtres, les salua-t-il.

— Nayati est manquant, l'informa Lessien Idril en se tordant nerveusement les doigts.

— Lorsque je le retrouverai, quels sont mes ordres ?

— Tu le ramèneras, évidemment.

En scrutant le regard sombre d'Abussos, Tayaress devina que ce que le dieu-hippocampe désirait par-dessus tout, c'était de neutraliser son fils dragon.

— Il en sera fait selon votre désir.

L'Immortel se dématérialisa au milieu de sa courbette.

— J'espère qu'il ne lui est rien arrivé, s'attrista Lessien Idril.

Pour sa part, Abussos souhaitait plutôt que leur fils n'ait pas donné libre cours à sa sombre nature. Le couple fondateur alla s'asseoir devant le feu et garda le silence jusqu'au retour de Tayaress.

— Je l'ai retrouvé et j'ai fait en sorte qu'il ne flaire pas ma présence, annonça-t-il.

— Où est-il ? s'impatienta le dieu-hippocampe.

— Dans la forêt d'Émeraude. Je crois qu'il est à la recherche de Nashoba.

— Mais comment s'est-il rendu jusque-là ? s'étonna Lessien Idril.

— Par sa propre magie, apparemment.

— Il est tout petit !

— Plus maintenant.

— Conduis-moi jusqu'à lui, Tayaress, lui ordonna Abussos.

La déesse-louve se leva en même temps que son mari.

— Tu restes ici, décida le dieu-hippocampe.

— C'est aussi mon fils.

– Tu fais preuve de trop de tolérance envers lui.

– Abussos, je t'en conjure.

– Non, cette fois, tu ne m'influenceras pas. Tu sais aussi bien que moi de quoi il est capable. Ne nous suis pas.

Consternée, la déesse-louve baissa la tête. Les deux hommes disparurent en même temps pour réapparaître dans la forêt. Tayaress n'eut pas besoin d'indiquer où se trouvait Nayati. Abussos avait déjà senti sa terrible puissance.

– Ne laisse personne s'approcher d'ici.

Tayaress s'inclina et s'éloigna en direction opposée. Abussos serra les poings et avança entre les troncs. La pluie avait momentanément cessé, mais le ciel était couvert.

– Je sais que vous êtes là, fit alors une voix qui n'était pas celle d'un enfant.

Abussos pénétra dans une clairière. Un homme lui tournait le dos. Le dieu-hippocampe leva doucement la main, éclairant magiquement l'endroit dégarni d'arbres.

– Où est mon fils ?

L'étranger se retourna, mais il ne tenait pas le bébé dans ses bras. Ses yeux aussi clairs qu'un ciel d'été indiqua au dieu fondateur que l'enfant avait grandi.

– Comment est-ce possible ?

— J'avais commencé à utiliser mes pouvoirs avant ma mort, père.

— Personne n'a pu te montrer à vieillir à ta guise.

— Ce qu'on peut apprendre en observant les autres est vraiment surprenant.

— Pourquoi es-tu ici ?

— Je veux que mon dernier père me parle de ma courte vie. On oublie beaucoup de choses dans le monde lénifiant des disparus.

— Lorsque j'ai accepté de te laisser grandir, c'était dans mon monde à moi, pas dans celui des mortels. Marche avec moi et je te dirai ce que tu veux savoir. Les grandes règles de l'univers nous empêchent d'intervenir dans la vie des humains, surtout lorsqu'ils nous croient morts.

Abussos s'approcha prudemment de ce dieu qui pouvait se retourner contre lui à tout moment. Nayati ne semblait pas vouloir l'affronter, heureusement. Un duel entre deux divinités aussi puissantes qu'eux aurait eu des conséquences désastreuses pour les habitants de la région.

— Tu as été un bon fils, avoua Abussos.

— Alors pourquoi m'avez-vous laissé mourir ?

L'accusation était de taille, mais Nayati disait vrai. Lorsque l'Empereur Noir s'était présenté à la forteresse d'Émeraude,

Abussos en avait profité pour éliminer l'enfant avant qu'il ne commence à manifester sa véritable nature.

— Tu ne l'aurais pas compris à ce moment-là et je ne suis pas certain que tu le comprennes maintenant.

— Vous avez promis de me dire tout ce que je voulais savoir.

— Lorsque ta mère et moi avons décidé d'avoir des enfants, nous avons oublié un grand principe de la création. La lumière et l'obscurité doivent toujours être en équilibre. Nous avions déjà huit enfants lorsque nous nous sommes aperçus que nous avions commis une faute.

— Moi?

— Je ne veux pour rien au monde te faire de la peine, Nayati, mais c'est toi qui as hérité du côté sombre de l'énergie que nous avons partagée entre ton frère Lazuli et toi.

— Mais si je ne m'abuse, vous êtes aussi le côté sombre de Lessien Idril, tout comme Nashoba est le côté sombre de Nahélé.

— C'est juste, mais en toi se sont rassemblés beaucoup plus de ténèbres.

— Si c'était vrai, je ressentirais un constant besoin de tuer, non?

— Pas nécessairement, mon petit. Ce sont toutes tes réactions, toutes tes pensées et toutes tes décisions qui viseront à rabaisser les autres plutôt qu'à leur venir en aide. Tu ne penseras qu'à toi et à tes propres besoins et tu n'hésiteras pas à écraser quiconque te contredira, même un peuple tout entier.

— En cela, je ne suis pas vraiment différent de Nashoba, mais lui, vous le laissez vivre.

— Parce qu'il a le potentiel de changer.

— Et je ne l'ai pas?

Nayati s'arrêta net en s'apercevant qu'ils ne marchaient plus dans la forêt, mais sur le sentier qui menait au portail du hall des disparus.

— Vous avez oublié mon puissant instinct de survie.

— Je le connais mieux que quiconque.

— Je refuse de retourner dans ce monde sans saveur et sans défi.

— Il le faudra pourtant si tu ne m'obéis pas. Je t'ai accordé le droit d'évoluer dans mon monde, où je peux te surveiller. Si tu tentes de t'enfuir une seconde fois, je serai obligé d'utiliser la force.

La colère qui brillait dans les yeux de Nayati alarma Abussos. Devait-il s'emparer tout de suite de lui pour éviter le pire?

– J'ai besoin de parler à ma mère, annonça Nayati en tournant les talons.

S'il avait choisi de vieillir jusqu'à l'âge de dix-neuf ans, il n'en demeurait pas moins un très jeune dieu, qui n'avait pas eu le temps de mûrir. Abussos l'avait piégé sans la moindre difficulté. Mécontent, il retourna au campement de ses parents. Lessien Idril mit fin à sa méditation en ressentant son approche.

– Tu es devenu un beau jeune homme, le félicita-t-elle. Où as-tu trouvé ces vêtements ?

Il portait un pantalon de cuir noir et une chemise de soie tout aussi sombre, ainsi que des bottes.

– Je les ai trouvés dans la penderie de mon père, mais il n'était pas là, alors je suis parti à sa recherche.

Nayati s'assit de l'autre côté du feu. Il ne semblait pas menaçant.

– Tu parles de Nashoba, n'est-ce pas ?

– J'ai un bon souvenir de lui, mais beaucoup de détails ont été effacés de ma mémoire.

– C'est Abussos et moi qui l'avons voulu ainsi. C'est la même chose pour les humains. Puisqu'ils passeront l'éternité sur les plaines de lumière, tout comme les dieux dans le hall des disparus, nous désirions qu'ils ne souffrent plus. Nous avons donc créé des vapeurs destinées à effacer les souvenirs douloureux.

— Ai-je fait le mal durant ma courte vie ?

— Non, Nayati.

— Ai-je souffert ?

— Je t'en prie, cesse de te torturer ainsi.

— J'ai besoin de le savoir.

Lessien Idril se laissa attendrir par les larmes qui s'étaient mises à couler sur les joues de son fils.

— Viens t'asseoir près de moi.

Nayati lui obéit sur-le-champ.

— Regarde le feu.

La déesse-louve plaça la main sur la nuque du jeune homme. Aussitôt, les flammes se transformèrent en miroir. Nayati vit la naissance de Nemeroff et le bonheur de ses parents. Il assista à son enfance en accéléré, mais en ressentit toutes les émotions. Onyx l'aimait beaucoup, même s'il s'était fait un point d'honneur de traiter tous ses enfants de la même façon. C'était lui qu'il voyait sur le trône d'Émeraude. Il revit ses frères Atlance, Fabian et Maximilien avec qui il aimait jouer et à qui il racontait des histoires avant d'aller au lit. Puis le miroir s'assombrit.

— C'est tout ?

Lessien Idril caressa ses cheveux noirs pour le réconforter.

— Montrez-moi ce que mes frères sont devenus. Sont-ils toujours vivants ?

— Oui, mon chéri, et il s'en est ajouté d'autres, par la suite.

— Mes parents ont eu d'autres enfants ?

— Une fille qu'ils ont appelé Cornéliane, puis ils ont adopté Anoki, un petit Ressakan.

— Un quoi ?

— Un habitant d'un pays de l'autre côté des volcans.

— Nous avons finalement trouvé une façon d'y aller ?

— Il n'y a rien à l'épreuve de Nashoba.

— C'est une bonne nouvelle.

— Ils ont aussi adopté un bébé orphelin qui s'appelle Jaspe et ta mère est enceinte.

— Qui ont-ils choisi pour leur succéder ?

— Ta sœur, mais elle est actuellement sous la protection d'un dieu félin.

L'expression confuse de Nayati fit sourire sa mère. Elle lui fit voir tous les membres de son ancienne famille. Atlance,

Fabian et Maximilien étaient devenus des hommes. Il trouva Cornéliane particulièrement jolie, mais les deux derniers fils le laissèrent indifférent. Ce qui l'intéressait, c'était ce qu'il avait connu.

— Pourquoi ai-je été retiré du monde des morts ? demanda-t-il en plantant son regard dans celui de Lessien Idril.

— Nashoba a procédé à une incantation destinée à forcer le portail des grandes plaines de lumières pour en libérer l'âme d'un enfant qui lui manquait beaucoup.

— Nemeroff…

— Malheureusement, la procédure ne s'est pas déroulée comme prévu. Il ignorait bien sûr que tu ne partageais pas le repos éternel des humains, mais celui des dieux. Ce sont les portes du hall qu'il a ouvertes. Si les gardiens n'étaient pas intervenus rapidement, nous aurions eu un sérieux problème sur les bras.

— Ce n'est donc pas moi qui ai prémédité mon évasion…

— Non, Nayati.

— Je n'ai donc pas que des idées destructrices.

— Pas jusqu'à présent.

— Mère, croyez-vous qu'une personne puisse changer ?

— Moi, oui.

— Père m'a dit qu'il finira par me renvoyer chez les disparus, mais je veux lui prouver que je ne suis pas le monstre qu'il appréhende. Comment dois-je m'y prendre ?

— En entretenant de bonnes pensées et en chassant les mauvaises chaque fois qu'elles osent apparaître dans ton esprit.

Nayati se retourna et se blottit dans les bras de sa mère. Lessien Idril lui frictionna le dos.

— Ton énergie fluctue, mon chéri. J'imagine que tu ne voudras pas boire l'eau divine dans ton biberon.

Le commentaire fit rire le dieu-dragon.

— Puisqu'à partir d'aujourd'hui, tu n'auras plus besoin de moi pour te nourrir, je vais t'enseigner à le faire toi-même.

Elle emmena son fils dans la forêt, où coulait une source cristalline.

— Il n'y en a pas dans le monde des disparus, se rappela Nayati.

— Ils n'en ont nul besoin.

— Est-ce parce qu'ils en sont privés qu'ils deviennent apathiques ?

— Non, mon petit. Ce sont les vapeurs qui les rendent insensibles.

— Insensibles ou résignés ?

— Bois.

Il forma un récipient avec ses mains et les plongea dans la source. Dès la première gorgée, il se sentit revivre. «Abussos a réussi à me ramener dans son monde parce que mon énergie avait diminué », comprit-il.

— Comment Nashoba réussit-il à rester aussi longtemps dans le monde des mortels sans perdre sa force vitale ?

— C'est qu'il a un corps physique, alors que toi, tu as un corps divin, comme les Immortels. Tu ne pourras jamais vivre dans le même monde que ton ancien père.

— Tout ce que je veux, c'est reprendre ma vie là où je l'ai laissée.

— Je crains que ce soit impossible.

— La stratégie d'Abussos est donc de me laisser vivre ici jusqu'à ce que je ne puisse plus supporter mon isolement, n'est-ce pas ?

— Tu n'es pas seul. Nous sommes là.

— M'aiderez-vous à trouver une façon d'aller voir mes frères au moins une fois avant leur mort ?

— J'y réfléchirai.

— Merci, mère.

Lessien Idril posa la main sur celle de son fils.

— Ton énergie est acceptable.

— Je me sens en effet beaucoup mieux.

— Essayons maintenant de trouver une activité divine qui te permettrait d'exercer tes talents.

— Y a-t-il une bibliothèque dans les mondes célestes ?

— Non, mais je suis certaine que nous pourrions trouver une façon d'emprunter des livres aux mortels, à condition de les retourner, évidemment.

— C'est quelque chose qui me plairait beaucoup.

La déesse-louve le ramena près du feu, où les attendait Abussos.

— Il ne voulait plus du biberon, alors je lui ai montré à se sustenter par lui-même, lui dit Lessien Idril.

— Père, donnez-moi l'occasion de vous prouver que tout le monde peut changer son destin, l'implora Nayati.

— Hum…

— C'est une réponse encourageante, chuchota la déesse à l'oreille de son fils.

Abussos alluma sa pipe du soir en observant le jeune dieu. Nayati le sentait fouiller dans sa tête et dans son âme, mais il ne s'y opposa pas. Il voulait survivre.

20

STUPÉFACTION

Kira était en train de ramasser la vaisselle du repas matinal et de la mettre dans la grande cuve pour la laver lorsqu'on frappa à sa porte. Les jumeaux faisaient la sieste et les plus vieux étaient dans le hall du roi, où Bridgess leur enseignait la langue des anciens. Lassa s'était endormi sur son lit, à côté des berceaux, après avoir joué aux petits leur mélodie préférée à la flûte. La Sholienne essuya ses mains sur son tablier et alla répondre. Elle resta muette de surprise en apercevant sa sœur Myrialuna devant elle. Cette dernière, plus démonstrative, lui sauta dans les bras et la serra très fort.

– Mais que fais-tu ici ? réussit finalement à articuler Kira. Où sont tes filles ?

– À Shola, avec Abnar.

– Tu es toute seule ?

– Je connais le chemin jusqu'ici.

La Sholienne la tira à l'intérieur et referma la porte.

– Tu n'as pas utilisé ta magie ?

— Je ne sais pas trop comment…

— C'est dangereux de parcourir une aussi grande distance avant la fin de la saison des pluies.

— Pas pour un eyra. Est-ce que je te dérange ?

— Tu as parcouru des centaines de kilomètres et tu oses me demander ça ? La vaisselle peut bien attendre. Mieux encore, je demanderai aux enfants de la laver lorsqu'ils reviendront de leurs classes. Viens t'asseoir.

Elles s'assirent sur le sofa, mais Myrialuna était incapable de rester tranquille.

— Vas-tu finir par me dire ton secret ? la pressa la grande sœur.

— Je vais avoir d'autres bébés. Des garçons !

— Il était à peu près temps !

— J'ai déjà choisi leurs noms : Sasha, Stanislav et Sergueï.

— Comment feras-tu pour retenir les noms de neufs enfants ?

— Je n'ai qu'à associer le nom à l'odeur de chacun d'entre eux et je ne les oublie plus jamais.

— Et pourquoi fais-tu commencer leurs noms par la même lettre ?

– Parce que c'est moins mêlant.

– Nos cerveaux ne fonctionnent vraiment pas de la même façon. J'espère que tu vas rester quelques jours ?

– Oui. J'ai besoin de me reposer un peu.

– Tout le château se prépare au mariage du Prince Maximilien. Tu pourrais nous donner un coup de main.

– C'est le beau brun qui aime les chevaux ?

– Oui. Je ne savais pas que tu le trouvais séduisant.

– Tous les hommes ont un petit quelque chose qui les rend intéressants. Comment pourrais-je vous aider ?

Kira prépara du thé et lui expliqua qu'Aydine étant originaire d'un lointain pays, aux mœurs bien différentes de celles d'Enkidiev, elle avait besoin de tout apprendre au sujet de la cérémonie du mariage à Émeraude.

– Le Roi Onyx est donc de retour, se réjouit la femme eyra.

– Non. C'est la reine qui leur fera prononcer leurs vœux.

– Anyaguara m'a souvent répété que les temps changent et qu'il faut s'adapter.

– Ta mère adoptive est une femme très sage.

Les sœurs sirotèrent leur thé jusqu'au réveil des jumeaux et de leur père. Lassa arriva au salon avec un bébé sur chaque bras.

— Je les ai changés, mais ils ont faim, déclara-t-il. Bonjour, Myrialuna.

Pendant qu'elle nourrissait Maélys, Kira expliqua à son mari la raison de la visite de la châtelaine de Shola.

— Trois !

— Puis-je te rappeler, mon chéri, qu'elle en a eu six la première fois.

— Nous n'en avons que deux et, la plupart du temps, nous n'arrivons pas à tout faire.

— C'est seulement une question d'organisation, affirma Myrialuna, mais je dois avouer qu'Abnar était découragé lui aussi, au début. Une fois qu'il a accepté de s'astreindre à cette nouvelle routine, ça s'est mieux passé. Les Immortels sont habitués d'être libres comme le vent, vous savez.

— Je vous lève mon chapeau, la félicita Lassa.

Kira fit ensuite boire Kylian, qui était plus patient que sa jumelle, puis installa ses bébés sur une couverture à même le sol, car ils se tenaient maintenant assis tous les deux. Lassa alla leur chercher des jouets en bois, qu'ils se mirent aussitôt dans la bouche.

— Ils vont bientôt se promener à quatre pattes, prédit Lassa.

— Les miennes le font encore, précisa Myrialuna.

— Les nôtres ne sont pas des eyras.

— En fait, nous ne savons même pas s'ils seront un animal quelconque, intervint Kira. Nous ne sommes pas tous obligés d'avoir une autre forme.

Lassa se mordit la langue afin de ne pas passer de commentaires, car il avait peur de ce que donnerait le croisement d'un alligator couvert de plumes et d'un dauphin ailé.

Quand Kaliska et Marek revinrent de leurs cours, ils s'empressèrent d'étreindre leur tante aux cheveux roses et furent heureux d'apprendre qu'ils auraient des cousins.

— Ma chérie, pourrais-tu t'occuper des jumeaux pendant que nous allons donner un coup de main à Mali ? demanda Kira à Kaliska.

— Oui, bien sûr.

— Ils sont changés et ils ont mangé.

— Il vous suffira de les occuper, ajouta Lassa.

Maélys et Kylian regardèrent partir les adultes avec un peu d'angoisse, mais Marek avait déjà commencé à leur changer les idées en faisant galoper les petits chevaux en bois sur la couverture devant leurs pieds nus. Voyant qu'il avait la situation en main et que la vaisselle n'avait pas été lavée, Kaliska s'en chargea.

— Où est Wellan ? s'enquit Marek.

Kaliska se servit de ses sens surnaturels pour le localiser.

— Dans sa chambre, découvrit-elle. Il est en train de lire, alors je te conseille de le laisser tranquille.

— Je n'allais pas l'embêter.

— Tu dis toujours ça, mais c'est ce que tu finis par faire à toutes les fois.

— Ce n'est pas vrai !

Kira ne voulait pas que ses enfants utilisent la magie pour accomplir leurs corvées, mais lorsqu'elle n'était pas là, Kaliska s'en servait quand même, pour arriver à tout faire. L'éponge se mit à frotter les assiettes sous ses yeux tandis que le linge les attendait pour les essuyer.

✳ ✳ ✳

Kira, Myrialuna et Lassa trouvèrent Mali, Liam et Aydine dans le hall des Chevaliers, dont l'entrée était gardée par des serviteurs qui avaient reçu l'ordre de chasser Maximilien s'il venait à s'en approcher. La future mariée ne voulait pas qu'il sache qu'elle n'était pas aussi parfaite qu'il l'imaginait. Elle ignorait tout des coutumes d'Enkidiev. Le peu qu'elle avait appris, c'était au contact de Bridgess et de Mali, mais son rôle au château avait été d'enseigner la danse aux enfants. D'ailleurs, ce qu'elle leur montrait provenait de son pays à elle. Il ne lui restait donc que quelques jours pour tout savoir.

— Je suis contente de vous voir ! s'exclama Mali. Je suis en train d'enseigner nos danses à Aydine, car il est certain qu'il y aura un bal dans la grande cour après la cérémonie et le festin, mais mon beau Liam n'est pas le plus doué des Chevaliers en la matière.

Liam haussa les épaules pour leur faire comprendre qu'elle lui en demandait trop.

— Lassa, est-ce que tu pourrais prendre sa place ?

— Bien sûr.

Pendant que son mari allait se placer près d'Aydine, Kira et Myrialuna allèrent voir la petite Kyomi, couchée sur un coussin devant l'âtre.

— Elle n'est pas plus grosse que mes bébés lorsqu'ils naissent, fit remarquer la femme eyra.

— Mais cette belle enfant a déjà plusieurs semaines de vie.

Avec une patience exemplaire, Lassa fit répéter à la future mariée trois des danses les plus demandées lors des fêtes à Émeraude. Aydine était si tendue qu'elle se trompait souvent.

— Je suis vraiment désolée de vous marcher constamment sur les pieds, sire Lassa.

— J'y suis habitué. Kira n'était pas meilleure que vous quand nous avons commencé à danser ensemble.

— Pardon ? s'exclama la Sholienne.

— J'avais des ecchymoses sur tous mes orteils.

— Ce n'est pas vrai !

L'air espiègle de son mari fit comprendre à Kira qu'il la taquinait. Incapable de rester là à rien faire, Myrialuna prit la main de sa sœur et l'entraîna au milieu de la pièce afin d'imiter les danseurs. Kira se prêta au jeu, mais il lui était impossible de suivre le rythme de la femme eyra qui sautillait partout.

Pendant ce temps, deux étages plus haut, Kaliska était aux prises avec des problèmes fort différents. Les jumeaux s'étant lassés des jouets, ils avaient commencé à pleurnicher. Marek avait d'abord fait le pitre, mais sans résultat.

— Je vais vous enseigner la magie ! décida le grand frère tandis que sa sœur faisait un peu de rangement dans la chambre des jumeaux.

Marek fit voler un premier bloc devant Maélys, qui le suivit des yeux avec intérêt, alors que Kylian n'y prêta aucune attention. Il multiplia donc le nombre d'objets volants qui dansaient comme s'ils étaient pendus au bout d'une ficelle.

— Vous ne voulez pas essayer ?

Maélys se mit à pleurer. Pour la distraire, Marek fit alors voler les jouets tout autour des jumeaux, mais comme il avait employé plus de force que nécessaire, les deux bébés furent aspirés dans le tourbillon. Leurs pleurs se transformèrent en cris de terreur.

– Qu'est-ce que j'ai fait ? se désola Marek.

Il allait les ramener sur le sol lorsque Kaliska arriva en courant dans le salon pour voir ce qui effrayait autant les petits.

– Mais qu'est-ce qui se passe ici ?

– Je...

– Quand apprendras-tu la différence entre ce qui se fait et ce qui ne se fait pas, Marek d'Émeraude ? se fâcha-t-elle.

Les lamentations aiguës des jumeaux étaient de plus en plus insupportables.

– Remets-les par terre ! exigea Kaliska.

– Je n'y arrive pas quand on me crie après !

– Tu veux vraiment que je fasse monter papa et maman ?

– Non !

Déconcentré par le bruit infernal qui provenait du salon, Wellan quitta sa chambre pour aller voir ce qui se passait. Il s'arrêta net à l'entrée de la pièce, étonné de voir les jumeaux tourner dans les airs en vagissant pendant que Marek et Kaliska s'insultaient à qui mieux mieux.

— Avez-vous fini, à la fin ? intervint l'aîné.

— J'en ai assez ! clama sa sœur. Allez-vous tous finir par grandir pour que je ne sois plus obligée de jouer à la gardienne ?

Un vent violent balaya soudain la pièce. Les jumeaux plongèrent vers le sol. Ni Wellan, ni Marek ne purent se précipiter pour les attraper, car la violence du déplacement d'air les avait plaqués sur le mur, au fond du salon.

— Kaliska, à quoi joues-tu ? s'alarma Wellan.

Au lieu de lui répondre, la grande sœur s'écroula sur le sol à côté des jumeaux.

— Quelqu'un essaie de nous tuer ! hurla Marek.

Au lieu de paniquer, Wellan tenta plutôt d'examiner la situation. Il sentait un curieux fourmillement sous sa peau, mais puisqu'il avait seize ans et presque sa taille adulte, il ne saisit pas tout de suite ce qui lui arrivait. Ce fut lorsqu'il tourna la tête vers Marek qu'il comprit qu'ils étaient tous victimes d'un sort. Les traits de son petit frère n'étaient plus ceux d'un gamin. En quelques secondes à peine, il s'était métamorphosé en adolescent. Stupéfait, Wellan regarda du côté des jumeaux. Ce n'était plus des bébés, mais des enfants de cinq ou six ans !

— Kaliska ! appela-t-il en combattant la magie qui le clouait au mur.

Puis, aussi brusquement qu'il s'était levé, le vent cessa. Wellan tomba sur ses genoux, mais ne bougea pas tout de suite. En détachant le col de sa tunique soudain trop serrée, il étudia la situation. Non seulement le salon était sens dessus dessous, mais le plancher était jonché d'objets en provenance de toutes les pièces. Les jumeaux étaient nus, car leurs langes s'étaient déchirés sous la pression de leur croissance. Kaliska était couchée à plat ventre, apparemment sans connaissance, et Marek gémissait en se tordant à côté de lui.

Wellan marcha à quatre pattes jusqu'à sa sœur et la retourna sur le dos. Il lui tapota gentiment les joues et la fit revenir à elle. Sa robe était devenue si étroite qu'elle était en train d'étouffer. Wellan en empoigna le collet et tira de toutes ses forces. Le tissu se déchira et le grand frère remarqua avec étonnement que sa sœur n'était plus une adolescente. Il s'empara de la couverture qui traînait sur le sol et la couvrit aussitôt.

— Que nous est-il arrivé ? hoqueta-t-elle.

— On dirait bien que nous avons tous vieilli de quelques années.

L'aîné se pencha alors sur les jumeaux, absolument méconnaissables. Ils avaient une épaisse chevelure, blonde et frisée dans le cas de Kylian, mauve et plate dans celui de Maélys. Ils revinrent lentement à eux et se mirent à pleurer.

— Est-ce que ça va ?

Même s'ils avaient spontanément grandi, ils ne savaient pas encore parler.

— Je ne me sens pas très bien, gémit alors Marek, qui déchira lui-même sa tunique.

Les enfants n'avaient pas encore songé à l'explication qu'ils donneraient à leurs parents lorsque ceux-ci franchirent la porte d'entrée. Kira et Lassa s'immobilisèrent, interloqués.

— C'est la faute de Marek ! l'accusa Kaliska.

— Ce n'est pas vrai ! se défendit le garçon. C'est la sienne !

Kira s'approcha à pas lents des jumeaux impossibles à reconnaître sauf par celle qui leur avait donné la vie.

— Kylian ? Maélys ?

Les deux enfants voulurent passer leurs bras autour du cou de leur mère, mais ils étaient maintenant bien trop grands pour le faire en même temps. Ils se cognèrent l'un sur l'autre et éclatèrent en sanglots.

— Comment est-ce arrivé ? s'étonna Kira.

Refusant de croire que sa famille puisse être responsable de l'incroyable phénomène, Lassa s'employait depuis quelques secondes déjà à scruter les lieux, à la recherche d'un sorcier. Wellan, lui, cherchait la solution ailleurs.

— Je pense que je le sais, déclara-t-il.

Toutes les têtes se tournèrent vers lui.

— Il y avait tellement de tapage dans le salon quand Kaliska est arrivée du couloir qu'elle s'est fâchée. Elle a dit: «allez-vous tous finir par grandir» et une énergie irrépressible nous a cloués au mur et au plancher.

— Tu leur as jeté un sort? s'étonna Lassa.

— Non! protesta Kaliska.

— Je vous avais dit que c'était elle! s'exclama Marek.

— Les dieux n'ont qu'à vouloir quelque chose pour l'obtenir, leur apprit alors Wellan. Tu es la fille d'Abussos.

— C'est impossible… sanglota Kaliska. Je n'ai jamais eu ce que je souhaitais…

«Quel feu éteindre en premier?» se demanda Kira en promenant son regard d'un enfant à l'autre.

— Wellan, peux-tu t'occuper de Marek? fit-elle en reprenant son aplomb.

— Certainement.

L'aîné saisit son frère par le bras pour l'aider à se relever, puis le poussa dans le couloir.

— Je vais te prêter une tunique en attendant que maman refasse tous nos vêtements, lui dit-il.

— Kaliska, ma chérie, calme-toi, exigea Kira.

Lassa en profita pour s'accroupir devant les jumeaux qui le regardaient avec étonnement.

— Je ne l'ai pas fait exprès… murmura la jeune fille.

— Je suis sûre que non, mais si cette expérience traumatisante peut te mettre en garde contre ce que tu dis, alors elle aura au moins servi à ça.

— Je garderai le silence pour toujours.

— Ce serait trop facile, mademoiselle. Ce qu'il te faut apprendre, c'est la maîtrise de tes pensées et de tes paroles.

Kira essuya ses beaux yeux violets et l'embrassa sur le front.

— Va fouiller dans ma penderie. Je suis certaine que tu trouveras quelque chose qui te va. Dès que nous serons tous sereins, nous discuterons de ce qui s'est produit.

Kaliska hocha docilement la tête et se sauva en courant dans le corridor en gardant la couverture autour d'elle. Il ne restait que les jumeaux qui, visiblement, ne comprenaient pas ce qui se passait.

— Kylian, as-tu mal quelque part? lui demanda Lassa.

Il ne sortit que des sons de bébé de sa bouche.

— Kira, nous avons un sérieux problème.

— Nous ignorons la teneur de l'incantation qu'a utilisée Kaliska. Elle ne visait peut-être que le physique des enfants.

— Ce seront des attardés sociaux…

— Pas si nous mettons les bouchées doubles pour les éduquer.

— Où allons-nous les coucher ?

— Nous avons une chambre libre, mais je ne crois pas que ce soit une bonne idée de les laisser à eux-mêmes, en ce moment. Nous allons déplacer des lits près du nôtre et les surveiller plus attentivement.

— Comment allons-nous rattraper ce retard de quatre ou cinq ans ? Ils viennent d'escamoter les années les plus importantes de la croissance humaine.

— Tu ne m'aides pas vraiment en te montrant aussi pessimiste, Lassa.

— Lassa, répéta Maélys avec un sourire.

— C'est un bon début, non ? fit Kira, encouragée.

— Je vais me verser du vin, déclara Lassa en se levant.

Kira en avait envie aussi, mais elle devait d'abord régler le plus de problèmes qu'elle le pouvait. Maélys étant la plus dégourdie des jumeaux, la mère prit ses mains.

— Debout, ma chérie.

La mère aida sa fille à conserver son équilibre, pendant que Kylian observait ce qu'elle faisait. Kira fit faire un premier pas à Maélys, puis un deuxième et ainsi de suite, jusqu'à ce qu'elles atteignent l'entrée du couloir.

— Appuie-toi sur le mur et ne bouge pas.

Kira refit le même exercice avec Kylian. En découpant le trajet en plusieurs étapes, elle finit par conduire les jumeaux jusqu'à sa chambre et à les faire asseoir sur le lit. Elle alla chercher des tuniques dans les affaires de Marek et les habilla tous les deux. Appuyé contre le chambranle de la porte, Lassa assistait à tous ses gestes, une bouteille de vin à la main.

— J'espère que tu te rends compte qu'ils ne savent pas aller à la toilette, indiqua-t-il.

— C'est pour cette raison que tu vas m'aider à langer Kylian, mon chéri.

Lassa soupira, mais se soumit à sa requête.

— Tu es un dieu, toi aussi, lui rappela Kira. Tu pourrais faire vieillir leur esprit si tu le voulais.

— Je me demandais justement pourquoi celui-ci n'avait pas évolué en même temps que leur physique.

— C'est probablement parce que Kaliska a utilisé le verbe « grandir » plutôt que « vieillir ».

– Pourquoi ne renverse-t-elle pas le sort qu'elle a jeté ? tenta-t-il.

– Parce qu'elle n'a aucune idée de ce qu'elle a fait. Toute tentative de sa part pourrait s'avérer désastreuse. Au lieu de craindre qu'ils ne s'adaptent jamais à notre société, pourquoi ne fais-tu pas au moins un petit essai pour les propulser mentalement à l'âge de leur corps ?

– Parce que je n'ai jamais fait ça.

– Kaliska non plus, lui fit remarquer Kira.

– Tu es une puissante magicienne, non ?

– Je te ferai remarquer que c'est toi qui s'inquiètes pour les jumeaux. Alors, fais quelque chose.

Lassa poussa un grognement de soumission.

– Faut-il que je me fâche comme elle pour que ça fonctionne ? demanda-t-il.

– L'angoisse qui te tourmente en ce moment devrait suffire, à mon avis.

– Moi, ce que je ne comprends pas, c'est que tu arrives à rester calme alors que la situation est vraiment grave.

– C'est parce que je sais que tu vas tout arranger, mon chéri.

L'air de découragement que lui servit Lassa fit presque rire Kira.

— Tu veux vraiment que je fasse un essai ?

— Qu'est-ce qu'on a à perdre ?

— Apparemment, Kaliska a touché tous ceux qui se trouvaient dans le salon, même elle. As-tu envie d'avoir cinq ans de plus de maturité ?

— Place-toi devant les jumeaux et cible-les dans ta demande, dans ce cas.

Lassa prit une profonde respiration et s'accroupit devant Maélys et Kylian, assis au bout de son lit.

— Si je suis vraiment le fils des dieux fondateurs... commença-t-il.

Kira leva les yeux au plafond.

— Que vos esprits aient maintenant le même âge que vos corps !

Une bourrasque traversa la chambre, déplaçant tout sur son passage. Kira s'accrocha à son époux, sans se rendre compte qu'elle plantait ses griffes dans sa chair. La tempête de vent ne dura que quelques minutes.

— Maman... gémit Kylian, effrayé.

– Tout va très bien, mon chéri.

Kira serra son fils dans ses bras.

– J'ai encore faim, leur dit Maélys.

– Vous avez de très belles voix, se réjouit la mère. Merci, Lassa.

Elle embrassa son mari avec reconnaissance.

21

LE GRAND DÉPART

Onyx ne retourna pas à Irianeth durant les derniers jours de la saison des pluies. Il resta plutôt à Émeraude, tout en conservant sa bulle de protection autour de lui pour que sa famille ne flaire pas sa présence. Il prit le temps d'enseigner le tir à l'arc à Napashni, car durant sa première vie de soldat, il avait appris à maîtriser cette arme. Il l'avait également utilisée lorsqu'il avait habité le corps de Sage d'Espérita durant la deuxième invasion. La Mixilzin était une élève douée. Jamais elle ne rechignait lorsqu'il corrigeait la position de ses bras ou qu'il lui faisait pincer la corde autrement. En très peu de temps, elle arriva à toucher même les cibles les plus petites.

Ayarcoutec rayonnait de bonheur depuis que le Roi d'Émeraude vivait avec eux. Elle ne se plaignait plus de rien, s'acquittait de ses corvées en chantant et harcelait continuellement Onyx pour qu'il lui parle du passé. D'ailleurs, ce dernier, qui était habituellement froid et distant avec tout le monde, perdait toute sa réserve lorsqu'il était en présence de la petite. Napashni en vint rapidement à la conclusion qu'Ayarcoutec avait besoin d'un père et qu'Onyx ne pouvait pas vivre sans enfants.

Les orages se distancèrent de plus en plus, puis, un matin, les réfugiés virent que le ciel était bleu. Les fleurs se mirent à sortir de terre et les feuilles devinrent plus vertes. Graduellement, la chaleur revint sur le continent.

Ce fut pendant une partie de chasse qu'Onyx comprit qu'il était temps pour lui de quitter les lieux. Le beau temps avait fait sortir les gens dehors et les hommes en manque de viande avaient recommencé à sillonner les bois à la recherche de gibier. Un matin, pour ne pas être vus de ceux qui pistaient le même cerf qu'eux, le renégat ramena Napashni contre lui en lui faisant signe de se taire. Les chasseurs passèrent à côté d'eux sans les apercevoir. Dès qu'ils furent plus loin, Onyx tira sur le bras de sa compagne, lui faisant signe qu'ils retournaient à la maison.

Lorsqu'ils l'atteignirent, Ayarcoutec était assise sur le dos de Cherrval et piquait de petites fleurs dans sa crinière.

— Je ne peux plus rester ici, annonça Onyx à ses amis. Tôt ou tard, quelqu'un découvrira ma présence et je n'ai nulle envie que mes fils se lancent à ma poursuite.

— Où iras-tu ? se chagrina la petite.

— De l'autre côté des montagnes. Si la magie des volcans est toujours inopérante, ce ne devrait pas être un problème.

— Laisse-nous t'accompagner, l'implora Napashni.

— Je ne m'en vais pas établir mon domicile là-bas, je m'y rends pour conquérir Enlilkisar.

– Même les Mixilzins ? s'étonna Ayarcoutec.

– Tous les peuples du nouveau monde. Une fois que je serai leur empereur, nous reviendrons montrer à Enkidiev qui est le plus fort.

– Je veux conquérir le monde moi aussi !

– Nous ne sommes que quatre, lui fit remarquer Napashni.

– Dont deux dieux.

« Mais un seul qui sait se servir de ses pouvoirs », se désespéra la prêtresse.

– S'il y a des choses auxquelles vous tenez, c'est le moment de les rassembler, indiqua Onyx. Détruisez ce que vous ne voulez pas laisser aux chasseurs.

Napashni profita de cette offre pour faire table rase de son ancienne vie. Elle n'emporta qu'une besace avec quelques vêtements de rechange ainsi que ses armes. Elle brûla ses tuniques et ses coiffes de cérémonie, ainsi que tous les présents que lui avaient offerts ses nombreux maris. Ayarcoutec fit de même, mais c'est avec beaucoup de chagrin qu'elle jeta ses poupées de chiffons dans les flammes. Elles éteignirent ensuite le feu, jetèrent un dernier coup d'œil à la maison maintenant vide et rejoignirent Onyx dehors. Lui avait abandonné toutes ses possessions depuis bien longtemps.

– Mettez tous la main sur moi, ordonna le futur empereur.

En une fraction de seconde, ils se retrouvèrent complètement au sud du Désert, au pied des volcans. Napashni remarqua tout de suite que ceux qui étaient encore très actifs il n'y a pas si longtemps ne laissaient plus échapper de fumée.

— Comment savoir s'ils sont éteints ? demanda-t-elle.

— Attendez-moi ici, leur dit le renégat.

Sans leur donner le temps de le questionner, il se dématérialisa et réapparut quelques secondes plus tard sur le dos d'un grand étalon noir ailé.

— Ce qu'il est beau ! s'exclama Ayarcoutec. Maman aussi a des ailes quand elle se transforme.

— Je ne suis pas consciente de mes gestes sous ma forme de griffon, précisa Napashni.

— Je vais seulement aller voir ce qui se passe. Une fois là-haut, je tenterai de communiquer avec vous pour vérifier notre théorie.

Il pressa les talons dans les flancs d'Hardjan. Le cheval-dragon s'élança au galop en battant des ailes et s'éleva dans les airs. Onyx inspecta les cratères de plusieurs volcans avant de se poser sur le bord de l'un d'eux. *Napashni,* appela-t-il par télépathie. *Je t'entends très bien,* affirma la guerrière, restée dans le Désert avec Cherrval et Ayarcoutec.

Ceux que j'ai survolés ne brûlent plus et celui sur lequel je me tiens est froid comme s'il n'avait jamais craché de lave.

Onyx revint sur la plage. Hardjan ferma ses ailes et le suivit comme un petit chien.

– Ou bien Lycaon a levé volontairement le sort qu'il avait lancé aux volcans, ou bien il a lui-même été détruit, annonça le renégat.

– Comment pourrions-nous en être certains ?

– En le demandant à quelqu'un qui a un lien direct avec le ciel.

Onyx entra dans l'océan jusqu'aux genoux et plongea dans l'eau l'hippocampe métallique qu'il avait dérobé à Hadrian. Puis il recula et attendit. Quelques minutes plus tard, une troupe de cavaliers ipocans émergea des flots, le Prince Skalja en tête. Celui-ci descendit de sa monture et marcha à la rencontre du renégat, plutôt content de voir qu'il portait l'armure qu'il lui avait offerte.

– Que puis-je faire pour vous, fils d'Abussos ?

– Je veux savoir pourquoi les volcans sont éteints.

– Il y a eu un grand malheur dans les autres mondes. Le dieu condor n'est plus. Il a péri sous les coups d'un assassin de son propre panthéon.

– Où vont les dieux quand ils se font tuer ? demanda Ayarcoutec.

La créature dorée baissa les yeux sur l'enfant.

— Ils ne sont pas reçus sur les grandes plaines de lumière comme nous, répondit Skalja, mais dans un autre monde semblable qui accueille les dieux qui ont cessé d'exister.

— Ils ne meurent donc jamais ?

— Personne ne meurt jamais.

Le Prince d'Ipoca se tourna de nouveau vers Onyx.

— C'est lui qui avait jeté un sort à ces montagnes, qui étaient inoffensives au début des temps.

— Ce ne sont donc plus des volcans.

— Puisqu'ils ont cessé de prodiguer leur chaleur, les peuples qui vivent sur leur flanc ou à leur pied sont plongés dans un grand désarroi. Ils croient que les dieux qui les habitaient les ont désertés. Y a-t-il autre chose que je puisse faire pour vous, Nashoba ?

— Pas pour l'instant, Altesse. Je vous remercie infiniment.

Skalja le salua et retourna à sa monture qu'un de ses capitaines retenait fermement, puis s'enfonça dans les flots. Onyx demeura immobile bien longtemps après que les Ipocans furent partis. Il semblait regarder au loin, mais, en réalité, il était en train de planifier son prochain geste.

— Nous repartons, annonça-t-il subitement en allant s'accrocher à la crinière du cheval-dragon.

Napashni, Ayarcoutec et Cherrval s'empressèrent de mettre la main sur sa poitrine. Ils se retrouvèrent au sommet d'une falaise sur laquelle nichaient des milliers d'oiseaux.

– Où sommes-nous ? s'enquit Ayarcoutec.

– Sur une île qui s'appelle Pelecar.

De l'autre côté d'un grand détroit, ils pouvaient apercevoir la côte d'un vaste pays.

– C'est Agénor. J'ai des comptes à y régler, alors c'est là que commencera ma prise de possession des terres.

Le renégat laissa errer son esprit jusqu'à ce qu'il trouve ce qu'il cherchait : la rotonde en pierre du temple de Byblos. Avec un sourire sadique, Onyx la souleva dans les airs, semant la panique parmi les prêtres, et la fit disparaître dans une explosion d'étincelles bleues. Lorsque le bâtiment se posa lourdement derrière les trois compagnons de voyage du Roi d'Émeraude, ceux-ci sursautèrent. Il s'agissait d'une structure de quatre mètres de haut. Le toit en albâtre était soutenu par huit piliers en granit azuré.

– Nous pourrons nous protéger du soleil et de la pluie pendant que je réfléchis, annonça Onyx.

– Qu'est-ce que nous mangerons ? s'inquiéta Ayarcoutec.

– Tu ne pourrais pas cesser de penser tout le temps à ton estomac ? lui reprocha la mère.

— Ça fait partie de l'instinct de survie, l'excusa Cherrval.

— Je m'occuperai de tout, affirma Onyx,

Parfaitement à son aise n'importe où, Hardjan s'était déjà mis à brouter. Le renégat marcha jusqu'à la rotonde et constata que le plancher ne l'avait pas suivie. Il se concentra une seconde fois et détacha ce dernier de la montagne où il avait été taillé. Pour étendre la panique jusqu'à la population, Onyx fit voler le disque blanc dans le ciel de Byblos, puis au-dessus du lac Athart et de la forêt en bordure du détroit.

— Je n'en crois pas mes yeux, murmura Ayarcoutec en le voyant passer.

Onyx souleva le temple et fit doucement glisser le plancher à sa place. La petite guerrière y posa un pied prudent, puis grimpa sur la plateforme de granite.

— Ça ne sera pas très confortable pour dormir.

Un océan de gros coussins multicolores tomba du plafond du pavillon. Ayarcoutec se protégea la tête sous ses bras et éclata de rire.

— Est-ce que c'est mieux ? lui demanda Onyx.

— Oh oui !

Les conquérants se reposèrent toute la journée. Pour les désaltérer, le renégat avait déniché à Agénor de grands bassins d'eau fraîche ainsi que plusieurs bouteilles de vin rouge.

N'ayant pas compris que les piscines servaient à boire, Ayarcoutec s'élança dans la première pour se rafraîchir. Au lieu de la gronder, Onyx esquissa un sourire amusé. «Pourquoi ses fils sont-ils si méchants avec lui?» se demanda Napashni. Elle n'avait évidemment pas encore vu le côté sombre du Roi d'Émeraude.

Ils assistèrent à un magnifique coucher de soleil du haut de leur perchoir. Le renégat se fit un plaisir d'aller chercher magiquement une partie du festin de la table royale d'Agénor pour nourrir les siens. Assis sur le bord de la rotonde, les pieds pendant dans le vide, Onyx regarda le soleil disparaître dans les flots, une bouteille de vin à la main. Repue, Napashni vint s'installer à côté de lui.

— Il y a beaucoup de tristesse en toi, remarqua-t-elle.

— Ça m'arrive chaque fois que je pense au passé, mais ça ne dure pas longtemps.

— C'est ton avenir qui est important.

— Je sais.

Il tourna la tête vers elle et admira son visage.

— Pourquoi avoir choisi ce bâtiment en particulier? demanda-t-elle.

— Parce qu'il a la même forme que les pavillons célestes et parce que je voulais montrer aux prêtres d'Agénor qu'ils ne sont pas aussi puissants qu'ils le font croire au peuple.

– Crois-tu sincèrement qu'ils se rangeront sous ta bannière après ce que tu as fait à Agénor ?

– Ils n'auront pas le choix. De toute façon, l'histoire nous enseigne que les gens choisissent toujours le plus puissant des chefs qu'on leur propose, car ils se sentent davantage protégés. Je soumettrai tous les rois d'Enlilkisar afin qu'ils soient mes représentants dans leur propre pays. Ceux qui ne feront pas ce que je leur demande seront exilés à Irianeth.

– Le continent que tu as choisi pour toi-même ? s'étonna Napashni.

– Il n'y a rien, là-bas.

– Ils pourraient se construire des radeaux pour s'enfuir.

– Une simple illusion de serpent de mer les persuadera de n'en rien faire.

– Tu penses vraiment à tout.

– J'essaie.

Il avala le reste de la délicieuse boisson et lança la bouteille dans les airs. Elle disparut d'un seul coup.

– Où est-elle allée ? voulut savoir la prêtresse.

– Sur la tête d'un membre de la cour, je l'espère.

– Tu les détestes encore autant ?

– Le Roi Akkar a tenté de me tuer au lieu de m'aider à retrouver ma fille !

– À cause de leur vieille prophétie au sujet d'un tyran qui portera le nom d'une pierre précieuse.

– L'onyx n'en est pas une. Ils auraient dû vérifier avant de m'attaquer.

Napashni se rapprocha de lui et repoussa les longs cheveux noirs sur la nuque du renégat pour poser un baiser sur sa peau.

– Je ne vois aucun nuage à l'horizon, plaisanta-t-elle.

– Moi non plus.

Il passa le bras autour de la taille de la jeune femme et l'attira sur ses genoux. Ils s'embrassèrent jusqu'à ce que l'obscurité enveloppe l'île. Onyx la ramena dans les coussins, où dormaient déjà Ayarcoutec et Cherrval. Discrètement, ils firent l'amour. Si Napashni ressemblait à Swan dans ses attitudes et sa détermination, en amour, elle lui faisait davantage penser à Alisha, sa première épouse, douce comme de la soie.

Napashni s'endormit dans les bras de son amant, mais au matin, lorsque les rayons du soleil inondèrent le pavillon, Onyx avait disparu. La prêtresse se redressa sur ses coudes, pensant le trouver assis sur le bord du bâtiment, mais il n'y était pas non plus. Elle observa les alentours. Le cheval ailé était parti lui aussi.

– Où est-il allé ? murmura Napashni, inquiète.

Elle se leva et se vêtit. Un grand vase plat reposait sur un trépied au milieu de la rotonde. Il était rempli à craquer de fruits de toutes les couleurs. Elle choisit une pomme. « Onyx est-il allé se faire justice lui-même ? »

— Pourquoi nous a-t-il quittés ? demanda Ayarcoutec en se frottant les yeux.

— Je pense qu'il avait une importante rencontre avec un roi.

— Pourquoi ne nous a-t-il pas emmenés ?

— Parce que c'est un entretien personnel.

— Mais tu n'en es pas sûre, n'est-ce pas ?

— Il est difficile de deviner les intentions d'Onyx.

— Pourquoi ne te sers-tu pas de tes pouvoirs pour le retrouver ? Si vous provenez tous les deux du même endroit, tu devrais y arriver comme lui, non ?

Napashni n'avait rien à perdre à essayer. Elle ferma les yeux et réclama de savoir où se trouvait Onyx d'Émeraude. Elle eut alors l'impression de s'élancer dans le vide, mais fut saisie par le vent qui la fit planer comme un goéland. Elle survola la côte. De l'autre côté s'étendait le grand lac Athart et sur sa rive la plus éloignée se dressait la forteresse du Roi Akkar, trois fois plus haute que celle d'Émeraude. Elle aperçut alors le cheval ailé qui s'en approchait.

– Est-ce que tu vois quelque chose, maman ? s'impatienta Ayarcoutec.

Napashni réintégra brutalement son corps et chercha son souffle comme si on avait tenté de la noyer.

– Tu ne dois pas me déranger quand je fais ça, articula-t-elle enfin.

– Je suis désolée...

– Si ma vision est exacte, Onyx est en route pour le palais du roi. Nous saurons bientôt s'il a eu du succès.

– Je vais aller manger.

La prêtresse attendit que son cœur arrête de battre la chamade dans sa poitrine avant de tenter une autre sortie de son corps.

Pendant ce temps, Onyx arrivait au palais où il avait bien failli passer au fil de l'épée. Dans les birèmes qui sortaient du port, les marins pointaient le ciel en se demandant ce que pouvait bien être ce curieux animal volant. Sur les quais, les marchands s'étaient immobilisés pour suivre sa trajectoire.

Onyx ne savait pas encore comment il pourrait convaincre le Roi Akkar de devenir son premier régent. Il se doutait cependant que la magie ferait partie de ses arguments. Lorsqu'il vit les archers se masser sur la muraille qui entourait le palais, le renégat déploya une bulle de protection autour de sa monture. Les citoyens sortirent sur les balcons des maisons qui jalonnaient la voie royale. Jusqu'à présent, tout se passait bien. Onyx était en train de faire une entrée remarquée, comme il l'avait désiré.

Lorsqu'il se posa devant la grande porte percée dans les remparts, le roi se tenait devant une centaine de soldats qui en bloquaient l'accès. Au-dessus et de chaque côté d'eux, les arcs étaient braqués sur ce personnage vêtu de noir qu'ils redoutaient tous. Hardjan referma ses longues ailes, arrachant un murmure d'émerveillement à la foule. Akkar, cependant, avait compris que le retour du Roi d'Émeraude n'avait rien d'une visite de courtoisie.

— Que voulez-vous, Onyx ? lança le Roi d'Agénor.

— Un peu plus de civilité, pour commencer, répondit Onyx en amplifiant magiquement sa voix pour que tout Byblos l'entende.

— Je vous ai reçu à ma cour et vous avez massacré mes soldats.

— Vous m'avez reçu à votre cour avec l'intention de m'assassiner.

Le visage d'Akkar s'empourpra.

— Avez-vous eu l'audace de faire croire à vos sujets que c'était moi le meurtrier dans cet impardonnable malentendu ? s'indigna Onyx.

— Tout le monde connaît la prophétie.

– Combien de rois avez-vous éliminés de peur qu'ils changent votre façon de vivre ? Par vos agissements, sans doute mériterez-vous ce qui va bientôt vous arriver.

– Vous osez me menacer chez moi ?

– Je suis ici pour vous offrir de reconnaître mon autorité ou d'être remplacé par un souverain qui sait ce qui est bon pour son peuple.

– Tuez-le ! ordonna une voix en provenance d'un balcon sur la façade principale du palais.

Onyx n'eut pas besoin d'utiliser ses pouvoirs pour deviner qu'il s'agissait de la Reine Saïda. Tous les archers tirèrent en même temps. Au lieu de laisser leurs flèches se briser sur son bouclier invisible, le renégat décida de montrer aux Agéniens qu'il ne plaisantait pas. Il leva les deux bras et tous les projectiles s'immobilisèrent en même temps à un mètre au-dessus de lui.

– À mon tour, maintenant.

Un rictus cruel apparut sur le visage du futur empereur. Il retourna ses deux paumes vers le ciel. Les flèches pivotèrent, provoquant la panique parmi les archers, mais au lieu de s'attaquer à ceux qui les avaient lancées, Onyx les décocha en direction du balcon. La reine, qui se croyait hors de leur portée, n'eut pas le temps de se mettre à l'abri.

– Non ! hurla Akkar, horrifié.

— Je vous le demande pour la dernière fois : serez-vous mon représentant à Agénor ?

Les prêtres, qui s'étaient rassemblés sur la terrasse de leur temple, à la droite du château, se mirent à manifester leur indignation.

— Envahisseur ! Meurtrier ! criaient-ils.

Onyx décida que les prochaines flèches, si les archers se risquaient à tirer de nouveau sur lui, feraient taire ces charlatans qui inventaient des prophéties aberrantes. Derrière les soldats, les conseillers sautillaient comme des puces en donnant leur avis au roi. Utilisant sa magie, Onyx amplifia leurs paroles pour que tous les entendent.

— Ne cédez pas aux demandes de ce mercenaire, Majesté !

— Il vient d'assassiner la reine ! Comment pourrions-nous lui faire confiance ?

— Ce n'est qu'un vil usurpateur !

— Revenez à l'intérieur et laissez vos soldats lui régler son compte !

En dépit de toutes leurs exhortations, Akkar ne bougeait pas. Il continuait de fixer Onyx avec mépris et admiration à la fois, car il n'avait jamais connu un homme plus puissant que lui. Pendant qu'ils délibéraient à grand renfort d'arguments, Onyx laissa son esprit errer sur les volcans et choisit le plus élevé. Utilisant la matière dont étaient composées les montagnes plus petites qui l'entouraient, il remplit le cratère jusqu'au bord pour en faire une solide plateforme.

– Je vous donne quinze minutes pour faire évacuer le château, les avertit le renégat.

Les conseillers se mirent à criailler de plus belle.

– Faites ce qu'il dit ! hurla Akkar, persuadé que son adversaire allait faire exploser le palais. Sortez mes enfants de là ! Partcz tandis que vous le pouvez !

Onyx n'avait pas de sablier pour mesurer exactement le temps. Il pouvait se permettre d'attendre un peu plus longtemps que prévu. Une longue filée de gens s'échappa par une porte secrète à la base de la muraille, les conseillers en tête. Même les archers, qui avaient abandonné leur poste, y passèrent.

– Suivez-les ! cria Akkar aux soldats qui l'entouraient.

– Mais Altesse…

– Je vous ai donné un ordre !

Après avoir vu ce que cet homme d'un autre peuple était capable de faire et avoir entendu des centaines de fois le récit du massacre dans le hall de leur souverain, les membres de la garde se précipitèrent vers la sortie. Au lieu de les imiter, Akkar marcha à la rencontre d'Onyx.

– Pourquoi faites-vous ça ? ragea-t-il en s'arrêtant devant le renégat.

– J'ai l'intention de devenir l'Empereur d'Enlilkisar et de mettre fin à toutes les guerres qui opposent ses différentes nations.

– En tuant ma femme ?

– Ce n'est pas moi qui ai ouvert les hostilités… Est-ce la douleur qui vous fait déformer la vérité ? Je n'attaque que si on me provoque. Mon but n'est pas de mettre tous vos pays à feu et à sang, mais de m'assurer la collaboration des grands chefs politiques qui comprendront mes vues.

La terre se mit à trembler sous les pieds d'Akkar. Les citoyens qui étaient restés sur les lieux par curiosité s'enfuirent en direction du port.

– Majesté, regardez ! cria un des fidèles soldats d'Akkar qui ne se décidait pas à suivre les autres.

Le Roi d'Agénor pivota lentement sur ses talons, s'attendant à tout. Le sang se glaça dans ses veines lorsqu'il vit tout son château s'élever dans les airs avec sa muraille et une partie de la voie royale, puis disparaître dans les nuages.

– Comment faites-vous tous ces miracles ? balbutia Akkar en se tournant vers Onyx. Êtes-vous un dieu ?

– Mon véritable nom n'est pas Onyx, Altesse. Vous auriez dû vous renseigner avant de décider de me mettre à mort. Je suis Nashoba, fils d'Abussos.

– Les Agéniens vénèrent Lycaon…

– Plus maintenant. Tous les peuples que je conquerrai adoreront mon père.

Anéanti, Akkar s'agenouilla devant Onyx et baissa la tête.

– Longue vie à Abussos… murmura-t-il, au bord de l'évanouissement.

– Serez-vous mon premier régent, Akkar ?

– Vous m'offrez de vous servir après ce que je vous ai fait ? s'étonna-t-il.

– Je sais reconnaître les hommes honnêtes qui me seront loyaux.

– Je n'ai même plus de palais à partir duquel je ferais exécuter vos ordres…

– Il y en a un très beau là-haut, indiqua Onyx en pointant le temple de Lycaon.

Même sans sa rotonde, il s'agissait d'un bâtiment aussi imposant que le palais lui-même.

– Mais les prêtres ? se troubla Akkar.

Des cris d'angoisse retentirent dans la montagne tandis que la cinquantaine de prêtres en tunique pourpre étaient extirpés de leur cellule par une force irrépressible. Ils volèrent au-dessus de la tête du roi et furent tous projetés dans le lac.

– Vous venez de les congédier, répondit Onyx. Je suis vraiment navré pour la Reine Saïda. Habituellement, je préfère décourager mes ennemis de m'attaquer. Vous trouverez son corps au fond du grand trou où s'élevait votre palais.

– Dois-je vous appeler Empereur Onyx ou Empereur Nashoba ?

– Onyx fera très bien l'affaire.

– Longue vie à l'Empereur Onyx ! lança le roi.

Pour lui venir en aide, car il avait la gorge serrée, le renégat amplifia également sa voix. Les Agéniens commencèrent par hésiter, puis entonnèrent la proclamation avec lui.

22

LA TRANSFORMATION

Au bout de quelques jours, Kirsan avait réussi à assimiler tout ce que la famille de Shapal pouvait lui apprendre au sujet des mœurs des Ipocans. Leur histoire remontait à l'époque des Enkievs, avant les grandes divisions de territoires à Enlilkisar. Autrefois, ils vivaient tout le long de la côte, jusqu'au pays des Madidjins, mais l'érosion avait détruit leurs grottes. La légende voulait qu'Abussos lui-même ait créé l'île autour de laquelle les sirènes s'étaient finalement réfugiées. Personne ne se souvenait de la provenance de la statue du dieu-hippocampe au sommet de sa plus haute falaise. Les Ipocans n'étaient pas des sculpteurs. De toute façon, le travail de la pierre aurait été trop risqué pour leur peau sensible.

Kirsan goûta à tout ce que mangeait ce peuple de la mer, même lorsque Matka trouvait que c'était trop dangereux pour son estomac humain. Il ne fut malade qu'une fois, après avoir consommé un petit crustacé dont les Tepecoalts se servaient pour faire du poison. Sa solide constitution impressionna même Seuthès, qui se considérait comme une force de la nature.

Lorsque les cavaliers vinrent finalement le chercher, Kirsan aurait pu écrire un livre sur cette civilisation primitive, qui dominait la mer du Sud depuis des milliers d'années. Toute la famille de Shapal accompagna le Prince de Zénor à la surface. Lorsqu'il sortit la tête de l'eau, ce dernier vit qu'un troupeau d'hippocampes tirait des cordes qu'on avait fait passer derrière la statue d'Abussos afin de hisser jusqu'à la plateforme ce qui ressemblait à un œuf géant de couleur bleue.

— Qu'est-ce que c'est ? demanda Kirsan.

— C'est le bassin de conversion, répondit Riga. Il n'a pas été utilisé depuis des centaines d'années.

— Êtes-vous certain qu'il fonctionne toujours ?

— Non. Il reposait au fond de l'eau. Ça fait des jours que nous peinons pour le remonter à la surface.

— Savez-vous ce qu'il fait, au juste ?

— Personne ne le sait.

Peu rassuré, le jeune humain se laissa porter jusqu'à la falaise, qu'il escalada pour la seconde fois en faisant bien attention de ne pas gêner les câbles végétaux du système de poulie. Une fois sur la plateforme, il attendit avec les prêtresses l'arrivée de l'œuf bleu. Lorsqu'il fut finalement en place, les femmes se mirent à danser tout autour en psalmodiant des paroles incompréhensibles. Kirsan demeura immobile et attentif. En fait, il tentait de déterminer comment on le ferait entrer dans l'objet qui faisait trois fois la taille d'un homme en longueur. Aucune ligne n'était visible à sa surface, ni aucun mécanisme d'ouverture.

« C'est peut-être le dernier jour de ma vie », se dit le jeune homme. Le Roi Sannpeh et sa cour furent les derniers à arriver. Les rochers étaient jonchés de curieux.

— Kirsan de Zénor, as-tu changé d'idée ? demanda le souverain.

— Non, Majesté. Au contraire, je suis encore plus décidé qu'à mon arrivée à devenir un membre de votre magnifique communauté.

— La transformation est un processus très dangereux.

— Comme bien d'autres, répliqua Kirsan en songeant à celle de Nartrach et de Kevin en Fées.

— Tu pourrais ne pas en réchapper.

— Je suis prêt à courir ce risque pour Shapal.

— Alors soit.

Sannpeh fit un signe à ses serviteurs. Ils déposèrent sur ses bras un trident qui, contrairement à tous les autres, n'était pas argent, mais doré. Le roi se tourna vers Kirsan.

— Tout comme les Ipocans eux-mêmes, celui qui veut devenir l'un d'eux doit commencer sa vie dans un œuf.

Derrière le souverain, Shapal soufflait des baisers à l'homme qui faisait battre son cœur, jusqu'à ce que sa mère la force à s'asseoir.

— Par les pouvoirs que m'a conférés Abussos, je commande au bassin d'accueillir Kirsan de Zénor.

Avec un épouvantable grincement, la coquille s'ouvrit en deux. L'odeur qui s'en échappa était si fétide que le candidat en eut un haut-le-cœur. Sannpeh se pencha pour regarder à l'intérieur et fit signe aux serviteurs de s'approcher. Ils versèrent chacun à leur tour le contenu des grosses poches jaunâtres qu'ils transportaient. Sans faire de bruit, Riga se plaça derrière Kirsan et passa la main devant son visage, appuyant sur son nez une éponge enduite d'un puissant soporifique. Le jeune homme s'écroula dans ses bras. L'un des soldats lui saisit les jambes tandis que Riga lui retenaient les épaules. Ils le firent balancer à plusieurs reprises, puis le jetèrent à l'intérieur de l'œuf.

— Que va-t-il lui arriver, maman ? s'alarma Shapal.

— Il n'y a que le roi qui le sache.

Sannpeh déposa ensuite le trident doré sur la poitrine de Kirsan et recula de quelques pas. La coquille se referma aussi lentement qu'elle s'était ouverte. Shapal échappa à la surveillance de sa mère et se jeta aux pieds du monarque.

— Majesté, combien de temps restera-t-il là-dedans ?

— Si Abussos accepte sa requête, il sera libéré demain, à la même heure.

— N'y a-t-il pas une façon de savoir maintenant si Kirsan s'en sortira ?

– S'il y en a une, je ne la connais pas.

Le roi posta deux gardes de chaque côté du bassin et demanda à la population de rentrer chez elle. Shapal suivit sa mère à regret et s'enferma dans sa chambre. En boule dans son lit liquide, elle ne sentit même pas le travail des petits poissons qui débarrassaient ses écailles des microscopiques créatures qui s'y étaient attachées. Incapable de trouver le sommeil, elle voulut aller se réfugier dans les bras de sa mère, mais celle-ci dormait déjà auprès de son mari.

Défiant le couvre-feu imposé aux Ipocans qui n'étaient pas des soldats, la petite sirène quitta sa maison sous-marine. Elle fit bien attention de nager tout près de la paroi rocheuse en remontant vers la surface afin de ne pas attirer l'attention des grands prédateurs. Une fois hors de l'eau, elle escalada les rochers, puis les marches sous les rayons argentés de la lune.

– Qui va là ? retentit la voix d'une des sentinelles.

– Celle pour qui cet homme est en train de risquer sa vie.

Les Ipocans la laissèrent monter jusqu'à la terrasse.

– Le roi vous a demandé de surveiller l'œuf, pas d'empêcher qui que ce soit de venir encourager celui qui s'y trouve, argumenta l'adolescente.

– Il ne pourrait même pas t'entendre, Shapal.

– Ses oreilles, non, mais son âme, oui.

Les soldats échangèrent un regard interrogateur. Ils ne virent pas de mal à la laisser s'asseoir le dos appuyé contre le bassin.

— Que savez-vous de cette chose ?

— Rien de plus que toi.

— Vous êtes pourtant plus proches du roi que quiconque.

— Si tu ne restes pas tranquille, nous allons t'obliger à rentrer chez toi.

— Je veux juste me renseigner. Ce n'est pas un crime.

Shapal appuya ses mains sur la surface lisse de la coquille en regrettant de ne pas posséder des pouvoirs magiques comme son bel ami de Zénor. Elle aurait aimé savoir s'il était conscient, s'il souffrait ou si tout allait bien. Même en appuyant l'oreille sur l'œuf, elle n'entendait absolument rien. Juste avant le changement de la garde, la petite sirène s'endormit.

À l'intérieur de son cocon liquide, Kirsan avait tout juste assez d'espace pour respirer, mais il ne pouvait pas bouger. Il ne ressentit pas les premières phases de sa transformation, grâce aux propriétés narcotiques de l'éponge qu'on lui avait fait respirer. Le but de Sannpeh en l'anesthésiant de cette façon était surtout de lui éviter une mort atroce. S'il devait être rejeté par la créature qui vivait sous la membrane intérieure de l'œuf, il mourrait dans son sommeil sans souffrir.

Ce fut la morsure du serpent dans son cou, juste sous son oreille droite, qui réveilla brutalement le candidat. La seule façon de devenir un véritable Ipocan, c'était d'acquérir des branchies. Incapable de bouger dans cet espace réduit, Kirsan devint suffisamment conscient pour comprendre que s'il se mettait à crier, il gaspillerait le peu d'oxygène qu'on lui avait laissé. Alors il serra les dents et les poings. Le supplice lui sembla durer une éternité. Pire encore, lorsque la bête le lâcha enfin, elle glissa sous sa nuque et s'attaqua à son oreille gauche. Il se rappela alors ce que Wellan lui avait appris sur les vagues d'apaisement et s'efforça de s'en transmettre une par lui-même. Tout ce qu'il désirait, c'était engourdir son mal et non empêcher la métamorphose de s'opérer.

Tout le corps de Kirsan se mit ensuite à picoter, comme s'il recevait de petites piqûres à répétition. Plongé dans le noir, il ne pouvait pas voir ce qui s'attaquait ainsi à sa peau. Était-on en train de le manger vivant ? Il chassa tout de suite cette pensée négative et se concentra plutôt sur le doux visage de Shapal et sur les mouvements ondulants de sa chevelure verte lorsqu'elle nageait sous l'eau. La douleur devenant de plus en plus insupportable, le jeune homme se mit à prendre de courtes inspirations, comme les femmes qui vont accoucher. À sa grande surprise, l'air n'entra pas par ses poumons, mais par son cou. « Je vous en conjure, vénérable Abussos, sortez-moi d'ici avant que je devienne complètement fou », pria-t-il. Il répéta cette requête au moins mille fois avant d'entendre un curieux déclic.

La lumière éclatante du soleil l'aveugla et il ferma les yeux en plissant le nez. Il entendit alors les murmures d'étonnement des centaines d'Ipocans venus voir s'il avait survécu. Incapable de bouger, il dut attendre que les soldats, grimpés sur de gros coquillages, lui prennent les bras pour le sortir du bassin. Les chuchotements cessèrent d'un seul coup lorsque ses pieds touchèrent le sol. Battant des paupières, Kirsan réussit à ouvrir suffisamment les yeux pour apercevoir le visage stupéfait du Roi Sannpeh. « J'ai été transformé en monstre... » craignit le Zénorois.

— C'est inhabituel, mais il n'était pas une créature aquatique à la base, déclara le Prince Skalja à son père.

Le souverain demanda aux prêtresses d'approcher pour avoir leur avis. Les femmes se mirent à palper sa poitrine, son cou et sa tête.

— Qu'est-ce que j'ai ? demanda Kirsan.

Il se mit alors à tousser de façon incontrôlable.

— Certains requins sont de cette couleur, Majesté, le renseigna l'une des prêtresses.

Une fois l'accès de toux passé, le Zénorois baissa pour la première fois les yeux sur son corps. Ses vêtements avaient disparu et sa peau était couverte de petites écailles dorées et marron.

— Ses branchies semblent bien ouvertes, mais elles ne sont pas encore guéries.

— Nous ne saurons vraiment s'il survivra que lorsqu'il sera dans l'eau.

– Si je survivrai ? répéta Kirsan, inquiet.

Les soldats l'aidèrent à descendre le grand escalier, puis l'immergèrent dans l'eau plus délicatement qu'ils l'avaient balancé dans l'œuf. Kirsan vit la tête du Prince Skalja émerger devant lui.

– Si vous ressentez une sensation de brûlure, revenez immédiatement à la surface.

Kirsan ne savait pas du tout à quoi s'attendre, mais il n'avait pas enduré toutes ces souffrances pour reculer maintenant. Les soldats lâchèrent ses bras.

– Agitez les jambes, lui recommanda Skalja.

Le nouvel Ipocan lui obéit. Il avait l'impression d'être un alevin à qui ses parents apprenaient à nager pour la première fois. Il se laissa lentement couler dans l'eau, s'attendant au pire.

– Respirez, insista le prince.

Kirsan tenta de le faire par le nez, mais se rendit compte qu'il était bouché ! L'eau entra dans sa bouche et ressortit par son cou en lui causant une intense douleur. Il battit des pieds et revint à la surface.

– Tenez bon, Kirsan. L'eau salée va guérir vos plaies.

– Quelles plaies ?

— Vous en avez partout.

Le jeune homme observa le visage de Skalja et des soldats qui se tenaient autour de lui. Ils semblaient bien inquiets. Il leva les yeux vers les rochers et vit Shapal que sa mère retenait fermement.

— La naissance est un moment critique pour un alevin, expliqua le Prince d'Ipoca. Le sang que vous perdez pourrait attirer de grandes dents.

— En d'autres mots, je mets toute votre communauté en danger.

— Momentanément. Nous sommes tous passés par là.

— Alors, éloignez-moi d'ici.

— Sachez que la proximité des rochers est un gage de sécurité pour un Ipocan. Les prédateurs ne s'en approchent pas, de peur de s'y écorcher la peau. Concentrez-vous sur votre guérison. Nous nous occupons des requins.

Kirsan ne pouvait pas encore les voir, mais Riga et ses meilleurs hommes patrouillaient les eaux environnantes sur leurs fringants hippocampes.

Il prit le temps de se calmer, puis plongea une fois de plus ses branchies dans l'océan, décidé à mettre fin à sa transformation pour que tous ces braves Ipocans puissent reprendre leur vie normale. À chaque immersion, ses souffrances s'amenuisaient.

— Quand cesserai-je d'être en danger ? demanda-t-il à Skalja en remontant à la surface.

— Vous pouvez me parler sous l'eau, vous savez.

— Cette nouvelle vie exigera un certain temps d'adaptation, je crois. Est-ce que je suis aussi laid qu'a semblé l'indiquer la réaction de ceux qui m'ont vu sortir de l'œuf ?

— Vous êtes... inhabituel. Venez, il faut vous déplacer, Kirsan. Une trop grande accumulation de sang au même endroit dans l'eau pourrait attirer tout un banc de requins.

— Vous êtes l'héritier du Roi Sannpeh. Vous ne devriez pas rester avec moi.

— Je suis aussi le meilleur chasseur de pointes noires de toute l'île. Je ne les crains pas.

Skalja fit avancer le nouveau membre de la colonie vers le nord, car plus on s'approchait de la baie, moins on y trouvait de squales. Vers la fin de la journée, Kirsan commença à se sentir à l'aise dans son nouveau milieu.

— Vous dormirez au palais, cette nuit, lui annonça le prince.

— Mais...

— Vous êtes un jeune mâle, désormais, Kirsan. Seuthès aurait le droit de vous tuer si vous osiez entrer dans sa maison. Si votre but était de conquérir Shapal, alors il faudra vous y prendre à notre façon.

— Je n'avais pas pensé à ça.

— Suivez-moi et, si quelque chose ne va pas, avertissez-moi sans tarder.

Skalja plongea sous les flots. Il commençait à faire très sombre à la surface, alors il était doublement important de ne pas rester à l'extérieur.

En faisant de gros efforts pour ne pas paniquer, Kirsan utilisa ses branchies pour respirer dans l'eau. La peau dorée du prince était facile à suivre, même si la luminosité diminuait dans les profondeurs. Ils s'engagèrent finalement dans un tunnel semblable à celui qui donnait accès au logis de Shapal, mais plus large. Lorsqu'ils émergèrent dans le grand vestibule du palais, des gardes les aidèrent à sortir de l'eau.

— Vous aurez probablement très faim cette nuit, mais il est préférable que vous ne mangiez que demain, conseilla Skalja à son invité. Je vous promets un festin. Ensuite, nous vous trouverons une grotte bien à vous.

Le prince lui indiqua l'entrée de ses quartiers temporaires.

— Comment pourrais-je vous remercier, Altesse?

— Partagez avec nous vos connaissances du monde terrestre que nous trouvons fascinant.

— Si ce n'est que ça…

Skalja le salua et poursuivit sa route dans le couloir rocheux. Kirsan entra dans sa chambre. Elle était bien plus grande que celles de la famille de Seuthès. Il se pencha au-dessus du lit rempli d'eau et aperçut sa réflexion. Au lieu d'être unies ou légèrement veinées comme celles des autres Ipocans, ses écailles présentaient les mêmes taches que le pelage des jaguars.

– Solis… gronda le jeune homme entre ses dents.

Même sous une forme aquatique, le dieu félin l'avait marqué à vie.

23

UN NOUVEAU ROI

Ce retour du beau temps était toujours accueilli avec beaucoup de joie chez les Elfes. Contrairement aux Fées qui passaient la saison froide dans leur château invisible, où rien ne pouvait les atteindre, les Elfes s'entassaient dans leurs huttes et ne sortaient que pour aller chercher de la nourriture ou pour rendre visite à leurs voisins immédiats. Ces créatures sylvestres étaient faites pour vivre à l'air libre. D'ailleurs, sur leur île d'origine, il ne pleuvait que le soir toute l'année et la température était toujours égale. Elles avaient donc eu beaucoup de difficulté à s'adapter aux variations de climat à Enkidiev.

Malgré l'allégresse qui régnait autour de lui, le Roi Hamil, assis sur une natte dans un rayon de soleil, se morfondait. Son petit-fils Cameron était parti depuis très longtemps et ne lui avait donné aucun signe de vie. Si les Elfes ne prenaient pas de l'âge aussi rapidement que les humains, ils vieillissaient tout de même. Hamil en avait assez de passer ses journées à communiquer avec tous les princes disséminés sur son territoire et à régler les petites querelles qui opposaient parfois certains clans. Il avait envie de se reposer et il caressait secrètement le rêve de construire une grande embarcation comme celles de jadis, afin d'aller voir de ses propres yeux le pays de ses ancêtres. Il ne le connaissait que grâce aux récits des conteurs et il se demandait souvent si ceux-ci ne les avaient pas embellis au fil des siècles.

Amayelle était repartie à Émeraude avec son deuxième petit-fils, Alkar, et sa petite enchanteresse, Malika. C'était justement pour empêcher celle-ci de rejoindre le cercle des magiciennes que Nogait et Amayelle avaient emmené leurs enfants vivre loin de la contrée des Elfes. Pour sa part, Cameron était un adulte maintenant, mais contrairement aux siens, il avait hérité de l'csprit d'aventure de son père humain, et il tenait à visiter toutes les contrées d'Enkidiev avant de se résoudre à diriger son peuple. Il était même allé de l'autre côté des volcans, à ce qu'on disait.

Tandis que Hamil écoutait le chant des oiseaux, Ama, son épouse, lui apporta un bol de jeunes pousses et s'assit près de lui.

– Je pensais que c'était la pluie et le froid qui t'avaient rendu maussade, lui dit-elle. Mais voilà que le soleil est revenu et tu es toujours morose.

– Combien d'Elfes ont réalisé leurs rêves, selon toi?

– Il y en a au moins deux: ma fille et moi. Nous avons toutes les deux épousé l'homme que nous aimions.

– C'est tout?

– Je ne connais pas tous les Elfes…

Le roi se mit à manger lentement.

— Quel est ton rêve, Hamil ?

Il tourna la tête et plongea son regard dans les yeux verts de sa femme pendant un long moment avant de lui répondre.

— Je veux mettre Cameron sur le trône afin de faire autre chose que gouverner.

— Il reviendra. Il t'a donné sa parole.

— Je sais, mais il fréquente les humains qui ne se gênent pas pour briser leurs promesses.

— Ne t'étais-tu pas réconcilié avec eux ?

— On ne peut pas les changer.

— Tu es vraiment grognon, ce matin. Que dirais-tu d'une petite promenade dans les bois, comme lorsque nous étions plus jeunes ?

Le profond soupir que poussa son mari fit comprendre à Ama que rien ne viendrait à bout de son humeur massacrante. Elle le laissa donc tranquille et alla plutôt rejoindre les femmes qui s'apprêtaient à aller laver les vêtements sur le bord de la rivière.

Lorsqu'il eut terminé son repas, le roi se rendit dans la partie de la forêt où d'énormes arbres avaient été abattus par les récentes tempêtes. Utilisant sa magie, il en sonda l'intérieur.

— Ils sont parfaits… murmura-t-il.

— Parfaits pour quoi ?

Hamil se retourna vivement.

— Vous n'aviez pas senti ma présence, grand-père ? s'étonna Cameron.

— Depuis quand es-tu rentré ?

— Une heure à peine. Je vous ai cherché partout.

Le demi-Elfe s'approcha pour voir ce qui captivait tant Hamil.

— Ce ne sont que des troncs d'arbres, constata Cameron.

— Tout dépend des yeux qui les regardent.

— Que voyez-vous ?

— Un vieux rêve.

— Il était temps que vous sortiez de votre hutte, le taquina le petit-fils. Je ne comprends rien à ce que vous dites.

— Tout se transforme, Cameron.

— Les Elfes ne travaillent pourtant pas le bois…

— Pas ceux qui se sont exilés à Enkidiev, mais ceux de la mère patrie, si.

– Je l'ignorais.

Cameron avait les yeux verts de sa mère, mais les cheveux bruns de Nogait, son père. Il avait également hérité du sens de l'humour du Chevalier. Il représentait l'avenir du peuple des Elfes, car s'ils ne continuaient pas à s'adapter aux changements que subissait le reste du continent, ils seraient refoulés sur leur territoire et peut-être même évincés.

– Qu'en feriez-vous si vous en aviez le loisir?

– Une embarcation digne de celles d'Osantalt. Mais pour ça, il faudrait que tu acceptes de prendre ma place.

– C'est justement ce dont je voulais vous parler.

Hamil craignit un instant d'apprendre qu'il avait l'intention de poursuivre sa vie chez les humains.

– Je veux me marier, laissa tomber le prince.

– Tu es en effet en âge de le faire.

– Toutefois, le père de ma bien-aimée ne veut pas accorder sa main à un homme qui n'a ni métier, ni maison. Il croit que je ne suis qu'un aventurier incapable de rester longtemps au même endroit.

– N'est-ce pas ce que tu es, Cameron?

– Sans doute… mais j'ai un avenir. Selon moi, si je vous succédais, il changerait d'avis.

— C'est cette jeune femme d'Émeraude que tu continues de fréquenter ?

— Elle a conquis mon cœur.

— Si tu épouses une humaine, tes enfants pourraient ne plus du tout être des Elfes.

— Vous craignez que votre lignée ne se perde ?

— Ce qui m'importe, c'est la survie de notre race dans un monde où la pureté du sang ne veut plus rien dire.

— Vous avez raison : les temps ont changé. Les gens ne s'arrêtent plus à l'apparence ou à la provenance des autres. Ils sont capables de voir leur cœur. C'est pour cette raison que certains humains ont accepté de devenir des Fées et que certaines Fées sont allées vivre avec des humains, et même des Elfes. Je crois que nous sommes appelés à ne former dorénavant qu'un seul peuple.

— Donc, si tu deviens roi, tu ne t'opposeras jamais aux mariages mixtes.

— Non, et j'exigerai que ce soient des unions fondées uniquement sur l'amour.

— Je suis trop vieux pour m'adapter à cette nouvelle vision des choses.

— Intraitable, têtu et orgueilleux, oui. Mais vieux…

– C'est ton roi que tu insultes de cette façon ?

– Non. C'est mon grand-père.

Cameron se faufila dans ses bras et le serra avec affection, un geste tout à fait humain, car les Elfes n'étaient pas aussi démonstratifs.

– Ce soir, j'annoncerai au peuple que ce sera désormais toi, leur roi.

– Y aura-t-il une grande cérémonie ?

– Non.

– Mais...

– Tu n'es pas ici au Château d'Émeraude, où le moindre événement sert de prétexte à des festivités sans fin, Cameron. Tu changeras les règles quand tu gouverneras, si ça te chante, mais aujourd'hui, c'est encore moi le roi.

Ils rentrèrent ensemble au village. Ama remarqua aussitôt le changement d'humeur de son mari. Il lui sembla avoir rajeuni de cent ans. Ce ne fut par contre qu'après le dernier repas de la journée que Hamil réclama l'attention de tous les Elfes vivant sur son territoire et ailleurs. Assis autour du feu avec sa famille, le souverain leur parla à l'aide de son esprit. *Enfants d'Osantalt, mon règne s'achève ce soir*, leur annonça-t-il. *J'ai mené mon peuple au meilleur de ma connaissance, même lorsqu'il a été aux prises avec les terribles hommes-insectes. Il est maintenant temps qu'un autre Elfe prenne ma place. Ce sera désormais mon petit-fils Cameron qui vous guidera dans ce monde en perpétuel changement. Longue vie au Roi Cameron.*

— Quelle sera ta première décision, Roi Cameron ? demanda Moérie en sortant de la forêt.

Le demi-Elfe n'avait jamais eu de différends avec les enchanteresses et, contrairement au reste du peuple, il ne les craignait pas.

— Je vais me marier.

— Avec une princesse de notre sang ?

— Non, Moérie. Avec la femme que j'aime. Je veux briser la glace qui recouvre le cœur des Elfes, afin qu'ils connaissent enfin le bonheur, la tendresse et l'altruisme.

— En d'autres mots, tu veux les faire disparaître de la face d'Enkidiev.

— Ce n'est pas du tout ce que j'ai dit. Ne me cherche pas noise, enchanteresse.

Hamil haussa un sourcil, car personne n'osait parler ainsi à ces puissantes magiciennes, à part les humains, évidemment.

— Ne me poussez pas à vous isoler dans vos cercles de pierres, poursuivit Cameron avec un air sérieux. Le monde change et nous devons changer avec lui.

Moérie lui adressa un regard chargé de mépris et tourna les talons.

— Tu commences bien mal ton règne si tu te mets les enchanteresses à dos, murmura Hamil à son petit-fils.

— Autrefois, elles mettaient leurs immenses talents au service du peuple, répondit Cameron d'une voix forte. Au fil du temps, elles se sont égarées et ont cru qu'elles pouvaient menacer ceux qui ne faisaient pas partie de leur cercle. Je vais donc exiger qu'elles reviennent à leurs sources et qu'elles soient de nouveau une source de réconfort pour les Elfes. Nous faisons partie d'un grand tout et nous devons apprendre à nous tenir la main.

— Quand célébrerons-nous ton mariage ? s'enquit Ama.

— Avant la fin de la semaine.

Son entourage ne cacha pas sa surprise, mais puisqu'il était le nouveau roi, tous respectèrent sa volonté. Lorsqu'il se retira dans la chaumière qu'avaient occupée ses parents quand ils vivaient au village, Cameron communiqua avec sa petite sœur par télépathie pour qu'elle transmette à la famille de Danitza sa demande en mariage.

Bergeau n'était pas le plus compréhensif des Chevaliers d'Émeraude, mais il avait à cœur le bonheur de ses nombreux enfants. Ce n'était plus à un aventurier que sa fille lui demandait de s'unir, mais à un roi. Vu l'heure tardive, Cameron ne s'attendait pas à une réponse immédiate. La petite devrait attendre au matin pour se rendre chez Bergeau et rien n'indiquait qu'il se prononcerait sur-le-champ.

Le nouveau souverain s'endormit donc l'esprit en paix et rêva qu'il voguait sur la rivière Mardall dans sa pirogue favorite. Contrairement à Hamil, qui s'était cru obligé de passer presque toute sa vie dans son village natal, le jeune roi avait l'intention de rendre visite à ses pairs et d'établir de nouvelles alliances. Sa petite sœur n'avait que douze ans, mais elle possédait déjà de puissantes facultés. Sans pouvoir le définir, Malika pressentait un grand danger pour Enkidiev. S'il s'agissait d'une autre invasion comme celle des Tanieths, cette fois les Elfes ne se cacheraient pas dans les arbres. Ils combattraient aux côtés des Émériens, des Argentais et de tous les autres peuples pour protéger le continent.

Malika ne donna suite à son message que le surlendemain pour lui annoncer que sa famille ainsi que celle de Bergeau se mettaient en route. Puisqu'ils emprunteraient les sentiers terrestres qui commençaient à peine à sécher, ils ne seraient pas là avant une longue semaine ! Cameron se creusa donc l'esprit pour trouver une autre solution. Parmi les braves héritiers l'ayant accompagné dans le nouveau monde, y avait-il quelqu'un qui pourrait accélérer les choses ? Il songea à chacun d'entre eux, mais se rendit vite compte que Hadrian, Kira, Wellan, Jenifael, Liam, Mali, Katil, Daiklan, Ellie, Améliane, Atlance, Kirsan et Lassa étaient aux prises avec leurs propres problèmes.

— Hawke ! s'exclama-t-il.

En plus d'être un Elfe, il avait été le magicien d'Émeraude et, grâce à Kirsan, il était devenu l'un des plus puissants mages de son temps. Cameron se rendit à la rivière, d'où il pouvait voir l'imposante falaise de Shola, et, dans sa langue maternelle, il lui demanda son aide. À sa grande surprise, le reclus apparut devant lui.

– C'est Majesté, maintenant ? le taquina-t-il.

– Je suis tellement heureux de vous revoir !

Hawke lui serra les bras à la manière des Chevaliers d'Émeraude, un geste qu'il n'avait jamais oublié.

– Quel est ce terrible problème que tu ne peux résoudre seul malgré ton exceptionnelle intelligence, Cameron ?

– C'est en fait une requête très égoïste. Ma future épouse vient de se mettre en route pour mon village avec sa famille et la mienne, mais les routes impraticables vont repousser indéfiniment mon mariage.

– Je vois…

– Je ne savais plus vers qui me tourner, et la plupart de mes amis ne possèdent pas de pouvoirs magiques. Vous êtes le seul qui puisse m'aider et, de surcroît, vous êtes un Elfe.

– Je m'apprêtais justement à partir pour Émeraude. Je verrai ce que je peux faire.

– Merci infiniment, maître Hawke.

– Je me ferai un plaisir de vous rendre ce service, Majesté.

Hawke n'eut aucun mal à repérer la caravane qui traversait les champs à l'ouest du Château d'Émeraude, puisqu'elle comptait vingt-trois personnes! La famille de Bergeau et celle de Nogait avaient choisi de se rendre chez les Elfes à cheval, puisque les roues des charrettes se seraient trop souvent enlisées sur les sentiers boueux. Malika était montée en croupe derrière Nogait, tandis qu'Amayelle avait assis le petit Alkar devant elle. Du côté de Bergeau, les plus âgés, soit Luca, Kieran et Shade, avaient fait une place sur leur selle aux plus jeunes: Dieter, Matthias et Gunther. Catania avait jugé plus prudent de prendre avec elle la petite Domenka qui n'avait que trois ans. Danitza et Katrine avaient choisi de partager le même cheval. Désirant assister au mariage de leur sœur, Proka et Broderika les accompagnaient avec leur époux et leurs quatre enfants.

Le but de l'intervention du mage étant d'accélérer leur voyage, ce dernier décida de ne pas se montrer. Il se faufila donc parmi le groupe en demeurant invisible et le fit avancer d'un seul bond sur la berge de la rivière Mardall, à la hauteur du village de l'ancien Roi Hamil. Il ne leur resterait plus qu'à traverser la forêt. Sa mission étant accomplie, Hawke retourna à Shola. Il ne le savait pas encore, mais le hiérophante allait lui demander de rendre un petit bébé à ses parents.

Bergeau leva brusquement la main pour stopper la colonne et se gratta la tête.

— Par tous les dieux, comment sommes-nous arrivés ici?

— En suivant la route? suggéra Nogait, qui chevauchait à côté de lui.

– Sais-tu où nous sommes ?

– J'ai toujours été nul en géographie. C'est pour cette raison que Wellan ne m'a jamais nommé lieutenant.

– C'est la rivière Mardall et nous ne sommes plus à Émeraude.

– Nous ne sommes partis que depuis quelques heures seulement…

– C'est justement ça que je ne comprends pas.

Nogait tourna la tête pour regarder derrière son épaule.

– Ce n'est pas moi ! se défendit Malika.

– Et ce n'est certainement pas Alkar, ajouta Amayelle.

– Je me rappelle qu'un événement semblable nous est arrivé jadis, lors des premiers combats contre les scarabées de malheur, commença Bergeau.

– Mon chéri, ce n'est pas vraiment le moment de nous raconter une histoire, tenta de le décourager Catania.

– Nous avions tous pensé que c'était l'œuvre du sorcier Asbeth.

– Un sorcier ? s'effrayèrent les enfants.

– Bergeau, tais-toi, lui ordonna sa femme.

— Mais ce n'était pas lui ! C'est seulement plus tard que nous avons découvert que c'était la magie d'Onyx qui se cachait dans le corps de Sage.

— Tu pourrais peut-être nous raconter la suite lorsque nous serons tous autour du feu chez les Elfes ? proposa Nogait.

— Quelle merveilleuse idée ! s'exclama Catania. Avançons !

— Mais moi, je veux savoir ce qu'il a fait, Onyx… gémit le petit Matthias.

— Ce soir, mon chéri, l'avertit sa mère en lui faisant de gros yeux.

Mystérieusement, ils étaient arrivés à l'endroit même de la rivière où on pouvait la traverser à gué. Nogait prit les devants, puisqu'il savait lequel des nombreux sentiers emprunter pour se rendre directement au village de ses beaux-parents.

L'arrivée soudaine des Émériens prit les Elfes de court et gonfla le cœur de Cameron de bonheur. Il commença par saluer ses parents et ses futurs beaux-parents.

— Tu es finalement devenu roi ! s'exclama fièrement Nogait.

— Je vous avais dit que je finirais par évoluer, répondit moqueusement Cameron.

Le roi poursuivit sa route vers les cavaliers qui descendaient de leur monture derrière les aînés.

– Un instant, jeune blanc-bec, l'arrêta Bergeau. Que tu sois roi ou pas, il n'est pas question que tu t'exhibes en public avec ma fille avant de m'avoir demandé sa main.

Hamil, qui venait à la rencontre des visiteurs en compagnie d'Ama et des autres Elfes qui habitaient son village, s'étonna du manque de manières de ce Chevalier.

– Sire Bergeau, ce n'est pas le Roi des Elfes qui s'adresse à vous, mais un homme éperdument amoureux de votre fille. Me permettrez-vous de la rendre heureuse jusqu'à la fin de ses jours? Et surtout, puis-je avoir l'entièreté de cette belle personne et non seulement sa main?

– Là, Nogait, c'est à toi qu'il ressemble! s'exclama Bergeau en riant.

Même si la guerre était finie depuis longtemps, le soldat avait gardé la forme en s'occupant de sa ferme et en construisant sans cesse de nouvelles chambres pour sa famille. Ses épaules étaient larges et ses bras musclés. Lorsqu'il étreignit son futur gendre, Hamil eut peur qu'il ne lui casse tous les os. Mais le demi-Elfe, qui avait appris la magie à Émeraude, fit en sorte de créer un cocon protecteur autour de lui pour éviter d'étouffer dans l'étau.

Une fois libéré, il fila directement vers sa douce et l'embrassa sans la moindre gêne devant tout le monde. « Les temps ont vraiment changé », se découragea Hamil. Il attendit que le roi mette fin au baiser et convia tout le monde à s'asseoir sur les nattes devant sa hutte, tandis que les Elfes mettraient les chevaux à l'abri.

Bergeau n'attendit pas que ses hôtes aient rassemblé du bois mort. Il alluma un feu magique, comme il le faisait jadis lorsqu'il sillonnait le continent en compagnie des Chevaliers d'Émeraude.

– Quand la cérémonie aura-t-elle lieu ? s'enquit-il.

– Ce soir, répondit Cameron en faisant asseoir Danitza auprès de lui.

– Tu ne veux pas perdre de temps, le gendre !

– Moi, je veux savoir comment... commença Matthias.

Son grand frère Kieran lui plaqua la main sur la bouche pour l'empêcher de finir sa phrase. S'il demandait à leur père de terminer l'histoire qu'il avait commencée sur le bord de la rivière, le mariage n'aurait pas lieu avant des jours !

– Alors, comment ça se passe, un mariage, chez les Elfes ? voulut savoir Bergeau.

Amayelle décocha à son mari un regard qui l'intimait de ne passer aucun commentaire, puisque Nogait s'était presque endormi avant la fin du sien.

– Habituellement, le roi fait prononcer les vœux aux époux, puis il y a un petit festin, expliqua Cameron, mais puisque le roi, c'est moi, ce sera mon prédécesseur qui nous unira.

– Quand commence-t-on ?

– Dès que tous les habitants du village seront arrivés et que les femmes auront réuni ce qu'il faut pour faire bombance.

– Alors, en attendant, on fait quoi ?

– Vous êtes libres d'explorer les alentours.

– Mais évitez les étangs magiques, recommanda Nogait, qui y avait été séduit par Amayelle.

– Et la forêt des enchanteresses, ajouta Hamil.

C'était pourtant là que Malika aurait aimé se diriger.

– Surtout toi, lui chuchota sa mère.

– On pourrait faire faire une sieste aux tout-petits, suggéra Catania.

– Bonne idée, accepta Amayelle.

Pendant que les deux femmes et les jumelles Proka et Broderika conduisaient les jeunes enfants dans la hutte de Cameron, Nogait, Bergeau, ses deux gendres, Gakère et Madhi, emmenèrent les autres dans les sentiers qui faisaient le tour du village. Danitza préféra évidemment rester dans les bras de Cameron.

– Est-ce toi qui nous as fait arriver plus rapidement au Royaume des Elfes ?

– J'ai eu de l'aide.

— C'était une merveilleuse idée.

— Es-tu prête à devenir reine ?

— Non… mais je meurs d'envie d'être enfin ta femme.

— Dans quelques heures, plus rien ne pourra nous séparer.

— Ton peuple est-il d'accord avec ta décision, Cameron ?

— Probablement pas, mais il finira par comprendre, si ce n'est pas dans cette génération, au moins dans la prochaine, que nous devons choisir nos compagnons de vie avec notre cœur et non en fonction des avantages qu'ils peuvent nous apporter.

— J'approuve.

— Écriras-tu quelque chose à ce sujet ?

— Tu parles ! Je vais faire voyager mon héroïne et son prince charmant dans un pays qu'ils marqueront à tout jamais avec leur belle histoire d'amour.

— J'espère que tu n'as pas l'intention d'avoir autant d'enfants que tes parents.

— Pourquoi ?

— Parce que les Elfes n'en ont qu'à tous les cinq ans.

— Nous commencerons par un, d'accord ?

Pendant ce temps, dans la forêt, tandis que les plus vieux marchaient ensemble, les plus jeunes caressaient les animaux qui ne fuyaient pas à leur approche. Bergeau, quant à lui, voulut savoir si sa fille serait obligée d'habiter chez les Elfes.

— Je ne vois pas comment elle pourrait faire autrement, répondit Nogait.

— Mais toi, tu as passé autant de temps à Émeraude qu'ici.

— Je n'étais pas roi et Amayelle n'était pas reine. La situation est différente.

— Mes petits-enfants auront-ils des oreilles pointues ?

— Je te ferai remarquer que ce seront aussi les miens. Et on s'en moque, de leurs oreilles. Moi, ce qui me préoccupe, c'est qu'ils soient heureux.

— Je ne suis pas raciste, mais ça me plairait qu'ils soient plus humains qu'Elfes.

— C'est une remarque raciste.

Cachées dans les buissons, les enchanteresses observaient les intrus en se demandant combien de temps ils profaneraient leur forêt. Personne n'avait plus intérêt qu'elles à conserver intactes les traditions de leur peuple. Pour éviter de devenir la cible des changements que projetait le nouveau roi, elles devraient se faire encore plus discrètes.

Malika sentait leur présence, mais elle refusait de réagir à leurs appels silencieux. Elle possédait certainement le potentiel nécessaire pour devenir elle-même une grande enchanteresse, mais le contact des humains l'avait persuadée de mettre ses dons au service du bien. Son père lui avait raconté en riant l'épisode de la fleur bleue qui avait humilié Onyx avant de le sauver, et cela avait profondément choqué l'enfant. Personne n'avait le droit de traiter une autre personne de cette façon. Non seulement Malika deviendrait herboriste, mais elle enseignerait son art aux autres femmes afin qu'elles puissent soigner plus rapidement leur famille.

Dès que le jour déclina, les visiteurs revinrent au village, où les attendaient deux fois plus d'Elfes qu'à leur arrivée. Les tout-petits étaient bien réveillés. Assis devant leurs mères, ils jouaient avec des pommes de pin et de belles pierres de rivière qui scintillaient à la lumière des flammes.

Hamil se plaça derrière les futurs époux.

— Cameron, Roi des Elfes, fils de la Princesse Amayelle et du Chevalier Nogait, petit-fils du Roi Hamil et de la Reine Ama, acceptes-tu de prendre pour épouse Danitza, fille de Catania de Zénor et du Chevalier Bergeau, de lui accorder toute ta confiance, de lui promettre soutien, amour et fidélité et de rester à ses côtés pour partager ses joies comme ses peines jusqu'à la fin de ta vie ?

— Évidemment que j'accepte.

— Danitza, fille de Catania de Zénor et du Chevalier Bergeau, acceptes-tu de prendre pour époux Cameron, Roi des

Elfes, fils de la Princesse Amayelle et du Chevalier Nogait, petit-fils du Roi Hamil et de la Reine Ama, de lui accorder toute ta confiance, de lui promettre soutien, amour et fidélité et de rester à ses côtés pour partager ses joies comme ses peines jusqu'à la fin de ta vie ?

– Oh oui !

– Par les pouvoirs conférés par les mages d'Osantalt et Parandar lui-même, je vous déclare mari et femme. Que la vie vous soit clémente.

Hamil déposa sur la tête des deux jeunes gens les tiares en argent fin que lui tendait Ama.

– Longue vie au roi et à la reine !

Les humains se mirent à applaudir bruyamment, faisant sursauter les Elfes. À l'orée de la forêt, Moérie cracha sur le sol et disparut entre les arbres.

– Il est où, ce festin ? lança le père de la mariée.

Les femmes distribuèrent de grosses écuelles de bois remplies de jeunes pousses d'épinard, de feuilles de betterave, de mâche, de roquette sauvage et de chicorée blanche, agrémentées de noisettes, de cerfeuil et de fromage de biche.

– C'est juste l'entrée, j'espère, grommela Bergeau, qui n'était pas du tout végétarien.

– Chez les Elfes, on fait comme les Elfes, l'apostropha Danitza.

— Je t'emmènerai pêcher avant le dessert, le taquina Nogait.

— Tu n'as pas mangé ça tout le temps que tu as passé ici ?

— Bien sûr ! Et regarde comme je suis resté beau !

Bergeau mangea la salade en bougonnant. Toutefois, les pâtisseries aux amandes dégoulinantes de miel lui redonnèrent le sourire.

— Où est la bière ? voulut savoir le Chevalier, une fois rassasié.

— Les Elfes obtiennent de l'alcool en distillant de la betterave, expliqua Nogait. Ce ne sont pas de grands buveurs, alors ils n'en préparent que pour les occasions spéciales.

— Comme maintenant ?

— Juste pour toi.

On offrit des cornes creuses remplies de la boisson rosée à ceux qui en voulaient. Seuls les hommes se portèrent volontaires. La plupart commencèrent par humer l'eau-de-vie, puis y trempèrent la langue, mais pas Bergeau. Il avala d'une seule gorgée le contenu de la sienne.

— Encore ! s'exclama-t-il.

Il avala l'équivalent d'une bouteille, puis réclama de la musique. Les Elfes adultes se rassemblèrent pour entonner l'un de leurs hymnes préférés à la nature. Les yeux écarquillés, la bouche ouverte, le Chevalier les dévisagea avec incrédulité.

— Ce ne sont pas des funérailles ! C'est un mariage !

Un à un, les chanteurs se turent en se tournant vers Hamil.

— Papa, c'est assez ! le gronda Danitza. Tu me fais honte.

— Quand on célèbre une grande occasion, on rit, on chante ct on danse, ma petite chérie ! Ils vont me faire pleurer !

— Maman, fais quelque chose, l'implora la nouvelle mariée.

— Je viens de Zénor où ça se passe aussi de cette façon, soupira Catania, qui était plutôt d'accord avec son mari.

— Vous n'avez pas de tambours ? De flûtes ? De violes ?

— Nous avons des flûtes… se risqua un des Elfes.

— Eh bien ! Allez les chercher ! Mettez un peu d'ambiance dans cette foutue forêt !

Tout comme la plupart des enfants et des jeunes Elfes archers, Nogait riait aux éclats, mais à ses côtés, Amayelle s'était caché le visage dans les mains. Quant à elle, Danitza était rouge de honte.

Formant un autre ensemble, les Elfes se mirent à jouer une mélodie transmise de père en fils qui rappelait les vagues de l'océan et le chant des baleines.

413

– Par tous les dieux, ils veulent nous faire mourir ! s'écria Bergeau en se levant.

Intimidés, les Elfes musiciens arrêtèrent de jouer.

– Donnez-moi ça, ordonna le Chevalier.

Il s'empara d'une flûte et se mit à jouer un morceau traditionnel gai et vif du Royaume de Zénor. Nogait, qui n'avait aucune notion de musique, se leva et l'imita en soufflant à tort et à travers dans un autre instrument. Amusés, les enfants se mirent à taper dans leurs mains. Les jeunes archers eurent alors l'idée de taper sur les troncs d'arbres avec leurs flèches pour suivre le rythme.

Hamil avait déjà assisté à une fête à Émeraude, mais jamais à une telle cacophonie. « Les animaux vont quitter nos forêts et n'y reviendront jamais », songea-t-il, désemparé. Les sœurs de Danitza se mirent à danser la farandole autour des huttes en se tenant par la main et y incorporèrent tous les Elfes qui se trouvaient sur leur route.

– Ils vont tous me détester jusqu'à fin de ma vie, pleura Danitza.

– Mais non, ma chérie, la consola Cameron. Ils viennent juste de constater à quel point les humains sont différents des Elfes.

Le tintamarre ne cessa que lorsqu'un orage éclata au-dessus du village. La pluie s'abattit d'un seul coup sur les noceurs, les forçant à aller se réfugier dans les huttes. Bergeau continua de jouer de la flûte jusqu'à ce que Catania la lui arrache des mains et le fasse basculer sur sa natte.

Hamil resta planté dans la porte de son logis, observant la forêt, car il avait très bien saisi que la tempête n'était pas d'origine naturelle. Il ne pouvait pas la voir, mais il devinait que Moérie les observait avec beaucoup de satisfaction.

24

LE RETOUR DE LA DÉESSE

e retour du soleil poussa Mahito à sortir plus souvent de la tanière. Il pouvait rester des heures assis en tailleur, le visage tourné vers l'astre du jour, comme s'il en avait été privé toute sa vie. Les premiers jours, Jenifael admira ses traits parfaits, ses cheveux noirs doux comme de la soie, les muscles de son torse et de ses bras, mais bientôt, elle en eut assez de cette immobilité qui plaisait aux tigres. Après s'être assurée que les blessures de son amant étaient bel et bien guéries et qu'il pouvait bouger toutes ses articulations sans la moindre souffrance, elle lui annonça qu'elle le ramenait à Émeraude.

– Quoi ? s'exclama-t-il.

– Tu m'as montré comment tu vivais, maintenant c'est à mon tour.

– Mais tous les Chevaliers me détestent !

– Comment le sais-tu ?

– Deux d'entre eux ont tenté de me tuer !

— Hadrian et Wellan ne sont pas «tous les Chevaliers», Mahito. L'attitude agressive de mon mari était tout à fait prévisible, mais il ne vit pas à Émeraude. Il a choisi une vie d'ascète dans une tour de son ancien royaume. Quant à Wellan, ce n'est encore qu'un enfant.

— Et ton père ?

— Je règlerai ça avec lui en temps et lieu.

Elle se leva ct plaça les mains sur ses hanches, comme le grand commandant des Chevaliers d'Émeraude le faisait autrefois lorsqu'il donnait ses ordres.

— Si tu veux rester ici, je ne t'en empêcherai pas, mais moi, je pars.

Il plissa le nez, contrarié.

— Je compte jusqu'à cinq.

S'il avait été sous sa forme féline, il aurait probablement eu les oreilles collées contre le crâne et il lui aurait montré les dents.

— Un…

Il se leva et glissa ses doigts entre les siens.

— Bon chat, le taquina-t-elle.

– Ai-je besoin de te dire que si on m'attaque, je me défendrai ?

– J'ai repris tous mes pouvoirs, je te rappelle. Je te jure que personne n'osera s'en prendre à toi.

Jenifael lui fit un clin d'œil et les transporta dans son vortex jusque dans le corridor des chambres des anciens soldats. Tout comme elle s'y attendait, il était désert. Elle ouvrit l'une des portes et tira Mahito à l'intérieur.

– Maman, est-ce que tu es là ?

– Jenifael ? s'écria Bridgess en sortant de la chambre adjacente.

La mère allait se jeter dans les bras de sa fille, mais lorsqu'elle aperçut le jeune homme qui lui tenait la main, elle s'arrêta net.

– Maman, je te présente Mahito.

– Le tigre ?

Jenifael n'eut pas besoin de répondre. Le regard sauvage de l'étranger le confirmait.

– C'est le fils d'Anyaguara et de Danalieth.

– Je me moque de l'identité de ses parents. Ce qu'il a fait était inacceptable. Je me suis fait tant de souci pour toi.

— Il ne m'a fait aucun mal.

— Alors pourquoi ?

Santo arriva sur ces entrefaites. Il n'eut pas la même réaction de recul que son épouse, mais se montra malgré tout prudent en présence de ce jeune fauve qui avait grièvement blessé Hadrian et Cherrval, car il savait mieux que quiconque ce dont il était capable.

— Je suis soulagé de te revoir, Jeni, lui dit le guérisseur en conservant tout de même une certaine distance.

— Arrêtez d'avoir peur de lui, pour l'amour de Theandras ! se fâcha la jeune déesse. Il m'a enlevée parce qu'il voulait me dire qu'il m'aimait. Je ne l'aurais pas écouté autrement.

— Santo, pourquoi ne fais-tu pas visiter la forteresse à notre invité ? suggéra Bridgess sur un ton qu'elle voulait amical, mais qui trahissait son agacement.

— Oui, bien sûr. Si vous voulez bien me suivre, sire…

— Je ne suis pas un sire. Je m'appelle Mahito.

Santo lui fit signe de passer devant lui et adressa un regard inquiet à sa femme. Bridgess ne le vit pas, puisqu'elle fixait sa fille avec colère.

— Comment oses-tu revenir au château avec le responsable de ton adultère ? lâcha-t-elle lorsque les deux hommes se furent éloignés dans le couloir.

– Parce que c'est avec lui que je veux passer le reste de mes jours.

– Tu es mariée, Jeni.

– Je ne l'ai été que quelques secondes à peine !

– Le mariage est une institution sacrée.

– Mais tout le monde a le droit de se tromper, non ? Moi, au moins, je m'en suis aperçue à temps.

– Mais Hadrian t'aime.

– Pas autant que Mahito.

– Le laisseras-tu tomber lui aussi si tu rencontres un autre homme qui dit t'aimer encore plus que lui ?

– Non. Je ne le lui ai pas dit, mais je vois une belle lumière blanche autour de lui depuis que nous sommes sortis de la grotte.

Ce dernier argument acheva la pauvre mère qui, en fait, ne voulait que le bonheur de sa fille.

– Tu ne m'en as jamais parlé, mais j'ai su que tu avais épousé papa même si tu savais que Santo était ton âme sœur. Tu as choisi d'épouser ton héros et tu n'as jamais été malheureuse auprès de lui. Mais avec Santo, qu'est-ce que tu ressens ?

Bridgess tourna le dos à sa fille et se mordit les lèvres pour ne pas éclater en sanglots.

— Tu as le droit de l'aimer encore plus que Wellan. Ce serait même naturel, puisque les dieux vous ont choisi l'un pour l'autre. C'est la même chose pour Mahito. Je croyais pouvoir aimer Hadrian et avoir des enfants avec lui, mais depuis que le dieu-tigre m'a ouvert son cœur, le Roi d'Argent n'est qu'une pâle étoile à côté d'un soleil éclatant.

Puisque sa mère ne disait plus rien, Jenifael alla se blottir dans son dos, comme elle le faisait lorsqu'elle était petite.

— Tu es la seule personne au monde qui peut comprendre pourquoi j'ai changé d'idée… chuchota la jeune déesse dans l'oreille de Bridgess.

— J'ai peur qu'il te fasse du mal…

— Tous les hommes ont le potentiel de blesser les autres. Hadrian vous a-t-il avoué que Mahito s'en est pris à lui parce qu'il venait de lui planter un javelot tout près du cœur ?

Bridgess secoua doucement la tête pour dire non.

— Mahito m'a dit qu'un homme-lion l'avait attaqué dans le Désert. Il est revenu plutôt amoché de ce combat, mais il n'allait pas se laisser massacrer pour me montrer qu'il était gentil, tout de même.

Jenifael la fit pivoter vers elle.

– Tout ce que tu as besoin de savoir, c'est que je suis follement amoureuse pour la première fois de ma vie, maman. J'admirais Hadrian parce qu'il me faisait penser à papa. C'était un amour de raison, pas un cri de passion.

– À part de te combler amoureusement, quel genre de vie cet homme sauvage a-t-il à t'offrir ?

– Nous n'en avons pas encore parlé, mais il est certain que j'irai vivre ailleurs si sa seule vue vous indispose autant.

– Je suis désolée d'agir ainsi, mais tu m'es si précieuse…

Bridgess la serra contre elle en pleurant dans ses cheveux.

– Je t'en conjure, prends le temps de le connaître. Il a l'air impertinent, c'est vrai, mais il a des choses vraiment intéressantes à dire.

Jenifael se dégagea de l'étreinte de sa mère et essuya ses yeux.

– Est-il vrai que le fils de Kira est la réincarnation de mon père ? demanda la déesse.

– C'est ce qu'il dit. Apparemment, pour le récompenser d'avoir débarrassé les Ghariyals d'Akuretari, Theandras lui a offert une deuxième vie.

– Ce n'est pas une invention d'adolescent qui veut se rendre intéressant ?

— Pas à mon avis.

La jeune femme chercha Wellan en utilisant ses facultés magiques.

— Tiens donc… Il est à la bibliothèque. Mais n'importe qui peut aimer lire. Si tu veux bien m'attendre ici, j'aurais deux mots à lui dire.

— Ne le fais pas brûler…

La plaisanterie fit sourire Jenifael.

— Tu n'as aucune raison de t'inquiéter. Ça fait un moment déjà que je ne règle plus mes querelles de cette façon.

— En passant, tu es très jolie dans cette robe jadoise.

— Merci…

Elle embrassa sa mère sur la joue et se dématérialisa pour réapparaître à l'entrée de la grande salle remplie de livres. «Pourtant, presque plus personne n'y vient», se désola-t-elle. Se rappelant où son père aimait s'asseoir, Jenifael s'y rendit sans hésitation. Dans le coin le plus reculé, près d'une fenêtre, le fils de Kira était installé à la table préférée de son père.

— Pourquoi ne m'as-tu jamais rien dit? lança-t-elle en le faisant sursauter.

Lorsqu'il releva la tête, elle le reconnut à peine.

— Wellan ?

— C'est bien moi.

— Combien de temps ai-je été enfermée dans cette grotte ?

Ce n'était plus l'adolescent qu'elle avait souvent croisé dans le palais, mais un homme très certainement dans la vingtaine qui la regardait.

— Il s'agit d'un sort jeté par ma charmante petite sœur, qui est beaucoup plus puissante qu'elle ne le laisse paraître. Avant que tu aies une syncope, sache que je ne suis pas le seul qu'elle a ainsi fait vieillir. Marek, les jumeaux et elle-même ont pris de l'âge.

— Es-tu vraiment mon père ?

— Regardes-tu encore les étoiles, la nuit ?

Jenifael se mit à trembler d'émotion.

— Comment as-tu pu grandir sous mon nez sans rien me dire ?

— Vous avez tellement de mal à m'oublier, ta mère et toi. Avais-je vraiment le droit de rouvrir vos vieilles blessures maintenant que vous avez enfin trouvé le bonheur ? Et puis, quel être sensé voudrait d'un père âgé de cinq ans ?

— Je te retrouve dans tes paroles, mais ton visage…

— C'est ta faute si j'ai l'air d'un Elfe.

— Ma faute ?

— Tu as brûlé mon corps après ma mort. Il a bien fallu qu'on m'en trouve un autre.

— Oh non… Je voulais juste aider ton âme à trouver plus rapidement le repos éternel sur les grandes plaines de lumière.

Je n'y ai jamais mis les pieds.

— Theandras a eu raison de te remercier du sacrifice que tu as fait en abandonnant ton armée, ta femme et ta fille avant la fin de la guerre, mais…

— Moi aussi j'aurais voulu retrouver ma taille et ma puissance physique de jadis, mais je dois faire avec ce qui m'a été octroyé.

— Tu es beau quand même, sauf que tu ressembles trop à Onyx.

— Ce qui est tout à fait naturel, puisque mon géniteur est son ancêtre Lazuli. Mais arrêtons de parler de mon apparence, si tu le veux bien. Ce jeune corps est habité par une âme trois fois plus vieille que lui.

— Comme Onyx…

— Et c'est là que s'arrête la ressemblance, jeune fille. Mon ambition n'est pas de conquérir le monde, mais de l'explorer et de consigner par écrit toutes mes pensées et toutes mes découvertes pour la postérité. Les dieux m'ont donné une seconde chance de faire ce que j'ai vraiment envie de faire. C'est peut-être égoïste, mais je veux parcourir de nouvelles contrées sans aucune attache.

— Tu finiras par rendre une femme amoureuse. Tu le faisais déjà malgré toi dans ta première vie.

— J'avais alors des attributs qui plaisaient au sexe opposé.

— Tu pourrais retrouver tes muscles si tu t'entraînais.

— Je n'ai plus envie de me battre, Jenifael. Je l'ai fait assez longtemps. J'ai troqué l'épée contre la plume. Je veux être l'historien que j'ai toujours rêvé d'être. Je veux laisser derrière moi autre chose que des chansons qui louangent un héros mort à la guerre.

Jenifael sentit les larmes couler sur ses joues.

— Tu as aussi eu une fille qui n'a jamais cessé de t'aimer… hoqueta-t-elle.

Wellan quitta son siège et vint la serrer dans ses bras. La jeune déesse ferma les yeux. Ce n'était pas la poitrine musclée d'autrefois, mais l'énergie qui se dégageait de cet homme était véritablement celle de son père. Le fils de Kira avait grandi au point qu'il la dépassait facilement d'une tête.

— Je serai toujours ton père, même avec ce visage-là, plaisanta-t-il. Et si tu veux des conseils, ils émaneront de ma vieille âme.

— Justement… Je traverse en ce moment une crise existentielle…

— Ton dieu-tigre ?

Elle hocha doucement la tête en frottant sa joue contre sa tunique.

— S'il nous surprend dans cette posture, je ne suis pas mieux que mort.

Jenifael le repoussa aussitôt.

— Tu as raison. Mahito est plutôt prompt à l'injure, mais c'est un homme bon.

— Si tu veux l'épouser, tu devras commencer par faire prononcer ton divorce.

— Je sais.

— Que ce soit avec Hadrian ou avec le tigre, tout ce qui importe, c'est que tu sois heureuse, ma grenouille.

Ce sobriquet, que Wellan utilisait souvent quand elle était enfant, la fit sourire. Le fils de Kira ne l'aurait jamais utilisé. Elle était donc réellement en face de son père.

— Si je trouvais une incantation pour te redonner ton corps d'antan, est-ce que ça t'intéresserait ? fit-elle très sérieusement.

– La dernière fois que tu as trempé dans une telle magie, tout le château y a goûté.

Jenifael avait en effet fait vieillir tous les apprentis pour venir en aide à son père qui avait besoin de plus de soldats.

– Je suis contente que tu sois de retour.

– Mais rappelle-toi : je ne veux aucune attache.

– Promis, mais il se pourrait que j'aie parfois besoin de conseils.

Pendant que le père et la fille discutaient dans la bibliothèque, Santo faisait visiter le château à celui qui pourrait bien devenir son nouveau gendre. Mahito était un peu plus petit que lui, mais beaucoup plus musclé. Sa peau était olivâtre comme la sienne. Ses yeux bridés, par contre, indiquaient une affiliation jadoise.

– C'est que ma mère a pris l'apparence physique d'une sorcière de Jade, précisa le dieu-tigre tandis qu'il marchait aux côtés du guérisseur dans le long couloir qui traversait tout le palais, de l'aile des Chevaliers jusqu'à la salle du trône.

– Tu as la faculté de lire les pensées ?

– Depuis que je suis bébé. Mon père est l'Immortel Danalieth.

– Je croyais qu'il n'avait eu que des filles avec la Reine des Fées.

— Je suis content qu'il ne m'ait pas conçu avec une créature ailée. Je préfère de loin mon ascendance féline.

— Pourquoi as-tu enlevé Jenifael ?

— Pour lui montrer que j'étais son âme sœur, mais ça n'a pas été facile. Dans la grotte de cristal, on ne voit pas l'aura blanche. Je ne voulais pas qu'elle fasse l'erreur de passer sa vie avec un homme qui n'était pas fait pour elle.

— Comme sa mère…

— Mon but n'est pas de vous blesser en vous en parlant, sire. Je pense que vous êtes le mieux placé pour comprendre mon geste.

— Mais moi, je n'ai pas eu le courage d'arracher Bridgess à Wellan.

— Vous avez attendu votre heure en souffrant en silence. Avez-vous déjà pensé que si ce grand héros avait survécu à ses blessures, vous ne seriez pas dans les bras de la femme que vous aimez aujourd'hui ?

— Alors, tu n'es pas seulement un batailleur. Il y a un philosophe sous ces muscles d'acier.

— Ou bien je suis un sage déguisé en tigre.

— J'aime bien l'énergie que je capte en toi, Mahito.

— C'est la même chose pour moi.

Il lui montra le hall des Chevaliers, les cuisines et le hall du roi, puis le fit monter à l'étage de la bibliothèque. Toutefois, ils s'arrêtèrent dans l'entrée. Les sens aiguisés de Mahito lui indiquèrent que Jenifael s'y trouvait, mais qu'elle était absorbée dans une discussion sérieuse avec quelqu'un. Il poursuivit donc son chemin avec Santo jusqu'à l'étage royal.

— La famille du Roi Onyx et de la Reine Swan vivent de ce côté du corridor et celle de la Princesse Kira et du Prince Lassa de l'autre côté. Elles sont en très bons termes.

Ils allaient redescendre lorsqu'ils entendirent un grand cri. Santo scruta tout l'étage à la vitesse de l'éclair et découvrit qu'il provenait de la chambre de la reine. Il s'y précipita, Mahito sur les talons.

✳ ✳ ✳

Les Sholiens s'étaient matérialisés dans les appartements royaux que personne ne gardait.

— Je cherche le Prince Atlance ! annonça Hawke, ne sachant plus où se diriger.

Son éclat de voix mit la maisonnée en alerte. Quelques secondes plus tard, toutes les portes de l'antichambre s'ouvrirent en même temps. Flanquée de ses fils Fabian, Maximilien et Anoki, la Reine Swan s'avança vers les cénobites.

— Que se passe-t-il, Hawke ?

L'Elfe lui montra l'enfant.

— Mann prétend que c'est le fils d'Atlance.

Swan poussa un retentissant cri de joie. Plaçant une main tremblante sur sa bouche, elle contempla pour la première fois le visage de son petit-fils.

— Les dieux vous bénissent… parvint-elle à articuler dans ses sanglots de joie.

Santo et Mahito déboulèrent dans la pièce, étonnés de ne pas se retrouver en plein drame. Swan se tenait debout devant deux Sholiens. Ses yeux étaient exorbités de stupeur.

— Que se passe-t-il ? demanda le guérisseur.

Hawke se retourna. Il tenait contre lui un tout petit bébé.

— Je suis venu rendre Lucca à ses parents, déclara-t-il, mais la reine ne s'y attendait pas.

Sans lui demander qui il était, Hawke déposa Lucca dans les bras de Mahito, qui n'eut nul autre choix que de le tenir de son mieux, puis disparut avec son compagnon lumineux.

Avant que le choc ne fasse perdre à Swan l'enfant qu'elle portait, Santo décida d'intervenir. Il posa une main sur son ventre et l'autre sur sa poitrine et la calma instantanément.

— Je dois m'asseoir… murmura-t-elle.

Santo la conduisit à une bergère. Mahito les suivit, impatient de se débarrasser du bébé. Kira, Lassa et Myrialuna déboulèrent dans le salon de la reine, également alertés par son cri.

– Est-ce que c'est… commença la Sholienne, émue.

– Oui, c'est Lucca, confirma Swan. Abussos nous l'a rendu.

– Moi, je connais ça, les bébés ! s'exclama Myrialuna en l'enlevant à Mahito. J'en ai trois comme lui dans le ventre.

Le dieu-tigre recula en flairant la femme aux cheveux roses. Son odeur lui était si familière qu'il crut, pendant un instant, que c'était sa mère sous un déguisement.

– Lassa, je t'en conjure, tu dois ramener tout de suite Atlance et Katil au palais, lui dit Swan.

– Où sont-ils ?

– Chez Jasson.

Lassa se dématérialisa aussitôt.

– Ils vont être fous de joie, lança Kira.

– Voilà bien la preuve qu'il ne faut jamais désespérer, ajouta Santo.

– Tout est toujours bien qui finit bien ! ajouta Myrialuna qui valsait doucement avec l'enfant.

– Myria, arrête, lui recommanda sa sœur mauve. Tu vas le rendre malade.

— Mais non ! Les enfants aiment se faire ballotter !

— Les miens doivent être une exception, dans ce cas.

Lassa réapparut avec les parents de l'enfant, qui se précipitèrent sur Myrialuna comme une meute de loups.

— Doucement ! Le voilà !

— Lucca ! s'étrangla Katil en le pressant contre elle.

— Les Sholiens affirment qu'il est débarrassé de l'âme de Nayati, leur apprit Swan, émue.

— Abussos est vraiment le plus grand de tous les dieux.

— Instaurons son culte à Émeraude, suggéra fortement Atlance à sa mère.

Katil s'installa dans le fauteuil à bascule, tandis que son époux s'accroupissait à côté d'elle pour observer le doux visage de l'enfant.

— Mais qui est ce séduisant garçon qui sent le fauve ? demanda Myrialuna en s'approchant du dieu-tigre.

— Je m'appelle Mahito. Je suis le fils d'Anyaguara.

— Elle m'a fait des cachettes ?

— Elle ne le savait pas elle-même.

– Comment une maman peut-elle ignorer qu'elle a un bébé ?

– C'est mon père Danalieth qui m'a porté, une vilaine habitude qu'il a acquise chez les Fées.

– Il faut lui dire qu'elle a un bel enfant comme toi !

– Je le lui ai dit, il n'y a pas longtemps.

– Tu devrais être avec elle !

– Je suis un adulte. Je n'ai plus besoin de ma mère.

Santo, si tu veux bien continuer de t'occuper de Mahito pendant un petit moment encore, j'aimerais aller mettre fin à ma relation avec le Roi d'Argent et il est préférable que je le fasse seule, fit la voix de Jenifael dans l'esprit du guérisseur. *Il est entre bonnes mains,* répondit-il.

– Puis-je prendre le relais ? demanda Wellan en arrivant dans le salon royal.

– C'est à Mahito de décider, répondit Santo.

– Je vous ai vu dans le Désert, se rappela le dieu-tigre.

– Je m'appelle Wellan d'Émeraude.

– Vous êtes le père de Jenifael.

— Je l'ai été, dans une autre vie. Aimeriez-vous prendre l'air avec moi ? Il fait si beau.

Mahito accepta d'un mouvement de la tête, car il avait envie de connaître cet homme dont on chantait les exploits sur tout le continent.

✻ ✻ ✻

Jenifael savait que ce ne serait pas facile, mais pour pouvoir vivre entièrement son nouveau bonheur avec Mahito, elle devait rompre ses liens avec Hadrian, et elle ne voulait surtout pas que quelqu'un s'en charge à sa place. Par respect, elle apparut à l'extérieur de la tour et leva la tête vers son sommet. Le soleil allait bientôt terminer sa course vers l'ouest, ce qui jetait le bâtiment dans l'ombre. Il y avait de la lumière dans ses étroites fenêtres.

La jeune femme choisit de se présenter chez son mari en empruntant l'escalier en pierre. Lorsqu'elle arriva sur le dernier palier, il l'attendait, les bras croisés.

— Tu as l'impudence de venir jusque chez moi ? lui reprocha-t-il.

— Ce n'est pas de gaieté de cœur, tu peux me croire, mais je n'aime pas faire les choses à moitié.

— Tu m'as poussé au mariage pour ensuite t'enfuir avec un autre homme !

— Tu as toujours été libre de dire non.

– On dirait que la captivité t'a fait oublier beaucoup de choses.

– Au contraire, elle m'a ouvert les yeux. J'ai souhaité être ta femme parce que je voyais en toi le père qui m'a si cruellement manqué toutes ces années. Je cherchais un radeau sur un océan de détresse.

– Au lieu de t'y accrocher, tu l'as fait couler.

– Ça n'a jamais été mon intention, Hadrian. C'est le destin qui a voulu que ma véritable âme sœur se manifeste enfin et qu'elle me fasse comprendre qu'il y avait de la place pour l'amour dans ma vie.

– Tu ne m'as jamais aimé…

– Je t'ai admiré et je t'ai fait confiance en pensant que c'était de l'amour, mais j'ignorais ce que c'était vraiment, jusqu'à présent. Je ne veux pas te blesser, mais je ne peux pas te quitter sans te dire pourquoi.

– Va-t'en. Je n'ai pas besoin de tes explications.

– Je te souhaite de trouver un bonheur comme celui que je vis en ce moment.

Sentant qu'il se fâchait de plus en plus, la déesse ferma les yeux et s'effaça comme un mirage. Au lieu de retourner à Émeraude, elle réapparut sur le bord de la mer, à Zénor, dans une crique qui était peu fréquentée, car les vagues venaient se briser brutalement sur ses rochers effilés.

— Tu as maintenant un autre choix à faire, Jenifael.

Elle n'eut pas à se retourner pour savoir que Theandras se tenait derrière elle.

— Je veux rester ici, dans ce monde imparfait, avec les humains qui ont besoin de nous.

— Et si tu risquais d'y perdre ton immortalité ?

— Je voudrais mourir dans les bras de Mahito.

— Une déesse reptilienne et un demi-dieu félin… On aura tout vu.

— Sa mère est une déesse-panthère et son père est Danalieth, précisa la jeune femme en pivotant sur ses talons. On dirait bien que l'histoire se répète.

— Je respecterai ton vœu, ma fille. Mais sache que tu pourras toujours t'adresser à moi en cas de besoin.

— Je sais… et je tiendrai ma promesse de rallier les hommes sous une seule bannière, mais pas celle des Ghariyals, ni celle des félins. Ils devraient tous vénérer un seul dieu et ce dieu, c'est Abussos.

— Soit, accepta Theandras sans cacher sa déception.

La déesse de Rubis disparut dans une myriade de petites étincelles écarlates. Jenifael regarda le soleil sombrer dans l'océan et les premières étoiles s'allumer dans le ciel. C'était ici que son père avait perdu la vie pour sauver le panthéon reptilien. Elle se laissa tomber sur les genoux et se cacha le visage dans les mains pour pleurer.

Au même moment, ce père qu'elle avait cru perdu pour toujours marchait sur les remparts de la forteresse d'Émeraude avec Mahito.

– Jenifael m'a tellement parlé de vous, avoua le dieu-tigre, sauf qu'elle disait que vous étiez blond.

– J'ai malheureusement changé d'apparence, mais je me suis habitué à celle-ci.

– Lorsque vous êtes parti à ma recherche, dans le Désert, aviez-vous l'intention de me tuer ?

– Non. Je voulais surtout libérer ma fille et tenter de savoir ce qui vous avait poussé à commettre un geste semblable. Jenifael m'a tout expliqué.

– Vous ne vous opposez donc pas à notre relation.

– Tout ce qui rend ma fille heureuse me rend heureux.

Wellan regarda le ciel quelques secondes, puis se tourna vers Mahito.

– Vous n'avez rien mangé depuis ce matin, n'est-ce pas ?

– Non.

— En attendant le retour de Jenifael, je vous invite à prendre le repas chez moi. Si vous devez faire partie de sa vie, il y a des gens que j'aimerais vous présenter.

Kira ne fut pas étonnée de voir son grand garçon ramener l'étranger à sa table. Wellan avait toujours eu une grande attirance pour ceux qui pouvaient lui apprendre de nouvelles choses. Elle se présenta et nomma tous les membres de sa famille, y compris Myrialuna, qui avait décidé de rester jusqu'au mariage de Maximilien.

— Puisque tu aimes les mystères, Wellan, il y en a un que tu pourrais percer, indiqua Lassa.

— Avec plaisir.

— Ton frère Lazuli et les deux autres enfants que surveille Armène se comportent d'une bien curieuse façon depuis quelques jours.

— J'irai les voir, après le repas.

Mahito, assis près de Marek, semblait fasciner le garçon qui avait maintenant douze ans. Lassa avait évidemment répété sur sa sœur et lui le même « vieillissement » de l'esprit pour leur permettre une meilleure adaptation dans la société. Seul Wellan avait refusé le traitement, prétextant qu'il était déjà assez vieux comme ça.

— Moi aussi j'ai un secret, murmura Marek.

Mahito se pencha pour l'entendre.

— Je suis un léopard des neiges.

Le dieu-tigre l'avait deviné bien avant de s'installer près de lui. Il ébouriffa les cheveux blonds du gamin et se mit à manger avec appétit.

25

UN NOUVEL HÉRITIER

Nayati se comporta de façon exemplaire dans l'univers paisible de ses parents. Il évitait le plus possible de se retrouver dans le bois en même temps qu'Abussos, qui voyait trop clairement en lui, mais passait beaucoup de temps avec Lessien Idril, une source intarissable de renseignements. Il apprit donc l'histoire de la création, celle de ses derniers parents mortels et celle de ses frères. Le fait qu'il ait pratiquement fait mourir le petit Lucca en s'infiltrant dans son corps le laissait indifférent. Pour lui, c'était quelque chose que les âmes des dieux faisaient le plus naturellement du monde et, après tout, les humains n'avaient-ils pas été créés pour les servir ?

Tout semblait aller pour le mieux, lorsqu'un jour, Abussos, qui désirait s'entretenir avec le jeune dragon, ne le trouva nulle part. Lessien Idril mit fin à sa méditation pour le chercher avec lui. Après avoir parcouru tout leur domaine, ils durent en venir à l'évidence que Nayati leur avait faussé compagnie.

— Personne ne peut franchir nos frontières, grommela le dieu-hippocampe.

— Cela fait pourtant deux fois qu'il s'échappe.

— D'où tient-il cette puissance ?

— Il est très intelligent, Abussos. Sans doute a-t-il retrouvé une source de pouvoir que nous avons oubliée au fil des siècles.

— Je vais le traquer avec Tayaress et, cette fois, nous le conduirons de force dans le hall des disparus, où il aurait dû être enfermé dès le début.

— Tu ne crois pas qu'il puisse avoir changé ?

— L'essence même de son âme est maléfique, Idril. Même moi, je ne pourrais pas la transformer. C'est une terrible loi de l'univers.

— Peut-on vraiment éradiquer le mal ?

— Si nous, les créateurs de l'univers, ne faisons rien pour protéger ceux qui sont bons, avant longtemps ils auront tous disparu.

Lessien Idril finit par obtempérer. Abussos, qui savait que le cœur de sa femme était rempli d'amour pour toutes les créatures de l'univers, l'embrassa sur le front pour lui redonner du courage. De son côté, elle comprenait que la capture de Nayati était nécessaire, même si elle aurait préféré qu'il se transforme en un exemple de bonté.

Le dieu-hippocampe allait se transporter dans le monde des mortels lorsqu'il reçut l'appel de détresse du panthéon des rapaces.

– Si Nayati revient, retiens-le, recommanda-t-il à la déesse-louve.

– Entendu.

Abussos ordonna à Tayaress de le suivre et quitta son univers. Son fidèle serviteur à ses côtés, il se matérialisa dans le monde créé spécialement pour Lycaon et sa descendance et se présenta dans le nid géant où le condor tenait sa cour. À son grand étonnement, il trouva le corps de celui-ci couché sur le dos au milieu de la pièce, entouré de tous ses sujets. La plupart ressentait une grande tristesse, mais les autres étaient nettement terrorisés.

Le dieu-hippocampe se pencha sur son petit-fils et constata que sa vie divine l'avait quitté. Il n'y avait aucune marque de coups ou de blessures sur l'oiseau de proie, mais la position anormale de son cou suggérait qu'on le lui avait cassé.

– Qui sait ce qui s'est passé?

– Personne n'a rien vu, sanglota Séléna.

Puisque ces créatures célestes étaient immortelles, la seule explication, c'était l'intervention d'un autre dieu.

– Qui a pu faire une chose pareille?

– Azcatchi! répondirent-ils tous en chœur.

Aquilée, la déesse-aigle, s'approcha de son grand-père. Dans ses yeux brillait de la colère.

— C'est mon frère crave. Il a stupidement décidé d'anéantir notre panthéon et de devenir le seul dieu rapace que les humains adoreront.

— Ne connaît-il pas la loi de la triade ?

— Apparemment, non. Combien de temps nous reste-t-il avant de cesser d'exister ?

— L'un d'entre vous pourrait-il remplacer Lycaon ?

— Ils tremblent tous sous leur plumage.

— Faut-il être un de ses enfants ? demanda Orlare, la chouette blanche.

— Le lien de sang est tout aussi important que le degré de filiation.

— Vous n'auriez pas dû inventer une telle règle, lui reprocha Métarassou, la déesse-faucon.

— Je n'ai rien à voir avec cette restriction, affirma Abussos en prenant note de s'entretenir avec Aiapaec et Aufaniae à ce sujet. Choisissez quelqu'un rapidement et disposez du corps de Lycaon. Je m'occupe du reste.

Le dieu-hippocampe se transporta à l'extérieur du nid. Debout sur une large branche, il scruta la forêt magique. Derrière lui, Tayaress en faisait tout autant.

– Avant de pourchasser cet Azcatchi, ne devriez-vous pas abolir les triades, vénérable Abussos ? lui dit-il. Depuis qu'il a anéanti son père, il doit se sentir très fort. Il y a de fortes chances qu'il accélère son rythme meurtrier.

– Tu as raison. Je vais me rendre auprès des dieux-dragons et leur demander de désamorcer ce sortilège. Pendant ce temps, vois si tu peux retrouver le crave, mais ne le tue pas. Je veux le châtier moi-même.

– Avec plaisir, maître.

Le dieu-hippocampe disparut, laissant son serviteur seul dans cet étrange monde d'arbres géants et de forêts silencieuses. Tayaress commença par examiner les abords du nid du condor, afin de s'imprégner de chaque énergie qui s'y trouvait et de les démêler dans son esprit. Un aigle royal se posa près de lui.

– Ceci accélérerait-il votre travail ?

Aquilée lui remit une plume noire. Tayaress la flaira sous son grand capuchon.

– Grandement, affirma-t-il.

– Ce n'est pas parce que je suis sa sœur que j'approuve ce qu'il fait. Azcatchi est un vil menteur et un hypocrite, de surcroît. Tout ce qui l'intéresse, c'est le pouvoir. Il fera n'importe quoi pour dominer les autres et leur imposer sa volonté. Je vous en prie, arrêtez-le.

Armé de cette information, l'Immortel commença son ratissage du monde aviaire. Si le crave se cachait quelque part, il le trouverait.

* * *

Au Royaume d'Émeraude, personne à part Wellan ne se doutait de ce qui se passait dans les cieux. Tout le château était en effervescence, car on allait célébrer un autre mariage royal. C'était un instant de grande réjouissance pour tout le peuple, alors les serviteurs redoublaient d'efforts pour que tout soit absolument parfait. Pendant qu'ils accrochaient des guirlandes dans la cour, qu'ils roulaient des barils de bière et de vin et qu'ils construisaient une estrade pour l'échange des vœux ainsi que pour les musiciens, par la suite, Wellan s'était faufilé jusqu'à la tour d'Armène.

— Je ne m'habitue pas de te voir grand comme ça ! s'exclama la gouvernante lorsqu'elle le vit arriver sur le palier.

— Moi non plus, plaisanta-t-il.

— J'imagine que tu es venu enquêter sur le mal qui ronge nos oisillons ?

— Exactement.

— Sire Santo ne leur a diagnostiqué aucune maladie. Il ne comprend pas ce qui leur arrive.

— C'est qu'il n'a pas eu le temps de lire les traités des anciens Sholiens.

Wellan poursuivit sa route dans le deuxième escalier, qui menait à la grande chambre circulaire. Mal en point, Aurélys, Cyndelle et Lazuli se tordaient de douleur sur leur lit, sous le regard impuissant de Jahonne qui les veillait depuis plusieurs jours. Wellan s'approcha des trois pauvres enfants.

— Au début, j'ai pensé qu'ils avaient été intoxiqués par leur nourriture, mais il n'y a aucune trace de poison dans leur sang, l'informa l'hybride.

— Rassure-toi. Ils ne sont pas en danger de mort, Jahonne. Je ne sais pas exactement comment, mais je pense qu'ils ont été délivrés de l'enchantement de Lycaon.

— Comment peux-tu le vérifier ?

— J'ai demandé à Fabian et à Shvara de me rejoindre ici dès qu'ils le pourront.

— Le mariage doit les tenir occupés.

— Je suis certain qu'ils arriveront à se libérer.

Il n'avait pas terminé sa phrase que les deux oiseaux de proie fonçaient par les fenêtres de la tour en repliant leurs ailes. Ils se métamorphosèrent en humains et se penchèrent aussitôt sur les petits. Ils mirent la main sur leur front à tour de rôle, puis se tournèrent vers Wellan.

— Tu as raison, s'étonna Fabian. Leur nature aviaire semble s'être évaporée.

— Mais pourquoi ? voulut savoir Shvara.

— Ou bien Lycaon a volontairement mis fin au sortilège qui les forçait à se métamorphoser en oiseaux, ce qui serait bien étonnant puisqu'il tenait à eux, ou bien il est mort.

— Azcatchi… grondèrent les deux rapaces.

— S'il a réussi à éliminer son père beaucoup plus puissant que lui, il est devenu un redoutable ennemi.

— Nous avons été chassés du monde aviaire, fit Fabian, mais nous ne pouvons pas rester à rien faire pendant que le crave assassine tout le monde.

— Car lorsqu'il n'aura plus personne à tuer là-haut, il n'est pas impossible qu'il descende jusqu'ici pour assouvir ses besoins meurtriers, ajouta Shvara.

— Lorsqu'il aura détruit la triade, nous n'existerons même plus, précisa Wellan.

— La situation est trop grave pour que nous ne nous en mêlions pas, ajouta Fabian.

Wellan passa la main au-dessus de son frère, puis la déposa sur son plexus solaire, lui transmettant une vague d'apaisement. Lazuli se calma aussitôt.

— Armène ! appela l'ancien commandant des Chevaliers.

La gouvernante accourut.

— S'il te plaît, habille-les pour les noces du Prince.

– Mais…

– Ils ne courent plus aucun danger.

Wellan répéta l'opération sur les deux filles.

– Célébrons d'abord cette union, puis nous nous réunirons pour formuler un plan, dit-il aux dieux rapaces.

– Je suis d'accord, accepta Shvara. Fêtons !

Ils regagnèrent le château pendant qu'Armène aidait les oisillons à enfiler leurs plus beaux habits. À l'étage royal, c'était le branle-bas de combat. Les servantes couraient partout dans les couloirs et Swan tournait en rond dans sa chambre. Assis sur son lit, le petit Jaspe l'applaudissait.

– Êtes-vous tous prêts ? voulut savoir la reine.

Maximilien fut le premier à se présenter à la porte de la pièce. Il était resplendissant dans sa tunique de velours doré cintrée à la taille par une large ceinture de cuir sertie de joyaux. Il avait également revêtu un pantalon et des bottes noires, mais avait refusé de porter une arme d'apparat, comme le faisaient généralement les princes qui se mariaient.

– Tu es éblouissant, le complimenta la mère.

Atlance, Katil et Lucca arrivèrent ensuite. Même le bébé était vêtu de velours vert comme ses parents.

– Où sont Fabian et Anoki ?

— Ils étaient juste derrière nous, affirma Atlance.

Swan jeta un œil dans le couloir et vit le dieu-milan accroupi devant son petit frère adoptif pour ajuster sa ceinture. Tous les deux avaient choisi des vêtements bleus. Derrière eux, Shvara arborait les mêmes vêtements marron qu'à l'accoutumée, mais ils lui allaient très bien.

— Il est temps d'aller nous poster sous le dais, les avertit Swan.

Elle prit la tête de sa famille et descendit le grand escalier. Ses garçons gardèrent une distance prudente derrière elle, car sa robe traînait sur les marches. Lorsque la famille royale sortit du palais, la foule venue assister au mariage l'acclama bruyamment. Ils firent tant de bruit qu'on les entendit jusque dans le hall des Chevaliers, où Aydine se préparait en compagnie de Mali, Bridgess, Kira et Myrialuna.

— C'est tellement excitant ! jubilait la femme eyra. Je devrais me remarier, moi aussi !

Pour l'occasion, la mariée ne portait pas les vêtements légers de son pays. Elle avait choisi une robe rose parsemée de petites perles et lacée d'argent. Mali piqua les dernières fleurs dans ses cheveux et se déclara satisfaite.

— Je suis si fébrile que j'ai peur de bafouiller, avoua la Madidjin.

— Il suffit juste de dire « je le veux » très clairement, l'encouragea Kira.

— Est-ce le moment d'y aller ?

— Wellan viendra nous avertir. Il surveille les événements à partir de la porte de cette aile.

La cour était bondée. En plus des habitants du château, on y trouvait des paysans, ainsi que les Chevaliers d'Émeraude qui habitaient la région. Dempsey y était avec Chloé et leurs cinq enfants, ainsi que Jasson, Sanya et leurs deux fils. Kevin et Maïwen tenaient leurs petites fées par la main, tandis que Daiklan et Ellie circulaient dans la foule pour faire la promotion de leur nouvelle exposition. Falcon et Wanda se tenaient fièrement de chaque côté de leur fille Aurélys, libérée du sortilège qui l'avait obligée à se réfugier dans la tour d'Armène. Santo attendait sa femme en compagnie de ses deux filles et de son grand garçon. Non loin d'eux, Lassa expliquait aux jumeaux et à Lazuli ce qui allait se passer. Kaliska leur frictionnait le dos pour les aider à effectuer leur première apparition publique et on ne savait déjà plus où était passé Marek. Liam marchait de long en large pour calmer la petite Kyomi qu'il tenait contre lui. Bailey et Volpel, qui venaient d'arriver, allèrent lui tenir compagnie. Les seuls Chevaliers à manquer à l'appel étaient Bergeau et Nogait, qui célébraient un autre mariage au pays des Elfes.

Les soldats magiques qui habitaient des contrées lointaines avaient tout de même transmis leurs vœux de bonheur aux futurs mariés par voie de télépathie. Swan les avait dictés au scribe afin de remettre un parchemin à son fils après la cérémonie.

À la droite de sa mère, sous le dais, le Prince Maximilien faisait belle figure aux côtés de Fabian et de Shvara. Ce qui le rendait si populaire auprès du peuple, c'était qu'il était né paysan et qu'il avait été adopté par le Roi Onyx. À la gauche de Swan, Atlance et Katil continuaient de remercier le ciel de leur avoir rendu leur enfant. Quant à Anoki, il était assis aux pieds de sa mère adoptive et empêchait le petit Jaspe de descendre les marches de la plateforme. Il ne manquait que le roi et la Princesse Cornéliane dans ce beau tableau de famille. Assise sur le trône de son mari, Swan en était parfaitement consciente, mais sa magie n'était pas assez forte pour ramener sa fille au bercail et obliger son mari adultérin à assister au mariage de leur fils.

— Est-ce que ça va bientôt commencer ? fit quelqu'un dans la foule.

Lassa se redressa d'un seul coup, ayant reconnu la voix de Marek. Le petit garnement avait sans doute réussi à se frayer un chemin à travers les invités jusqu'à la première rangée.

Swan se leva et le silence s'imposa peu à peu dans la grande cour.

— Nous sommes réunis en ce jour afin de célébrer un moment important dans la vie de mon fils Maximilien.

— Où est le roi ? l'interrogea un paysan.

— Il poursuit d'autres intérêts. C'est en son nom, aujourd'hui, que j'unirai les vies du Prince Maximilien d'Émeraude et de la Princesse Aydine de Baliaza. Si quelqu'un a raison de croire que ce mariage ne devrait pas avoir lieu, qu'il parle maintenant.

Lassa pria tous les dieux du ciel que son fils Marek ne passe pas son temps à interrompre la cérémonie.

– Laissez maintenant venir la mariée, ordonna Swan.

La foule se divisa en deux pour lui créer un passage.

– C'est le moment, annonça Wellan.

Lui tenant chacune un bras, Kira et Mali firent marcher Aydine vers la porte puis à travers la cour. Bridgess en profita pour rejoindre sa famille, mais Myrialuna resta derrière la mariée en l'imitant pour se rappeler de beaux souvenirs.

Wellan longea plutôt la muraille et grimpa sur les remparts pour scruter les alentours, car très peu de mariages dans cette forteresse s'étaient bien terminés. Cette fois-ci, il s'assurerait que personne ne gâche le bonheur de Maximilien. Il ne décela aucune menace dans le ciel, ni dans la campagne. Il ne s'attendait pas à une nouvelle apparition d'un dieu fauve, mais tout était possible sur ce continent.

Aydine grimpa les marches de la plateforme avec difficulté, empêtrée dans sa longue robe. Ébloui, Maximilien lui vint aussitôt en aide et la tira près de lui.

– Embrassez-vous ! cria Marek.

Lassa laissa les enfants sous la surveillance de Kira et parvint à se rendre jusqu'à son fils qui, même s'il avait vieilli spontanément de cinq ans, ne s'était apparemment pas assagi. Il agrippa Marek par une oreille et le ramena dans son clan.

– Maximilien, Prince d'Émeraude, fils de la Reine Swan et du Roi Onyx, acceptes-tu devant les hommes et les dieux d'unir ta vie à celle d'Aydine, Princesse de Baliaza, fille du Raïs Kaïpo et de la Princesse Fatiha, de lui jurer fidélité, de l'aimer chaque jour un peu plus, malgré les obstacles et les impatiences, et d'établir avec elle un lien sacré que rien ne pourra détruire ?

– Je l'accepte, répondit le prince, la gorge serrée par l'émotion.

– Aydine, Princesse de Baliaza, fille du Raïs Kaïpo et de la Princesse Fatiha, acceptes-tu devant les hommes et les dieux d'unir ta vie à celle de Maximilien, Prince d'Émeraude, fils de la Reine Swan et du Roi Onyx, de lui jurer fidélité, de l'aimer chaque jour un peu plus, malgré les obstacles et les impatiences, et d'établir avec lui un lien sacré que rien ne pourra détruire ?

– Oui, pour toujours, Majesté.

Swan chancela sur ses jambes et prononça le reste du discours en pleurant. Ses amis savaient que ce n'était pas parce qu'elle voyait son fils se détacher d'elle, mais parce que son époux l'avait trahie en dépit des vœux prononcés jadis.

– Je vous déclare mari et femme… jusqu'à ce que la mort vous sépare…

La reine profita du moment où les nouveaux époux s'embrassèrent pour prendre le petit Jaspe dans ses bras et quitter la plateforme en compagnie de ses autres fils. Tout le monde vint féliciter Maximilien et Aydine. On leur offrit des présents de toutes sortes, que les serviteurs s'empressaient de réunir sur une grande table. Puis les pièces de viande furent retirées des broches. Les invités se servirent du vin ou de la bière pendant que les musiciens s'installaient.

— Vous tenez le coup, princesse ? murmura Maximilien à sa douce.

— Mieux que je ne le croyais…

Elle accepta une coupe de la part d'Atlance qui tenait son fils sur son autre bras.

— Lucca veut savoir si vous lui ferez un petit cousin cette nuit ?

Aydine rougit jusqu'aux oreilles.

— Tout dépendra dans quel état nous serons à la fin de la soirée, répondit le petit frère, amusé.

Swan ne réapparut qu'une heure plus tard, dans une tenue plus décontractée qui lui permettrait de danser si elle en avait envie. Elle avait laissé Jaspe au soin de ses gouvernantes, mais Anoki la suivait comme son ombre. Elle accepta les compliments de ses anciens compagnons d'armes avec beaucoup de grâce et cala même une coupe de vin pour faire plaisir à Fabian. Les gens mangeaient et buvaient debout pour la plupart en bavardant gaiement.

La soirée s'annonçait très réussie, lorsque les grandes portes de la muraille claquèrent bruyamment contre les murs.

Les invités se tournèrent vers le pont-levis pour voir ce qui se passait. Leurs cris de joie se transformèrent en murmures d'inquiétude.

Un homme entra dans la cour, complètement vêtu de noir. Swan remit sa coupe au serviteur qui se tenait non loin d'elle et marcha à la rencontre du nouveau venu. Ce fut seulement lorsqu'elle arriva à quelques pas de lui qu'elle constata que l'intrus n'était pas son ancien mari, bien qu'il lui ressemblât beaucoup.

– Comment osez-vous interrompre ces festivités, auxquelles vous n'avez pas été invité ? l'apostropha la reine.

– Rien n'aurait pu m'empêcher d'assister au mariage de mon frère, répondit l'étranger avec un large sourire.

– Votre frère ? s'étrangla Swan en blanchissant.

– Mère, ne me reconnais-tu pas ?

Elle s'avança vers le jeune homme et examina attentivement son visage. D'une main tremblante, elle caressa sa joue.

– Nemeroff ?

Le prince ressuscité prit les doigts de sa mère et les embrassa.

– Je suis heureux de te revoir, mère.

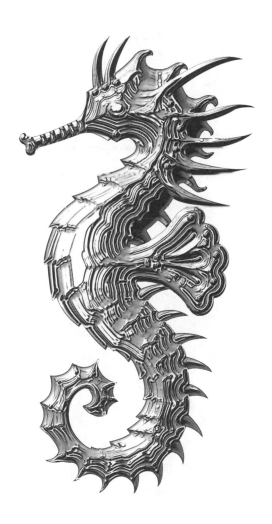

À PARAÎTRE
PRINTEMPS 2013

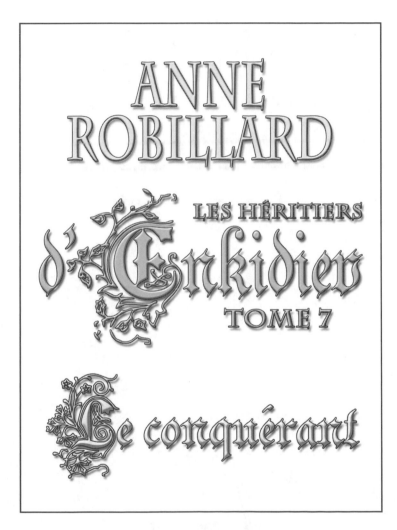

ANNE ROBILLARD

LES HÉRITIERS d'Enkidiev

TOME 7

Le conquérant

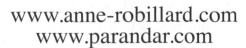

www.anne-robillard.com
www.parandar.com

Marquis imprimeur inc.

Imprimé au Québec, Canada
Septembre 2012